GUIA VISUAL FOLHA DE S.PAULO

EUROPA

GUIA DE CONVERSAÇÃO PARA VIAGENS

DORLING KINDERSLEY

PUBLIFOLHA

UM LIVRO DORLING KINDERSLEY

www.dk.com

PUBLIFOLHA
Divisão de Publicações do Grupo Folha
Al. Barão de Limeira, 401, 6º andar
CEP 01202-900, São Paulo, SP
Tel.: (11) 3224-2186/2187/2197
www.publifolha.com.br

COORDENAÇÃO DO PROJETO
PUBLIFOLHA
Assistência editorial: Soraia Bini Cury
Produção gráfica: Soraia Pauli Scarpa

PRODUÇÃO EDITORIAL
EDITORA PÁGINA VIVA
Tradução, edição e editoração eletrônica: Editora Página Viva
Consultoria: Vicente Adorno (alemão), Else Haynes (dinamarquês), Miguel Cabrera Fernandez (espanhol), Escola Millenium (finlandês, holandês, sueco), Luciano Lopreto e Monica Hegedüs (francês), Carla de Mello Moreira (grego), Eva T. Piller (húngaro), Mônica Tambelli (inglês), Maria Cristina Pallone (italiano), Franz Steiner (norueguês), Michalina A. Staniczek Andrade (polonês), Vera V. Machac (tcheco).

FOTOS DA CAPA
Imagem principal: Corbis/Georgina Bowater. Outras imagens: Dorling Kindersley.

Dados internacionais de Catalogação na Publicação (CIP)
(Câmara Brasileira do Livro, SP, Brasil)

Europa : guia de conversação para viagens / [Dorling Kindersley ; tradução, edição e editoração eletrônica Editora Página Viva]. – São Paulo: Publifolha, 2011. – (Coleção guia de conversação para viagens)

3ª reimp. da 4ª ed. de 2009
Título original: European phrase book.
ISBN 978-85-7402-366-3

1. Europa - Guias de viagens 2. Vocabulários e manuais de conversação poliglotas I. Dorling Kindersley. II. Série.

09-12778 CDD-413.21

Índices para catálogo sistemático:
1. Europa : Guia de conversação : Linguística 413.21
2. Guia de conversação : Europa : Linguística 413.21

Este livro segue as regras do Acordo Ortográfico da Língua Portuguesa (1990), em vigor desde 1º de janeiro de 2009.

Impresso em outubro de 2011, na gráfica Cromosete sobre papel offset 90 g/m².

SUMÁRIO

PREFÁCIO

Este *Guia de Conversação para Viagens – Europa* foi criado com o objetivo de ajudar quem viaja pela Europa, oferecendo o vocabulário necessário para você se comunicar nos 14 principais países do continente. A seção de cada idioma começa com um guia de pronúncia e pontos especiais de gramática, seguidos de palavras úteis e frases (saudações, números, dias da semana etc.), dicas de comunicação, hotéis, compras e refeições. Finalmente, o *Manual do Menu* fornece um vocabulário básico para comidas e bebidas do dia a dia, além de especialidades regionais.

Respostas típicas a perguntas que você precisará fazer durante a viagem aparecem destacadas em quadros, assim como expressões ou instruções que provavelmente vai ver ou ouvir. No texto principal a pronúncia de palavras e frases é imitada com sílabas em português.

A série *Guias de Conversação para Viagens* complementa a coleção *Guias Visuais*, os guias turísticos mais completos e bem ilustrados disponíveis em português. Neles o leitor encontra centenas de fotos, mapas detalhados e ilustrações que mostram o interior de monumentos arquitetônicos, bem como informações sobre cultura, história, passeios, hotéis, restaurantes, compras e entretenimento.

ALEMÃO

SUMÁRIO

INTRODUÇÃO

PRONÚNCIA

Ao ler a pronúncia imitada, acentue as partes sublinhadas. Pronuncie cada sílaba como se fosse de uma palavra em português, e você será suficientemente bem compreendido. Lembre-se dos pontos abaixo para melhorar sua pronúncia.

g é pronunciado forte, como em 'gato'.

h representa o 'ch' gutural alemão e deve soar como um 'r' vibrante –o som deve ser originado na garganta.

u representa o 'u' alemão longo. Pronuncie-o como em "**urubu**".

iú é como representamos o 'ü' alemão com trema, cujo som aproximado corresponde à pronúncia da letra 'i' com os lábios levemente fechados (do modo como falamos a letra 'u').

au deve soar como em 'm**au**'

oê é como representamos o 'ö' alemão com trema, cujo som aproximado corresponde à pronúncia da letra 'e' com os lábios levemente fechados (do modo como falamos a letra 'o').

FORMAS DE TRATAMENTO

Na maioria dos casos, demos a forma polida para 'você' –que é **Sie** (*zi*). A forma familiar **du** (*du*) também pode ser usada, mas normalmente apenas quando você está falando com alguém que conhece bem e considera um amigo pessoal.

Perguntas com 'eu' foram algumas vezes traduzidas com **man**, por exemplo 'Eu posso …?' **Kann man …?** Literalmente **man** quer dizer 'alguém', mas em alemão não tem um sentido tão impessoal como em português.

FRASES ÚTEIS

Sim, Não

Sim/Não
Ja/Nein
iá/náin

OK
Okay
ô-quei

Está bem
In Ordnung
in órdnung

Está certo
Stimmt
chtimmt

Apresentações, Saudações

Como vai, prazer em conhecê-lo (a)
Guten Tag, freut mich
gúten tác, fróit mih

Bom dia/Boa tarde/Boa noite
Guten Morgen/Guten Tag/Guten Abend
gúten mórguen/gúten tác/gúten ábend

Boa noite *(ao deitar)*
Gute Nacht
gúte náht

(despedindo-se tarde da noite)
Auf Wiedersehen
Áuf ví-der-zêen

Adeus, até logo
Auf Wiedersehen
Áuf ví-der-zêen

Como vai?
Wie geht es Ihnen?
Vi guêt ês ínen

(informal)
Wie geht es dir?
vi guêt ês día

Meu nome é ...
Ich heiße ...
ih hái-sse

Qual o seu nome?
Wie heißen Sie?
Vi hái-ssen zi

(informal)
Wie heißt du?
vi háisst du

Este é ...
Das ist ...
das ist

Oi/Olá
Hallo
há-lô

Obrigado, Por Favor, Desculpe

Obrigado (a)/Não, obrigado (a)
Danke/Nein, danke
dân-que/náin, dân-que

Por favor
Bitte
bí-te

Desculpe!
Entschuldigung!
ênt-chúl-di-gung

Onde, Como, Pedido Simples

Com licença, por favor
Entschuldigen Sie bitte
ênt-chúl-di-guen zi bí-te

Pode me dizer ...?
Können Sie mir sagen ...?
quê-nen zi mía zá-guen

Pode me dar ...?
Kann ich ... haben?
cân ih ... há-ben

Deseja um/uma ...?
Möchten Sie einen/eine/ein ...?
moêh-ten zi ái-nen/ái-ne/áin

Gostaria de ...?
Möchten Sie ...?
moêh-ten zi

Há ... aqui?
Gibt es hier ...?
guíbt ês hía

O que é isso?
Was ist das?
vás ist dás

Quanto custa isso?
Was kostet das?
vás cós-tet dás

Onde está o/a ...?
Wo ist der/die/das ...?
vô ist dér/dí/das

Há acesso para cadeira de rodas?
Kann man dort mit einem Rollstuhl hinein?
cân mân dórt mit ái-nem roll-chtul hin-ain

É permitida a entrada de cão-guia?
Sind Blindenhunde erlaubt?
zint blinden-hunde ér-láupt

Sobre Você Mesmo

Sou de ...
Ich bin aus ...
ih bin áus

Tenho … anos
Ich bin … Jahre alt
ih bin … iá-re alt

Sou brasileiro
Ich bin Brazilianer
ih bin bra-zi-liâ-nea

Sou casado (a)/solteiro (a)/divorciado (a)
Ich bin verheiratet/ledig/geschieden
ih bin fê-hái-rrá-tet/lê-dic/guê-chí-den

Tenho … irmãs/irmãos/filhos
Ich habe … Schwestern/Brüder/Kinder
ih há-be … chvés-tean/briú-der/quín-dea

Ajuda, Problemas

Pode me ajudar?
Können Sie mir helfen?
quê-nen zi mía hél-fen

Não compreendo
Ich verstehe nicht
ih fêr-chtê-ê niht

O (A) senhor (a) fala inglês/francês?
Sprechen Sie Englisch/Französisch?
chpré-hen zi ên-glich/frân-tsoê-zich

Alguém aqui fala português?
Spricht hier jemand Portugiesisch?
chpriht hía iê-mand por-tu-guí-zich

Não falo alemão
Ich spreche kein Deutsch
ih chpre-he cain doitch

Não sei
Ich weiß nicht
ih váiss niht

Por favor, fale mais devagar
Sprechen Sie bitte etwas langsamer
chpré-hen zi bí-te ét-vas lânk-za-mea

Por favor, escreva isso para mim
Könnten Sie es mir bitte aufschreiben?
quê-nten zi ês mía bí-te áuf-chrái-ben

Eu me perdi
Ich habe mich verlaufen
ih há-be mih fêr-láu-fen

(dirigindo)
Ich habe mich verfahren
ih há-be mih fêr-fá-ren

Preferências, Conversas Sociais

Gosto (de) …
Ich … gern
ih … guéan

Adoro …
Ich liebe …
ih lí-be …

Não gosto (de) …
Ich … nicht gern
ih … niht guéan

Gosta (de) …?
Möchten Sie …?
moêh-ten zi

É delicioso/horrível!
Es ist köstlich/furchtbar!
es ist coês-tlih/fúrht-bar

Não bebo/fumo
Ich trinke/rauche nicht
ih trín-que/ráu-he niht

Importa-se se eu fumar?
Haben Sie etwas dagegen, wenn ich rauche?
há-ben zi ét-vas dá-guê-guen, vên ih ráu-he

O que deseja (para beber)?
Was möchten Sie (trinken)?
vas moêh-ten zi trín-quen

Eu gostaria de um/uma ...
Ich möchte gern einen/eine/ein ...
ih moêh-te guéan ái-nen/ái-ne/áin

Não quero nada, obrigado (a)
Nichts für mich, danke
nihts fiúr mih, dân-que

Saúde!
Prost!
prôst

Palavras e Frases que Você Vai Ouvir

achtung!	atenção, cuidado!
bedienen Sie sich	sirva-se
bis später	vejo vocês mais tarde
bitte?	por favor?
bitte (schön/sehr)	seja bem-vindo (a)
danke gleichfalls	eu é que agradeço
entschuldigung	com licença
gut	bom
gute Reise	boa viagem
ich verstehe nicht	eu não entendi
ich weiß nicht	eu não sei
stimmt	está bem
verzeihung	perdão
vielen Dank	muito obrigado (a)
wie bitte?	o que foi que disse?
wie geht es Ihnen?	como vai o senhor?
wie geht's?	como vão as coisas?
wirklich?	é mesmo? realmente?

DIAS, MESES, ESTAÇÕES

domingo	Sonntag	*zôn-tac*
segunda-feira	Montag	*môn-tac*
terça-feira	Dienstag	*díns-tac*
quarta-feira	Mittwoch	*mít-vôh*
quinta-feira	Donnerstag	*dôneas-tac*
sexta-feira	Freitag	*frái-tac*
sábado	Samstag, Sonnabend	*zâms-tac,* *zôn-á-bend*
janeiro	Januar	*iâ-núa*
fevereiro	Februar	*fê-brúa*
março	März	*mérts*
abril	April	*á-pril*
maio	Mai	*mái*
junho	Juni	*iú-ni*
julho	Juli	*iú-li*
agosto	August	*áu-gust*
setembro	September	*zêp-têm-bea*
outubro	Oktober	*octô-bea*
novembro	November	*nô-fêm-bea*
dezembro	Dezember	*dê-tsêm-bea*
primavera	Frühling	*friú-linc*
verão	Sommer	*zô-mea*
outono	Herbst	*héabst*
inverno	Winter	*vín-tea*
Natal	Weihnachten	*vái-náh-ten*
Noite de Natal	Heiligabend	*hái-lic-á-bend*
Ano-Novo	Neujahr	*nói-iar*
Véspera de Ano-Novo	Silvester	*zil-vé-chtea*
Páscoa	Ostern	*ôs-tean*
Sexta da Paixão	Karfreitag	*car-frái-tac*
Pentecostes	Pfingsten	*pfíng-chten*

NÚMEROS

0 null *núl*
1 eins *áins*
2 zwei *tsvái*
3 drei *drái*
4 vier *fía*
5 fünf *fiúnf*
6 sechs *zéx*
7 sieben *zí-ben*
8 acht *áht*
9 neun *nóin*

10 zehn *tsên*
11 elf *élf*
12 zwölf *tsvoêlf*
13 dreizehn *drái-tsên*
14 vierzehn *fía-tsên*
15 fünfzehn *fíunf-tsên*
16 sechzehn *zéx-tsên*
17 siebzehn *zíb-tsên*
18 achtzehn *áht-tsên*
19 neunzehn *nóin-tsên*

20 zwanzig *tsvan-tsic*
21 einundzwanzig *áin-und-tsvân-tsic*
22 zweiundzwanzig *tsvái-und-tsvân-tsic*
30 dreißig *drái-ssic*
40 vierzig *fía-tsic*
50 fünfzig *fíunf-tsic*
60 sechzig *zéx-tsic*
70 siebzig *zíb-tsic*
80 achtzig *áht-tsic*
90 neunzig *nóin-tsic*
100 hundert *hún-dêat*
110 hundertzehn *hún-dêat-tsên*
200 zweihundert *tsvái-hún-dêat*
1.000 tausend *táu-zênt*
10.000 zehntausend *tsên-táu-zênt*
100.000 hunderttausend *hún-dêat-táu-zênt*
1.000.000 eine Million *ái-ne mi-li-ôn*

Ordinais são formados acrescentando **-te**, ou **-ste** se o número termina em **-ig**. Exemplos: **fünfte** (*fíunf-te*, quinto), **zwanzigste** (*tsvân-tsic-ste*, vigésimo). Exceções: **erste** (*érs-te*, primeiro), **dritte** (*drí-te*, terceiro) e **siebte** (*zíb-te*, sétimo).

TEMPO

Como Dizer as Horas

Para dizer as horas em alemão use a palavra **Uhr** (*úa*) precedida pelo número apropriado. Por exemplo, **neun Uhr** (*nóin úa*) é '9h'. O sistema de indicação baseado nas 24 horas é bem mais utilizado na Alemanha.

A palavra para 'depois' é **nach** (*nah*). Portanto, **zehn nach neun** (*tsên nah nóin*) é '9h10'. A palavra 'para' é **vor** (*fór*). Assim, **zehn vor neun** (*tsên fór nóin*) é 'dez para as nove'. A palavra para '(um) quarto' é **viertel** (*fía-tel*). Portanto, **viertel nach/vor neun** (*fía-tel nah/fór nóin*) é '(um) quarto depois das/para as nove', ou seja, 'nove e quinze/quinze para as nove'.

Ao dizer as horas, é importante lembrar que, para indicar meia hora, os alemães contam para trás a partir da hora completa seguinte. Por exemplo, '9h30' em alemão equivale a 'meia dez'. Assim, **es ist halb zehn** (*ĕs ist hálb tsên*) significa 'são 9h30'.

hoje	heute	*hói-te*
ontem	gestern	*gué-chtêan*
amanhã	morgen	*mór-guen*
esta semana	diese Woche	*dí-ze vô-he*
semana passada	letzte Woche	*léts-te vô-he*
semana que vem	nächste Woche	*néx-te vô-he*
esta manhã	heute morgen	*hói-te mór-guen*
esta tarde	heute nachmittag	*hói-te náh-mí-tag*
esta noite	heute abend	*hói-te á-bend*
hoje à noite	heute abend	*hói-te á-bend*
ontem à noite		
(a noite passada)	gestern Abend	*gué-chtêan á-bend*
(tarde da noite)	gestern Nacht	*gué-chtêan náht*
dentro de três dias	in drei Tagen	*in drái tá-guen*
há três dias	vor drei Tagen	*fór drái tá-guen*

tarde	spät	*chpêt*
cedo	früh	*fríu*
logo	bald	*báld*
mais tarde	später	*chpê-tea*
imediatamente	im Moment	*im mo-mênt*
um segundo	eine Sekunde	*ái-ne ze-cún-de*
minuto	die Minute	*mi-nú-te*
um minuto	eine Minute	*ái-ne mi-nú-te*
dois minutos	zwei Minuten	*tsvái mi-nú-ten*
15 minutos	eine Viertelstunde	*ái-ne fía-tel-chtún-de*
meia hora	eine halbe Stunde	*ái-ne hál-be chtún-de*
45 minutos	eine Dreiviertelstunde	*ái-ne drái fía-tel-chtún-de*
a hora	die Stunde	*di chtún-de*
o dia	der Tag	*dér tac*
todos os dias	jeden Tag	*iê-den tac*
o dia todo	den ganzen Tag	*den gân-tsen tac*
no dia seguinte	am nächsten Tag	*am nêx-ten tac*
a semana	die Woche	*di vô-he*
duas semanas	zwei Wochen	*tsvái vô-hen*
o mês	der Monat	*dér mônat*
o ano	das Jahr	*das iár*
que horas são?	wie spät ist es?	*vi chpêt ist ês*
de manhã	morgens	*mór-guens*
à tarde	nachmittags	*náh-mi-tács*
(à noite)	abends	*á-bends*
1h	ein Uhr	*ái-n úa*
1h10	zehn nach eins	*tsên nah áins*
1h15	viertel nach eins	*fía-tel nah áins*
1h30	halb zwei	*halb tsvái*
1h40	zwanzig vor zwei	*tsvân-tsic fór tsvái*
1h45	viertel vor zwei	*fía-tel fór tsvái*
16h30	sechzehn Uhr dreißig	*zéx-tsên úa drái-tsic*
às 5h30	um halb sechs	*um halb zéx*

COMUNICAÇÃO

PALAVRAS E FRASES ÚTEIS

auxílio à lista	die Auskunft	*áus-cúnft*
cartão telefônico	die Telefonkarte	*te-le-fôn-cár-te*
celular	das Mobiltelefon	*mô-bíl-tê-le-fôn*
chamada a cobrar	das R-Gespräch	*ér-guê-chpréh*
código	die Vorwahl	*fór-val*
e-mail	die E-mail Adresse	*i-mail a-drés-se*
extensão	der Nebenanschluß	*nê-ben-ân-chlúss*
fax	das Fax	*fax*
internet	das Internet	*internet*
número errado	die falsche Nummer	*fál-che nú-mea*
sinal de discagem	das Amtszeichen	*âmts-tsái-hen*
telefone	das Telefon	*tê-le-fôn*
telefone público	das Münztelefon	*miúnts-tê-le-fôn*

Onde fica a cabine telefônica mais próxima?
Wo ist die nächste Telefonzelle?
vô ist di nêx-te tê-le-fôn-tsé-le

Quero um número de ...
Ich hätte gern eine Nummer in ...
ih hé-te guéan ái-ne nú-mea in

Posso falar com ..., por favor?
Kann ich bitte mit ... sprechen?
cân ih bí-te mit ... chpré-hen

Alô, aqui quem fala é ...
Hallo, hier spricht ...
ha-lô, hía chpriht

Posso deixar um recado para ele/ela?
Können Sie ihm/ihr etwas ausrichten?
coê-nen zi ím/ia ét-vas áus-ríh-ten

Voltarei a ligar mais tarde
Ich rufe später zurück
ih rú-fe chpê-tea tsiú-riúk

Desculpe, foi engano
Tut mir leid, ich habe mich verwählt
tút mía láid, ih há-be mih fêr-vélt

Qual o número do seu fax/seu e-mail?
Wie ist ihre Faxnummer/E-mail Adresse?
ví ist ir-re fáx-nu-mea/i-mail adré-sse

Posso enviar um e-mail/fax daqui?
Kann ich von hier eine E-mail/ein Fax senden?
cân ih fôn hía ái-ne i-mail/ái-ne fáx zên-den

Frases que Você Vai Ouvir

Am Apparat
Ele (a) mesmo (a)

Wen möchten Sie sprechen?
Com quem gostaria de falar?

Sie sind falsch verbunden
Você ligou o número errado

Wer spricht bitte?
Quem está falando?

Welche Nummer haben Sie?
Qual é o seu número?

Tut mir leid, er/sie ist nicht im Hause
Sinto muito, ele/ela não está

Ich werde ihm/ihr sagen, daß Sie angerufen haben
Direi a ele/ela que o (a) senhor (a) ligou

Bitte warten
Aguarde (na linha), por favor

EMERGÊNCIAS

Palavras e Frases Úteis

acidente	der Unfall	*ún-fal*
ambulância	der Krankenwagen	*crân-quen-vá-guen*
assaltante	der Einbrecher	*áin-bré-her*
colisão	der Zusammenstoß	*tsú-zá-men chtôss*
corpo de bombeiros	die Feuerwehr	*fóia-vér*
defeito	die Panne	*pâ-ne*
delegacia de polícia	die Polizeiwache	*po-li-tsái-vá-he*
emergência	der Notfall	*nôt-fal*
fogo	das Feuer	*fóia*
polícia	die Polizei	*po-li-tsái*

Socorro!
Hilfe!
híl-fe

Pare!
Halt!
hált

Chame uma ambulância!
Rufen Sie einen Krankenwagen!
rú-fen zi ái-nen crân-quen-vá-guen

Depressa!
Beeilen Sie sich!
be-ái-len zi zih

Meu endereço é …
Meine Adresse ist …
mái-ne a-dré-sse ist

Roubaram meu passaporte/meu carro
Mein Paß/Auto ist gestohlen worden
máin páss/áu-to ist guê-chtô-len vór-den

HOTÉIS

Palavras e Frases Úteis

almoço	das Mittagessen	*mi-tac-és-sen*
aposento	das Zimmer	*tsí-mea*
arrumadeira	das Zimmermädchen	*tsí-mea-mêt-chen*
banheira	die Badewanne	*bá-de-vâ-ne*
banheiro	das Bad	*bád*
bed and breakfast	Übernachtung mit Frühstück	*iú-ber-náh-tung mit friú-chtiúc*
café da manhã	das Frühstück	*friú-chtiúc*
cama	das Bett	*bét*
cama de casal	das Doppelbett	*dô-pel-bét*
cama simples	das Einzelbett	*áin-tsel-bét*
chave	der Schlüssel	*chlíús-sel*
conta	die Rechnung	*réh-nung*
ducha	die Dusche	*dú-che*
elevador	der Aufzug, der Lift	*áuf-tsuc, lift*
gerente	der Geschäftsführer	*guê-chéfts-fiú-rea*
hall	der Aufenthaltsraum	*áu-fênt-hálts-ráum*
hall de entrada	das Foyer	*fuáiê*
hotel	das Hotel	*hô-tél*
jantar (noite)	das Abendessen	*á-bend-és-sen*
nota fiscal	die Quittung	*kví-tung*
pensão completa	Vollpension	*fôl-pên-tsi-ôn*
pia	das Waschbecken	*vách-bé-quen*
quarto	das (Schlaf)zimmer	*chláf-tsí-mea*
quarto conjugado	das Zweibettzimmer	*tsvái-bét-tsí-mea*
quarto duplo	das Doppelzimmer	*dô-pel-tsí-mea*
quarto simples	das Einzelzimmer	*áin-tsel-tsí-mea*
recepção	der Empfang	*êmp-fâng*
recepcionista	der Empfangschef	*êmp-fângs-chéf*
(mulher)	die Empfangsdame	*êmp-fângs-dá-me*
sala de jantar	der Speisesaal	*chpái-ze-za-ál*
sanitário	die Toilette	*tuá-lé-te*
serviço de quarto	der Zimmerservice	*tsí-mea-sér-vi-ce*

Vocês têm vagas?
Haben Sie Zimmer frei?
há-ben zi tsí-mea frái

Fiz uma reserva
Ich habe ein Zimmer reserviert
ih há-be áin tsí-mea re-ser-ví-art

Eu gostaria de um quarto para uma pessoa
Ich möchte ein Einzelzimmer
ih moêh-te áin áin-tsel-tsí-mea

Eu gostaria de um quarto com banheiro/sacada
Ich möchte ein Zimmer mit Bad/Balkon
ih moêh-te áin tsí-mea mit bád/bál-con

Os quartos possuem TV via satélite/TV a cabo?
Gibt es Satelliten/Kabel fernsehen in den Zimmern?
guibt es zatéliten/cábel férn-zê-en in den tsí-mearn

Eu gostaria de um quarto para uma noite/três noites
Ich möchte ein Zimmer für eine Nacht/drei Nächte
ih moêh-te áin tsí-mea fiúr áine naht/drái néh-te

Qual o preço por noite?
Was kostet es pro Nacht?
vas cóstet ês prô naht

A que horas é o café da manhã/jantar?
Wann wird das Frühstück/Abendessen serviert?
vân vírd das friú-chtiúc/á-bend-és-sen zer-ví-art

Por favor, acorde-me às ...h
Bitte wecken Sie mich um ... Uhr
bí-te vé-quen zi mih um ... úa

Podem servir o café da manhã em meu quarto?
Können Sie mir das Frühstück auf mein Zimmer bringen?
quê-nen zi mía das friú-chtiúc áuf máin tsí-mea brín-guen

O número do meu quarto é ...
Meine Zimmernummer ist ...
mái-ne tsí-mea-nú-mea ist

Não há papel higiênico no banheiro
Im Badezimmer ist kein Toilettenpapier
im bá-de-tsi-mea ist cáin tua-lé-ten pa-pia

Não se consegue abrir a janela
Das Fenster geht nicht auf
das fên-chtea guêt niht áuf

Não há água quente
Es gibt kein warmes Wasser
es guibt cáin vár-mes vás-sa

Vou embora amanhã
Ich reise morgen ab
ih rái-ze mór-guen ap

A que horas devo desocupar o quarto?
Bis wann muß ich das Zimmer räumen?
bis vân múss ih das tsi-mea rói-men

Minha conta, por favor?
Kann ich bitte die Rechnung haben?
cân ih bi-te di réh-nung há-ben

Vou pagar com cartão de crédito
Ich zahle mit Kreditkarte
ih tsá-le mit crê-dit-cár-te

Vou pagar em dinheiro
Ich zahle in bar
ih tsá-le in bar

Pode chamar um táxi?
Können Sie mir ein Taxi bestellen?
quê-nen zi mia áin táxi bê-chté-len

EXPRESSÕES QUE VOCÊ VAI ENCONTRAR

Aufzug	elevador
Bad	banheiro
belegt	não há vagas
drücken	empurre
Dusche	ducha
Eingang	entrada
Empfang	recepção, lobby
Frühstück	café da manhã
kein Zutritt	entrada proibida
Mittagessen	almoço
Notausgang	saída de emergência
Parkplatz	estacionamento
Rechnung	conta
Speisesaal	restaurante, salão de jantar
ziehen	puxe

FRASES QUE VOCÊ VAI OUVIR

Tut mir leid, wir sind voll belegt
Sinto muito, estamos lotados

Es sind keine Einzelzimmer/Doppelzimmer mehr frei
Não temos quartos simples/duplos

Für wie lange?
Por quanto tempo?

Wie möchten Sie zahlen?
Como o (a) senhor (a) gostaria de pagar?

Könnten Sie bitte im voraus bezahlen
Por favor, pague adiantado

Sie müssen das Zimmer bis zwölf Uhr räumen
O (A) senhor (a) deve desocupar o quarto até o meio-dia

COMPRAS

Por favor, onde está/estão ...? *(num supermercado)*
Entschuldigung, wo finde ich ...?
ênt-chúl-di-gung, vô fín-de ih

Você tem ...?
Haben Sie ...?
há-ben zi

Quanto custa isto?
Was kostet das?
vas cós-tet das

Onde fica o caixa?
Wo ist die Kasse?
vô ist dí cás-se

Vocês aceitam cartão de crédito?
Akzeptieren Sie Kreditkarten?
ac-zêp-tí-ren zi crê-dít-cár-ten

Poderia me dar uma nota fiscal?
Kann ich eine Quittung bekommen?
cân ih ái-ne kví-tung bê-cô-men

Tem algo menos caro?
Haben Sie etwas Billigeres?
há-ben zi ét-vas bí-lic-eres

Poderia ter o dinheiro de volta?
Kann ich mein Geld zurückbekommen?
cân ih máin guêld tsu-riúk-be-cô-men

Está ótimo. Vou levar
In Ordnung. Ich nehme es
in órd-nung. ih nê-me ês

Não é o que eu queria
Es ist nicht das, was ich wollte
ês ist niht das, vas ih vôl-te

REFEIÇÕES

Na Alemanha há uma ampla variedade de restaurantes, desde os mais requintados e luxuosos até os quiosques de salsichas na calçada. Lanchonetes fast-food, restaurantes chineses, italianos e gregos são comuns. Menos fáceis de encontrar são os **Balkangrill**, que servem pratos apimentados dos países balcânicos.

Se você quer algo tipicamente alemão, tente uma pequena **Gasthaus** ou hospedaria. Alguns pratos variam de região para região, mas um traço comum é que as porções na Alemanha são bem servidas. Os alemães tendem a comer muita carne; os vegetarianos terão de fazer pedidos especiais.

Peça uma cerveja pequena (**ein kleines Bier**, *áin cláines bía*) e normalmente receberá um copo de 200ml. Uma cerveja grande (**ein großes Bier**, *áin grô-sses bía*) tem de 400ml a 500ml, embora na Baviera possam servir-lhe um copo de 1 litro, conhecido como **eine Maß** (*ái-ne máss*). A cerveja alemã costuma ser do tipo **Pils**. Em algumas regiões experimente **Alt**, uma cerveja mais escura. O vinho alemão pode ser tanto **süß** (*ziuss*, doce), **trocken** (*tró-quen*, seco) ou, se você prefere vinho seco e um pouco rascante, **herb** (*hêrp*). Se quiser experimentar um vinho local, peça **einen Wein aus dieser Gegend** (*ái-nen váin áus dí-zer guê-guend*).

Ao tomar um drinque num bar, o garçom ou garçonete vai anotando seu consumo, e geralmente confere o total de chopes pelo número de discos sobre o balcão. Se você sentar à mesa, pode contar com serviço de mesa (sem custo extra). Não há restrições para a permanência de crianças em bares.

Palavras e Frases Úteis

açúcar	der Zucker	*tsú-ca*
água	das Wasser	*vás-sa*
bolo	der Kuchen	*cú-hen*
café (bebida)	der Kaffee	*ca-fê*
café (local)	das Café	*cá-fê*

cardápio	die Speisekarte	*chpái-ze-cár-te*
carta de vinhos	die Weinkarte	*váin-cár-te*
cerveja	das Bier	*bía*
chá	der Tee	*têe*
colher	der Löffel	*loê-fel*
colher de chá	der Teelöffel	*têe-loê-fel*
conta	die Rechnung	*reh-nung*
copo	das Glas	*glás*
faca	das Messer	*més-sa*
garçom	der Ober	*ô-bea*
garçonete	die Bedienung	*bê-dí-nung*
garfo	die Gabel	*gá-bel*
garrafa	die Karaffe	*ca-rá-fe*
gorjeta	das Trinkgeld	*trink-guêld*
guardanapo	die Serviette	*ser-vié-te*
jarra	die Flasche	*flá-che*
lanche	der Imbiß	*ím-biss*
leite	die Milch	*mílh*
manteiga	die Butter	*bú-tea*
meio litro	der halbe Liter	*hál-be lí-tea*
mesa	der Tisch	*tich*
nota fiscal	die Quittung	*kví-tung*
pão	das Brot	*brôt*
petiscos	die Vorspeise	*fór-chpái-ze*
pimenta	der Pfeffer	*pfé-fea*
porção para crianças	der Kinderteller	*quín-der-té-lea*
prato	der Teller	*té-lea*
prato principal	das Hauptgericht	*háupt-guê-riht*
restaurante	das Restaurant	*rês-tô-rant*
sal	das Salz	*zalts*
sanduíche	das belegte Brot	*bê-lêc-te brot*
sobremesa	das Dessert	*dês-séat*
sopa	die Suppe	*zú-pe*
vinho	der Wein	*váin*
xícara	die Tasse	*tás-se*

Uma mesa para um/dois/três, por favor
Einen Tisch für eine Person/zwei/drei Personen, bitte
ái-nen tich fíur ái-ne per-zôn tsvái/drái per-zô-nen bí-te

Pode me trazer o cardápio/a carta de vinhos?
Könnte ich bitte die Speisekarte/Weinkarte haben?
quên-te ih bî-te die chpái-ze-cár-te/váin-cár-te há-ben

O que o senhor sugere?
Was könnten Sie empfehlen?
vas quên-ten zi êmp-fê-len

Eu gostaria de ...
Ich hätte gern ...
ih hé-te guéan

Só uma xícara de café, por favor
Nur eine Tasse Kaffee, bitte
núa ái-ne tás-se cá-fê bí-te

Só quero uma refeição ligeira
Ich möchte nur eine Kleinigkeit
ih moêh-te núa ái-ne clái nih cáit

Há um cardápio do dia?
Gibt es ein Tagesgericht?
guibt ês áin tá-gues-guê-ríht

Uma jarra de um litro de vinho tinto da casa, por favor
Einen Liter roten Tafelwein, bitte
ái-nen lí-tea rô-ten tá-fel-váin bí-te

O senhor tem algum prato vegetariano?
Haben Sie vegetarische Gerichte?
há-ben zi vê-guê-tá-ri-che guê-ríh-te

Pode nos trazer água, por favor?
Könnten Sie uns ein Glas Wasser geben?
quên-ten zi úns áin glás vás-sa guê-ben

O senhor tem porções especiais para crianças?
Gibt es auch Kinderteller?
guibt ês áuh quín-der-tê-lea

Vocês têm cadeirão/fraldário?
Gibt es dort einen Hochstuhl/einen Wickelraum?
guibt ês dórt ái-nen hôh-chtúl/ái-nen ví-quel-ráum

Poderia esquentar este pote/a comida do bebê para mim?
Können Sie diese Flasche/Babynahrung für mich aufwärmen?
quê-nen zi di-ze flá-che/bêi-bi-ná-rung fiúr mih áuf-vêr-men

Garçom/Garçonete!
Herr Ober!/Fräulein!
hérr ô-bea/frói-láin

Nós não pedimos isso
Das haben wir nicht bestellt
das há-ben vía niht be-chtélt

Pode nos trazer mais um pouco de ...?
Könnten wir noch etwas ... haben?
quên-ten vía nóh ét-vas ... há-ben

Pode nos trazer a conta, por favor?
Zahlen, bitte?
tsá-len, bí-te

Poderia me dar uma nota fiscal, por favor?
Könnte ich bitte eine Quittung bekommen?
quên-te ih bí-te ái-ne kví-tung bê-cô-men

Podemos pagar separadamente?
Können wir getrennt bezahlen?
quê-nen vía guê-trênt bê-tsá-len

A comida estava muito boa, obrigado (a)
Es hat sehr gut geschmeckt, vielen Dank
ês hat zéa gut guê-chméct, fí-len dank

MANUAL DO MENU

Äpfel maçãs
Apfelkompott compota de maçã
Apfelmus musse de maçã
Apfelsaft suco de maçã
Apfelsinen laranjas
Apfelstrudel torta de maçã
Apfeltasche folhado de maçã
Apfelwein sidra
Aprikosen damasco
Artischocken alcachofras
Auflauf pudim ou omelete (cozido)
Aufschnitt fatias de carne fria
Austern ostras
Backpflaume ameixa
Baiser suspiro
Balkansalat salada de repolho e pimentão
Bananen bananas
Bandnudeln espaguetes
Bedienung serviço
Beilagen pratos de acompanhamento
Berliner rosca com geleia
Bier cerveja
Birnen peras
Biskuit pão de ló
Biskuitrolle rocambole suíço
Bismarckhering filé de arenque em conserva
Blätterteig massa folhada
blau fervido
Blaukraut repolho roxo
Blumenkohl couve-flor
blutig malpassado
Blutwurst morcela
Bockwurst cachorro-quente grande
Bohnen feijão
Bouillon sopa clara
Bouletten almôndegas
Braten carne assada
Bratensoße molho de carne
Bratkartoffeln batatas assadas
Bratwurst linguiça de porco grelhada
Brot pão
Brötchen rocambole
Brühwurst cachorro-quente grande
Buttercremetorte bolo de creme
Buttermilch creme de leite
Champignons cogumelos
Dampfnudeln bolinhos de fermento doce
Dicke Bohnen favas
Dillsoße molho de endro
durchgebraten bem passado
durchwachsen com gordura
durchwachsener Speck toucinho gordo
Eier ovos
Eierauflauf omelete
Eierkuchen, Eierpfannkuchen panqueca
Eierspeise oveiro
eingelegt em conserva
Eintopf cozido
Eintopfgericht (prato) cozido
Eis gelo
Eisbecher sundae
Eisbein joelho de porco
englisch malpassado
Entenbraten pato assado
Erbsen ervilhas
Erdbeertorte bolo de morango
Essig vinagre
Falscher Hase bolo de carne
Fenchel erva-doce
Fisch peixe
Fischfrikadellen bolinho de peixe
Fischstäbchen tiras de peixe
Fleischkäse bolo de carne
Fleischklößchen almôndega (s)

Fleischwurst chouriço, salsicha
Forelle truta
Frikadelle rissole
Frikassee fricassê
Fruchtsaft suco de frutas
Gans ganso
Gebäck torta, bolo
gebacken ao forno
gebraten assado
gedünstet no vapor
Geflügel aves
gefüllt recheado
gekocht cozido
gemischter Salat salada mista
Gemüse legumes e verduras
geräuchert defumado
Geschnetzeltes tiras de carne em molho
Geselchtes carne salgada e defumada
Getränke bebidas
Gewürze temperos
Gewürzgurken picles
gratiniert gratinado
Grieß semolina
grüne Bohnen feijão verde
grüne Nudeln macarrão verde
Gulasch guisado de carne bovina
Gurkensalat salada de pepino
Hackfleisch carne assada
Hähnchen frango
Hähnchenkeule coxa de frango
Hammelfleisch carne de carneiro
Hartkäse queijo curado
Hauptspeisen pratos principais
Hausfrauenart, Hausmacher estilo caseiro
Hecht lúcio, pescada
Heilbutt linguado
Herz coração
Himbeeren framboesas
Himmel und Erde purê de batata e maçã com molho pardo ou molho de fígado
Honig mel
Honigkuchen bolo de mel
Huhn frango
Hühnersuppe canja de galinha
Hummer lagosta
Kabeljau bacalhau
Kaffee café
Kalbfleisch vitela
Kalbsbraten vitela assada
kaltes Büfett bufê de frios
Kaninchen lebre
Karotten cenouras
Karpfen carpa
Kartoffelknödel bolinhos de batata
Kartoffeln batatas
Kartoffelpüree purê de batata
Käse queijo
Käsekuchen torta de queijo
Käseplatte travessa de queijos
Kasserolle caçarola
Kastanien castanhas
Katenrauchwurst salsicha defumada
Keule perna, pernil
Kirschen cerejas
klare Brühe sopa clara
Klöße bolinhos
Knäckebrot pão fresco
Knackwurst cachorro-quente
Knoblauch alho
Knochen ossos
Knödel bolinhos
Kohl couve
Konfitüre doce
Königskuchen espécie de bolo de frutas
Kopfsalat alface
Kotelett costeleta
Krabben camarão, pitu
Kraftbrühe caldo
Kräuter ervas
Krautsalat salada de repolho cru
Kroketten croquetes

Kuchen bolo
Kürbis abóbora
Labskaus cozido de carne, peixe e batatas
Lachs salmão
Lachsforelle truta do mar
Lamm cordeiro
Lauch alho-poró
Leber fígado
Leipziger Allerlei legumes mistos
Linseneintopf cozido de lentilhas
Linsensuppe sopa de lentilhas
Mandeln almôndegas
mariniert marinado, em conserva
Marmelade marmelada
Meeresfrüchte frutos do mar
Meerrettich raiz-forte
Meerrettichsoße molho de raiz-forte
Melone melão
Miesmuscheln mexilhões
Milch leite
Milchmixgetränk leite batido
Milchreis pudim de arroz
Mineralwasser água mineral (gasosa)
Möhren, Mohrrüben cenouras
Mus purê, musse
Muscheln mexilhões
Muskat(nuß) noz-moscada
Nachspeisen sobremesas
Nieren rins
Nüsse nozes
Obstsalat salada de frutas
Ochsenschwanzsuppe sopa de rabada
Öl óleo
Oliven azeitonas
Olivenöl azeite de oliva
Omelett omelete
Orangen laranjas
Orangensaft suco de laranja
Palatschinken panquecas recheadas
Paprika pimentão
Paradiesäpfel tomates
Pastete empada (pastel) de frango
Petersilie salsinha
Pfannkuchen panquecas
Pfeffer pimentão, pimenta
Pfirsiche pêssegos
Pflaumen ameixas
Pflaumenkuchen torta de ameixa
pikant picante
Pilze cogumelos
Platte travessa
pochiert escaldado, pochê (ovo)
Pökelfleisch carne-seca
Porree alho-poró
Potthast carne de panela com molho
Poularde frango novo
Preiselbeeren mirtilo
Pumpernickel pão de centeio
Püree purê (batata)
püriert em forma de purê
Puter peru
Radieschen rabanetes
Rahm (coalhada) nata
Räucheraal enguia defumada
Räucherhering arenque defumado
Räucherlachs salmão defumado
Räucherspeck toucinho defumado
Reibekuchen waffles de batata
Reis arroz
Reisauflauf pudim de arroz
Renke pescada-branca, salmão
Rettich rabanete
Rhabarber ruibarbo
Rindfleisch bife
Risi-Pisi arroz com ervilhas
Rohkostplatte travessa de saladas
rosa de médio a malpassado
Rosenkohl couve-de-bruxelas
Rosinen uvas-passas
Rostbraten assado
Rösti batatas e cebolas fritas
Röstkartoffeln batatas fritas

Rote Bete beterraba
rote Grütze geleia de fruta vermelha
Rotkohl, Rotkraut repolho roxo
Rühreier ovos mexidos
Sahne creme de leite
Salate saladas
Salatsoße tempero para salada
Salz sal
Salzburger Nockerln suflês doces
Salzkartoffeln batatas cozidas
sauer nata, coalhada
Sauerbraten carne assada, escabeche
Sauerkraut repolho branco, cortado fino, em conserva
Sauerrahm creme de leite azedo
Schellfisch bacalhau fresco
Schinken presunto
Schinkenröllchen enrolado de presunto
Schinkenwurst salsicha de presunto
Schlagsahne creme de leite
Schmorbraten carne assada
Scholle linguado
Schulterstück corte de dianteiro
Schwarzbrot pão de centeio marrom
Schwarzwälder Kirschtorte bolo de cereja da Floresta Negra
Schweinefleisch carne de porco
Schweinshaxe joelho de porco
Seezunge linguado
Semmel pãozinho
Semmelknödel bolinhos de pão
Senf mostarda
Spargel aspargos
Spätzle talharim feito em casa
Speck toicinho gordo
Speisekarte cardápio
Spiegeleier ovos fritos
Spinat espinafre
Spitzkohl repolho branco
Sprudel (wasser) água mineral
Streuselkuchen bolo com lascas de cobertura
Suppen sopas
süß doce
süß-sauer agridoce
Tafelwasser água mineral (servida à mesa)
Tagesgericht prato do dia
Tageskarte cardápio do dia
Taube pombo
Tee chá
Thunfisch atum
Tintenfisch lula
Tomaten tomates
Törtchen tortinhas
Torte torta
Truthahn peru
überbacken gratinado
verlorene Eier ovos cozidos
Vollkornbrot pão preto integral
Vorspeisen entradas, petiscos
Waffeln waffles
Wasser água
Weichkäse queijo cremoso
Weincreme pudim com vinho
Weintrauben uvas
Weißbrot pão branco
Weißwein vinho branco
Wild caça
Windbeutel bomba de creme
Wirsing repolho-lombardo
Wurst salsicha
Würstchen cachorros-quentes
Wurstplatte travessa de molhos
Zitrone limão
Zucker açúcar
Zunge língua
Zwiebeln cebolas
Zwischengerichte prato de meio (servido após a entrada)

DINAMARQUÊS

SUMÁRIO

INTRODUÇÃO

PRONÚNCIA

Ao ler a pronúncia imitada, acentue as partes sublinhadas. Pronuncie cada sílaba como se fosse de uma palavra em português e você será suficientemente bem compreendido. Lembre-se dos pontos abaixo, para melhorar sua pronúncia.

e pode ter som de 'ê' (s**e**nt) ou 'é' (s**e**nd)

o pode ter som de 'ô' (sofa) ou 'ó' (okse)

y como o 'ü' no alemão

d no final da palavra ou antes das letras 'e' ou 'i' pode ter som de 'th' como '**th**is' do inglês (ga**d**e), e junto com uma consoante pode ser mudo (bor**d**)

g no meio ou no final da palavra pode ser mudo (morgen, dag) ou como 'i' (jeg)

h aspirado, com som de 'rr' (**h**ave)

j pronuncia-se como 'i' (**j**a)

m como em **m**ato, nunca anasalado

n como em **n**ata, nunca anasalado

ng nasal, sem pronunciar o 'g'

r sempre 'rr' como em **r**ato, nunca 'r' como em arara

s sempre 'ss' como em **s**apo, nunca 's' como em vaso

v como em **v**aso, mas às vezes tem som de 'u' (navn)

w quase sempre som de 'v' (**W**ien)

æ som de 'é' (p**æ**re)

ø como o 'ö' no alemão (**ø**l)

å como 'ó' (**å**l)

Alfabeto em Dinamarquês

Em algumas seções e no Manual do Menu adotou-se a ordem alfabética dinamarquesa. Após a letra 'z', seguem-se as seguintes letras suplementares: **æ, ø, å.**

Formas de Tratamento

A palavra informal **du** (*du*) ultimamente tem se tornado muito comum e é possível que mesmo pessoas estranhas se dirijam a você desta forma. Porém muitos dinamarqueses ainda usam a palavra mais formal **De** (*di*) para se comunicar com pessoas que eles não conhecem –e esta é a forma empregada neste livro. O verbo permanece igual para **du** ou **De**.

Artigo Definido e Indefinido

O artigo definido ('o', 'a') em dinamarquês é um sufixo, **en** ou **et** (ou **ne** no plural), acrescentado no final da palavra. Quando você encontrar traduções dadas na forma de **hus(et)** ou **bil(en)**, a palavra **huset** significará 'a casa' e **bilen** 'o carro'. O artigo indefinido ('um', 'uma') também é **en** ou **et**, mas é colocado *antes* do substantivo, como em português: **et hus** ('uma casa'), **en bil** ('um carro'). Se o substantivo for usado com um adjetivo, então o artigo definido muda para a palavra **den** ou **det** e antecede o substantivo. Por exemplo: **den tyske bil** ('o carro alemão'), **det smukke hus** ('a casa bonita').

FRASES ÚTEIS

Sim/Não
Ja/nej
ia/nai

Obrigado (a)/não, obrigado (a)
Tak/nej tak
tak/nai tak

Por favor *(oferecendo)*
Værsgo
vérsgo

Por favor *(aceitando)*
Ja tak
ia tak

Não compreendo
Jeg forstår (Dem/det) ikke
iai forstór (dem/de) igge

O (A) senhor (a) fala inglês/francês/alemão?
Taler De engelsk/fransk/tysk?
talor di em-elsk/fransk/tüsk

Não falo dinamarquês
Jeg kan ikke tale dansk
iai ka igge tale dansk

Não sei
Det ved jeg ikke
de vez iai igge

Por favor, fale mais devagar
Vær venlig at tale langsommere
vér vénli ó tale lãnsomere

Por favor, escreva isso para mim
Vær venlig at skrive det ned for mig
vér venli ó skrive de nêz for mai

Meu nome é …
Mit navn er …
mit naun ér

Como vai, prazer em conhecê-lo (a)
Goddag, det glæder mig at træffe Dem
goda, de glézer mai ó tréfe dem

Bom dia/Boa tarde/Boa noite
Godmorgen/goddag/godaften
gomorn/goda/goaften

Boa noite *(ao se retirar)*
Godnat
gonat

Adeus, até logo
Farvel
favel

Como vai?
Hvordan går det?
vordan gór de

Com licença, por favor *(antes de fazer uma pergunta)*
Undskyld
onskül

Com licença *(para pedir passagem)*
Tillader De?
tillazer di

Desculpe!
Undskyld
onskül

Mil desculpas!
Det må De meget undskylde
de mó di maiet onskülle

Pode me ajudar?
Kan De hjælpe mig?
ka di ielpe mai

Pode me dizer ...?
Kan De sige mig ...?
ka di si mai

Pode me dar ...?
Må jeg bede om ...?
mó iai be om

Eu gostaria de ... *(algum artigo)*
Jeg vil gerne have ...
iai vil guérne ha

Gostaria de ...?
Ønsker De ...?
önsker di

Há ... aqui?
Er der ... her?
ér dér ... hér

Onde posso conseguir ...?
Hvor kan jeg få ...?
vór ka iai fó

Quanto custa?
Hvad koster det?
va cóster de

Que horas são?
Hvad er klokken?
va ér clóggen

Há acesso para cadeira de rodas?
Er der adgang for kørestole?
ér dér azgã fór körestole

Há acesso para deficientes?
Er der handicap faciliteter?
ér dér handicap facilitêter

Onde fica a embaixada brasileira?
Hvor er den brasilianske ambassade?
vór ér dén brasilianske ambassaze

Preciso ir agora
Jeg må afsted nu
iai mó astéz nu

Eu me perdi
Jeg er faret vild
iai ér faret vil

Saúde!
Skål!
skól

Aceitam cartões de crédito?
Tager De credit-card?
tar di 'credit-card'

Onde fica o banheiro?
Hvor er toilettet?
vôr ér toaléddet

Excelente!
Fint!
fint

Frases que Você Vai Ouvir

dav	olá
det forstår jeg ikke	não compreendo
det går godt, tak –og De?	muito bem, obrigado (a) –e você?
det ved jeg ikke	não sei
farvel	até logo
goddag, det glæder mig at træffe Dem	como vai, prazer em conhecê-lo (a)
hvadbehager?	como? perdão?
hvordan går det?	como vai?
højre	direita
ja (det er rigtigt)	sim, está certo
kvinder	mulheres
lige et øjeblik	só um momento
mænd	homens
nej	não
pas på!	cuidado!
selv tak	de nada
tak	obrigado (a)
tillader De?	com licença (*pedir passagem*)
undskyld	com licença, desculpe
venstre	esquerda
vi ses	até logo
virkelig?	é mesmo?
værsgo	aqui está

DIAS, MESES, ESTAÇÕES

domingo	søndag	*sönda*
segunda-feira	mandag	*manda*
terça-feira	tirsdag	*tirsda*
quarta-feira	onsdag	*onsda*
quinta-feira	torsdag	*tórsda*
sexta-feira	fredag	*frêda*
sábado	lørdag	*lörda*
janeiro	januar	*januar*
fevereiro	februar	*fêbruar*
março	marts	*marts*
abril	april	*april*
maio	maj	*mai*
junho	juni	*iuni*
julho	juli	*iuli*
agosto	august	*august*
setembro	september	*september*
outubro	oktober	*oktober*
novembro	november	*november*
dezembro	december	*december*
primavera	forår	*fór-ór*
verão	sommer	*sómor*
outono	efterår	*efter-ór*
inverno	vinter	*vinter*
Natal	jul	*iul*
Noite de Natal	juleaften	*iule-aften*
Ano-Novo	nytår	*nüdór*
Véspera de Ano-Novo	nytårsaften	*nüdorsaften*
Páscoa	påske	*póske*
Pentecostes	pinse	*pince*

NÚMEROS

0 nul *nol*
1 et *et*
2 to *tô*
3 tre *trê*
4 fire *fire*
5 fem *fém*
6 seks *sex*
7 syv *siu*
8 otte *ode*
9 ni *ni*

10 ti *ti*
11 elleve *elve*
12 tolv *tól*
13 tretten *treden*
14 fjorten *fiorden*
15 femten *fémden*
16 seksten *saisten*
17 sytten *söden*
18 atten *aden*
19 nitten *nêden*
20 tyve *tüve*
21 enogtyve *ên-ó-tüve*
22 toogtyve *tô-ó-tüve*
30 tredive *trézve*
31 enogtredive *ên-ó- trézve*
32 toogtredive *tô-ó-trézve*
40 fyrre *förre*
50 halvtreds *hal-trêss*
60 tres *trêss*
70 halvfjerds *hal-fiéss*
80 firs *fias*
90 halvfems *hal-féms*
100 hundrede *hunreze*
110 hundredeogti *hunreze-ó-ti*
200 to hundrede *to hunreze*
300 tre hundrede *trê hunreze*
1.000 tusind *tusen*
1.000.000 en million *en million*

TEMPO

hoje	idag	*ida*
ontem	igår	*igór*
amanhã	imorgen	*imón*
antes de ontem	i forgårs	*i fórgórs*
depois de amanhã	i overmorgen	*i au-o-món*
esta semana	i denne uge	*i dénne ue*
semana passada	sidste uge	*siste ue*
próxima semana	næste uge	*néste ue*
esta manhã	her til morgen	*hér til món*
(dito no final do dia)	i morges	*i mós*
esta tarde	i eftermiddag	*i efdomida*
esta noite	i aften	*i aften*
ontem à tarde	igår eftermiddag	*igó efdomida*
ontem à noite	i aftes	*i aftes*
amanhã de manhã	imorgen tidlig	*imón tizli*
daqui a três dias	om tre dage	*óm trê da*
há três dias	for tre dage siden	*fó trê da sizen*
tarde	sent	*sent*
cedo	tidligt	*tizlit*
logo	snart	*snart*
mais tarde	senere	*sênere*
neste momento	i øjeblikket	*i óiebligget*
segundo	et sekund	*et second*
minuto	minut	*minut*
um minuto	et minut	*et minut*
dois minutos	to minutter	*to minudor*
15 minutos	et kvarter	*et kvatêr*
meia hora	en halv time	*en hal time*
45 minutos	tre kvarter	*trê kvartêr*
hora	time	*time*
dia	en dag	*en da*
15 dias	fjorten dage	*fiorden da*
mês	en måned	*en mónez*
ano	et år	*et ór*

Como Dizer as Horas

Em conversas usa-se o sistema de 12 horas, mas para horários, programas de rádio e televisão e representações teatrais prefere-se utilizar o sistema de 24 horas. No sistema de 12 horas, os minutos seguidos de **i** (para) ou **over** (depois da hora) vêm antes da hora. Por exemplo: **fem minutter i/over seks** (*fém minuder i/óuer séx*) é 'cinco para as seis/seis e cinco'. Se for usado o sistema de 24 horas, o número de minutos (sem a palavra **minutter**) segue a hora. Por exemplo, '17h55' é **sytten femoghalvtreds** (*södden fem-ó-haltrês*); para '18h05' diz-se **atten nul fem** (*adden nol fém*). Ao expressar meia hora, o dinamarquês refere-se à hora seguinte –'seis e meia' é **halv syv** (*hal siu*), literalmente 'meia (para) sete'.

até 10h	morgen	*mórn*
depois das 10h	formiddag	*fórmida*
de tarde	eftermiddag	*éfdermida*
de noite	aften	*aften*
1h	klokken et	*clóggen êt*
1h15	et kvarter over et	*et quartêr óur êt*
1h30	halv to	*hal tô*
1h40	tyve minutter i to	*tüve minuder i tô*
1h45	et kvarter i to	*et quartêr i tô*
2h	klokken to	*clóggen tô*
13h	klokken tretten	*clóggen tréden*
16h30	klokken seksten tredive	*clóggen saisten trézve*
às 5h30	klokken halv seks	*clóggen hal séx*
às 7h	klokken syv	*clóggen siu*
meio-dia	middag	*mêda*
meia-noite	midnat	*miznat*

COMUNICAÇÃO

PALAVRAS E FRASES ÚTEIS

cabine telefônica	en telefonboks	*telefonbox*
celular	mobiltelefon(en)	*mobil-telefon*
chamada a cobrar	en opringning hvor modtageren betaler	*óprimnim vor môztaoren betaler*
código	kaldenummer(et)	*calle-nômer*
e-mail	email adresse(n)	*'email' adrésse*
emergência	en nødsituation	*nöz-situachon*
informações	oplysningen	*óplüsnim-en*
número	nummer(et)	*nômer*
número errado	forkert nummer	*forquêrt nômer*
operador *(enganos)*	fejlkontor(et)	*fail-contôr*
(exterior)	udenrigstelefon(en)	*uzenris-telefon*
ramal	et lokalnummer	*local-nômer*
sinal de discagem	klartone(n)	*clar-tône*
telefone	en telefon	*telefon*

Onde fica a cabine telefônica mais próxima?
Hvor er den nærmeste telefonboks?
vor ér den nérmeste telefon-box

Quanto custa um telefonema para ...?
Hvad koster en opringning til ...?
va koster en óprimnim til

Uma chamada a cobrar, por favor
En samtale, hvor modtageren betaler, tak
en samtale vor môz-taoren betaler, tak

Gostaria de enviar um fax
Jeg vil gerne sende en fax
iai vil guérne sénne en fax

Quero um número de ...
Må jeg bede om et nummer i ...
mó iai bê om et nômer i

Alô, aqui quem fala é ...
Hallo, det er ...
halo, de ér

Sou eu/Pode falar
Det er (+ *o nome*)
de ér

Posso falar com ..., por favor
Jeg vil gerne tale med ...
iai vil guerne tale méz

Meu número é ...
Mit nummer er ...
mit nômer ér

Posso deixar um recado para ele/ela?
Kunne De give ham/hende en besked?
cu di gi ham/hinne en beskez

Voltarei a ligar mais tarde
Jeg ringer igen senere
iai rim-er iguen sênore

Qual o número do seu fax/seu e-mail?
Hvad er dit faxnummer/din email adresse?
va ér dit faxnômer/din email adrésse

Posso enviar um e-mail/fax daqui?
Kan jeg sende en email/fax herfra?
ka iai sénne en email/fax hérfra

Frases que Você Vai Ouvir

Hvem ønsker De at tale med?
Com quem gostaria de falar?

Hvem taler jeg med?
Quem está falando?

Hvad er Deres nummer?
Qual é o seu número?

Han/hun er her desværre ikke
Sinto muito, ele/ela não está

Han/hun kommer igen klokken ...
Ele/ela estará de volta às ...

Vær så venlig at ringe igen i morgen
Por favor, ligue novamente amanhã

Jeg skal sige, De ringede
Direi a ele/ela que o (a) senhor (a) ligou

Expressões que Você Vai Encontrar

drej	discar
fejlkontoret	serviço falho
HJÆLP	emergência (disque 112)
læg røret	recoloque o fone
mønt(er)	moeda (s)
opkald	chamada
optaget	ocupado
tag røret	levante o fone
ude af drift	com defeito
udenbys-	chamada de longa distância
udenrigs-	chamada internacional
udenrigstelefonen	serviço de chamada internacional

HOTÉIS

PALAVRAS E FRASES ÚTEIS

almoço	frokost(en)	*frôcost*
banheiro	(et) badeværelse	*baze-vérelse*
café da manhã	morgenmad(en)	*mónmaz*
cama	(en) seng	*sém*
chave	(en) nøgle	*nóile*
chuveiro	(et) brusebad	*brusebaz*
conta	(en) regning	*ráinim*
elevador	(en) elevator	*elevator*
fazenda/sítio	(en) bondegård	*bône-gór*
gerente	direktør(en)	*directör*
hall de entrada	(en) foyer	*foa-iê*
hotel	(et) hotel	*hotel*
jantar	(en) middag	*mêda*
saguão	opholdsstue(n)	*óphols-stue*
meia pensão	halvpension	*halpãchon*
pensão completa	helpension	*hêlpãchon*
quarto	(et) værelse	*vérelse*
quarto com duas camas	(et) to-sengs værelse	*tô-sems-vérelse*
quarto duplo	(et) dobbeltværelse	*dóbelt-vérelse*
quarto simples	(et) enkeltværelse	*enquelt-vérelse*
recepção	reception(en)	*recepchon*
recepcionista	portier(en) (*masc.*) receptionist(en) (*fem.*)	*portiê* *recepchonist*
restaurante	(en) restaurant	*restorã*
sacada	(en) balkon	*balcóm*
sala de jantar	(en) restaurant	*restorã*
sanitários	(et) toilet	*toalet*
serviço de quarto	servering på værelset	*servêrim pó vérelset*

Vocês têm vagas?
Har De et ledigt værelse?
har di et lêzit vérelse

Fiz uma reserva
Jeg har bestilt et værelse
iai har bestilt et vérelse

Eu gostaria de um quarto simples/quarto duplo
Jeg vil gerne have et enkelt/dobbelt værelse
iai vil guérne ha et enquelt/dóbelt vérelse

Eu gostaria de um quarto conjugado
Jeg vil gerne have et to-sengs værelse
iai vil guérne ha et tô-sems vérelse

Eu gostaria de um quarto com banheiro/sacada
Jeg vil gerne have et værelse med bad/balkon
iai vil guérne ha et vérelse mez baz/balcom

Eu gostaria de um quarto para uma noite/três noites
Jeg vil gerne have et værelse for en nat/tre nætter
iai vil guérne ha et vérelse for en nat/trê nédder

Qual o preço por noite?
Hvad koster det pr. nat?
va cóster de pér nat

Os quartos possuem TV via satélite/TV a cabo?
Er der satellit/kabel TV på værelserne?
ér dér saddelit/cabel te-ve pó vérelserne

Ainda não sei quanto tempo vou ficar
Jeg ved endnu ikke, hvor længe jeg bliver
iai vez ênu êgge vor lém-e iai blir

A que horas é o café da manhã/jantar?
Hvornår serveres der morgenmad/middag?
vornór servêres dér mónmaz/mêda

Por favor, acorde-me às … h
Vær venlig at vække mig klokken …
vér vénli ó véggue mai clóggen

Podem servir o café da manhã no meu quarto?
Kan jeg få morgenmad på værelset?
ka iai fó mónmaz pó vérelset

Voltarei às … h
Jeg vil være tilbage klokken …
iai vel vére tilbá clóggen

O número do meu quarto é …
Mit værelsesnummer er …
mit vérelses-nômer ér

Vou embora amanhã
Jeg rejser i morgen
iai raiser i món

Minha conta, por favor?
Må jeg bede om regningen?
mó iai bê om rainim-en

Vou pagar em dinheiro/com cartão de crédito
Jeg betaler kontant/med credit-card
iai betaler kontant/méz 'credit-card'

Pode chamar um táxi?
Kan De skaffe mig en taxa?
ka di skaffe mai en taxa

Expressões que Você Vai Encontrar

bad	banheiro
betjening	serviço
brandtrappe	escada de incêndio
bruser/brusebad	chuveiro
dobbeltværelse	quarto duplo
enkeltværelse	quarto simples
fuldt optaget	não há vagas
ingen adgang	entrada proibida
kro	taverna
nødudgang	saída de emergência
opholdsstue	saguão
oplysning	informações
tryk/træk	empurre/puxe
udgang	saída

Frases que Você Vai Ouvir

Vi beklager, alt er optaget
Sinto muito, estamos lotados

Vi har ikke flere enkeltværelser
Não temos quartos simples

For hvor mange nætter?
Por quanto tempo?

Hvad er Deres navn?
Qual é seu nome?

Hvordan vil De betale?
Como o (a) senhor (a) gostaria de pagar?

Betal venligst forud
Por favor, pague adiantado

COMPRAS

Onde fica o departamento de ...?
Hvor er … afdelingen?
vór é … audelim-en

Você tem …?
Har De …?
rar di

Quanto custa isto?
Hvad koster det?
va cósta de

Tem mais destes/destas?
Har De flere af disse her?
rar de flêre a disse rer

Onde fica o caixa?
Hvor er kassen?
vor ér cassen

Tem algo menos caro?
Har De noget, der er billigere?
rar di nót dér ér bilier

Poderia embrulhar para mim?
Vil De godt pakke det ind?
vil de gót pagge de in

Poderia me dar uma nota fiscal?
Kan jeg få en kvittering?
ca iai fó en kvitêrim

Poderia ter o dinheiro de volta?
Kan jeg få det refunderet?
ca iai fó de refondêret

Estou só olhando
Jeg kigger bare
iai quigger ba

REFEIÇÕES

A Dinamarca tem vários tipos de estabelecimento onde se pode comer. O **restaurant** (*restorã*) serve grande variedade de comida, inclusive o famoso **koldt bord** (*cólt bôr*) ou bufê frio, e **smørrebrød** (smörrebröz), sanduíches abertos e decorados. Se você quiser comer smørrebrød, peça ao garçom para trazer a **smørrebrødsseddel** (smörrebröz-sézel), a lista de sanduíches.

Uma **bodega** (*bodêga*) é menos formal e tem cardápio mais simples. Uma **cafeteria** (*cafetêria*), com sistema self-service, oferece chá, café, pratos frios e um **dagens ret** (*daens ret*), prato do dia, por um preço bem razoável. Nas lojas de departamentos e nos grandes supermercados muitas vezes se encontra uma cafeteria.

Um restaurante ou uma taverna na zona rural chama-se **kro** (*crô*). Esses locais são frequentados por excursionistas aos domingos querendo café da tarde, bem sortido e variado. Muitos **kroer** também têm fama local pelo seu **kroplatte** (*crôpladde*), arenques em escabeche, carnes frias decoradas, um pequeno prato quente e queijo.

Os cafés dinamarqueses servem lanches, tais como quiches, pastelões e sanduíches. Se você gosta de doces, então vá a um **konditori** (*condidori*), onde poderá se deliciar com ótimos bolos e pastelaria de dar água na boca, acompanhados de chá, café ou chocolate quente (com creme de chantilly, naturalmente). O serviço é sempre incluído na conta.

A bebida mais comum é, sem dúvida, a cerveja ou **øl** (*öl*). Na Dinamarca, essa bebida normalmente é chamada de **pilsner** (*pilsner*), cerveja envelhecida. Uma garrafa de **Carlsberg** (*carlsbér*) e uma garrafa de **Ceres** (*cêres*) são conhecidas respectivamente como **en hof** (*en hóf*) e **en top** (*en tóp*). Chopp é **fadøl** (*faz-öl*).

Com **koldt bord**, o bufê frio, toma-se cerveja ou refrigerante, nunca vinho. Uma ou duas doses de **snaps** bem gelada acompanham o **sild** (*sil*), arenque em escabeche, no início da refeição e muitas vezes também no final com **ost** (*ôst*), queijo. **Snaps**, às vezes chamada de **akvavit** (*agvavit*) –água da vida–, é uma aguardente feita de batatas e muitas vezes aromatizada com alcaravia. Há vários tipos, inclusive a popular escura e amarga **Gammel Dansk** (*gamel dansk*), ou seja, 'Velha Dinamarquesa', mas se quiser experimentar a **snaps** clássica, peça **Rød Ålborg** (*röz ólbor*), que quer dizer 'Aalborg Vermelha'.

A palavra dinamarquesa para 'saúde!' é **skål** (*skol*). Isto significa literalmente 'tigela', e era o que os vikings gritavam uns para os outros quando queriam tomar uma bebida alcoólica fermentada de mel e água.

Palavras e Frases Úteis

açúcar	sukker(et)	*sogor*
água	vand(et)	*vann*
bolo	en kage	*ca-e*
café	kaffe(n)	*cafe*
cardápio	menu(en)	*menü*
carta de vinhos	vinkort(et)	*vincórt*
cerveja	øl(let)	*öl*
chá	te(en)	*tê*
chef	kok(ken)	*cók*
colher	en ske	*squê*
colher de chá	en teske	*têsque*
conta	regning(en)	*rainim*
copo	et glas	*glass*
faca	en kniv	*cniu*
garçom	en tjener	*tiéner*
garçonete	en servitrice	*servitrice*
garfo	en gaffel	*gaffel*
garrafa	en flaske	*flasque*
gorjeta	drikkepenge(ne)	*drêgge-pem-e*
guardanapo	en serviet	*sérviet*
lanche	en snack	*snak*
leite	mælk(en)	*mélk*
mesa	et bord	*bôr*
nota fiscal	en kvittering	*kvitêrim*
prato	en tallerken	*talerquen*
sanduíche	et stykke smørrebrød	*stügge smörrebröz*

sopa	suppe(n)	*sôbbe*
tigela	en skål	*skol*
vinho	vin(en)	*vin*
xícara	en kop	*cóp*

Uma mesa para um/dois, por favor
Et bord til en person/to, tak
et bor til ên persôn/to, tak

Pode me trazer o cardápio/a carta de vinhos?
Må jeg se menuen/vinkortet?
mó iai sê menüen/vincórtet

Há um cadeirão/fraldário?
Er der en høj stol/et puslerum?
ér dér en hói stôl/et puslerum

O que o senhor sugere?
Hvad kan De anbefale?
va ca di anbefale

Vocês têm porções especiais para crianças?
Har I børneportioner?
ha i börneporchôner

Vocês têm cardápio vegetariano?
Har I en vegetarisk menu?
ha i en veguetarisk menü

Eu gostaria de ...
Må jeg bede om ...
mó iai bê omm

Só uma xícara de café, por favor
Kun en kop kaffe, tak
côn en cóp caffe, tak

Garçom/Garçonete!
Tjener/frøken!
tiéner/fröquen

Pode nos trazer a conta, por favor?
Må vi bede om regningen, tak?
mó vi bê omm rainim-en, tak

Só quero uma refeição ligeira
Jeg skal bare have en snack
iai sca ba ha en snak

Há um cardápio do dia?
Er der en fast menu?
ér dér en fast menü

Eu não pedi isso
Jeg bad ikke om dette
iai baz êgue omm déde

Pode nos trazer mais um pouco de ...?
Må vi bede om lidt mere ...?
mó vi bê omm lêt mêr

A comida estava muito boa, obrigado (a)
Måltidet var udmærket, tak
móltizet va uzmêrguet, tak

Frase que Você Vai Ouvir

Velbekomme!
Bom apetite!

MANUAL DO MENU

agerhøne perdiz
agurk pepino
akvavit aguardente feita de batatas
and pato
ansjos enchova
appelsin- ... de laranja
appelsinfromage musse de laranja
artiskokker alcachofras
asier picles de pepino
asparges aspargos
bagt(e) assado (s)
bajerske pølser salsicha
benløse fugle rolinhos de carne
bladselleri aipo
blodpølse morcela
blomkål couve-flor
blomme- ... de ameixas
blåmuslinger mexilhões
boller bolinhos de carne cozidos
bouillon caldo de carne
brasede kartofler batatas fritas
brisler timo
brombær- ... de amora-preta
brændende kærlighed purê de batata com toucinho defumado e cebola
brød pão
butterdej massa folhada
bækforel truta
bøf bife
bønner feijão, vagem
bønnespirer brotos de feijão
børnemenu cardápio para crianças
champignons cogumelos
chokoladeis sorvete de chocolate
citron limão
citronfromage musse de limão
citronvand limonada
crepinetter rissoles de carne
dagens ret prato do dia
dampet, dampkogt cozido a vapor
dansk bøf bife de carne moída
dansk vand água mineral
dild endro
dildsild arenque com endro
dildsmør manteiga com endro
drueagurk pepino em conserva
druer uvas
engelsk bøf bife com cebola
farseret recheado
fasan faisão
fedt gordura
fersken, ferskner pêssego (s)
ferskrøget laks salmão defumado
figner figos
fisk peixe
fiskeboller bolinhos de peixe cozidos
fiskefrikadeller bolinhos de peixe fritos
fjerkræ aves domésticas
flæsk toucinho
flæskekarbonade bife de carne moída de porco
fløde creme de leite
flødeost queijo cremoso
fløderand musse de baunilha
flødeskum creme de chantilly
flødestuvet cozido com nata
forel truta
forloren hare bolo de carne
forretter entradas
fransk bøf bife com manteiga e salsa
franskbrød pão branco
franske kartofler batatinha frita
frikadeller almôndegas
frisk(e) fresco (s)
friteret, friturestegt frito
frokostretter pratos de almoço

frugt(er) fruta (s)
frugttærte torta de fruta
fyldt(e) recheado (s)
gaffelbidder pedacinhos de filés de arenque em escabeche
gammeldags, gammaldaws tradicional
gammelost queijo velho
gemyse legumes
gravad laks salmão em escabeche
grillstegt grelhado
grovbrød pão de centeio integral
gryderet prato de forno
græskar abóbora em conserva
grøn salat salada verde
grøn(t)sager verduras
grønkål couve
grønne bønner vagens
grønærter ervilhas, creme de ervilha
gule ærter med flæsk sopa de ervilhas amarelas com toucinho
gulerødder cenouras
gås ganso
gåsesteg ganso assado
hachis carne moída com molho
hakket, hakkede picado (s)
hamburgerryg lombo de porco defumado
haresteg lebre assada
hasselnødder avelãs
havregrød mingau de aveia
hellefisk linguado
helleflynder linguado gigante
hindbær- ... de framboesa
hjemmebag(t) assado em casa
hjemmelavet feito em casa
hjerter coração
hornfisk peixe-agulha
hovedretter pratos principais
hummer- ... de lagosta
husets da casa
hvide bønner feijão-branco
hvide kartofler batatas cozidas
hvidkål repolho branco
hvidkålsrulle repolho recheado
hvidkålssuppe sopa de repolho
hvidløg alho
højreb contrafilé
høns frango
hønsefrikassé fricassê de frango
håndmadder sanduíche aberto simples
hårdkogt æg ovo cozido duro
is sorvete
jomfruhummer lagostim norueguês
jordbær- ... de morango
jordbæris sorvete de morango
jordbærsyltetøj geleia de morango
julienne com tirinhas de verdura
kaffe café
kage(r) bolo (s)
kalkun peru
kalv(ekød) vitela
kalvelever fígado de vitela
kalvesteg vitela assada
kande vaso, jarro
kanel canela
kanin coelho
karamelrand pudim de caramelo
karbonade bife de carne de porco moída
karse agrião
kartoffel, kartofler batata (s)
kartoffelmos purê de batatas
kartoffelsalat salada de batatas
kastanie- ... de castanhas
kiks bolachas, biscoitos
kirsebær- ... de cereja
klipfisk bacalhau seco
knækbrød pão sueco
kogt(e) cozido (s)
kold(t) frio
kompot compota
kotelet costeleta
kransekage bolo de marzipã

krydder- ... temperado
kryddersild arenque-vermelho em escabeche
krydderurter ervas
krydret temperado
kylling frango
kyllingelever fígado de frango
kyllingelår sobrecoxa de frango
kærnemælk leitelho
kød carne
kødboller bolinhos de carne
kødgratin carne gratinada
kødpølse linguiça de porco fatiada
kødretter pratos de carne
kål repolho
labskovs cozido de carne e batata
lage escabeche
lagkage bolo decorado
laks salmão
lam cordeiro
lammekoteletter costeleta de cordeiro
lammekølle coxa de cordeiro
lammeryg carne de lombo de cordeiro
lammesteg cordeiro assado
lever fígado
leverpostej patê de fígado
løg cebolas
løgsovs molho de cebola
løse ris arroz cozido
majs milho
makrel cavala
marineret, marinerede em escabeche
medisterpølse linguiça de porco frita
melboller bolinhos de farinha de trigo
millionbøf bife de carne moída ao molho
mineralvand água mineral com gás
morgencomplet, morgenmad café da manhã
muslinger mexilhões
mørbrad filé mignon
nudler macarrão
nyrer rins
nødder nozes
oksefilet filé de boi
oksehalesuppe sopa de rabo de boi
oksehøjreb contrafilé de boi, costelas
oksemørbrad filé mignon de boi
oksesteg rosbife
oksetyksteg rosbife
olie óleo, azeite
ost queijo
osteanretning travessa de queijos
pandekager panquecas
paneret à milanesa com farinha de rosca
peber pimenta
peberbøf bife com pimenta
peberrod raiz-forte
pighvar rodovalho
pikant picante
platte bufê frio servido na mesa
pocheret, pocherede escaldado
porrer alhos-porós
portvin vinho do Porto
purløg cebolinha
pære- ... de pera
pølse(r) salsicha (s), linguiça (s)
radiser rabanetes
ragout ensopado
rasp farinha de rosca
rejer camarões
ret(ter) prato (s) (de refeição)
revelsben costeleta de porco
reven(t), revne ralado
ribbensteg assado de costelas de porco
ribsgelé geleia de groselha
ris arroz
ristet franskbrød torrada
ristet, ristede frito, torrado
rogn ovas de peixe
rosenkål couve-de-bruxelas
rosiner passas
roulade rolo (bolo de carne)

rugbrød pão de centeio
rullepølse linguiça de porco fatiada
rødbeder beterraba
rødspætte espécie de linguado
røget defumado
røget makrel cavala defumada
røget sild arenque defumado
røræg ovos mexidos
rå cru
råcreme creme de baunilha frio
saft suco
salathoved alface
selleri aipo
sennep mostarda
sild arenque
sildesalat salada de arenque e beterraba
skaldyr moluscos, mariscos
skinke presunto
skipperlabskovs cozido de carne e batata
smør manteiga
smørrebrød sanduíche aberto
småkager biscoitos
solbær- ... de groselha-preta
sovs molho
spegepølse salame
spegesild arenque em escabeche
spejlæg ovo frito
spinat- ... de espinafre
spisekort cardápio
sprængt cozido, ligeiramente salgado
steg assado (carne)
stegt(e) frito, assado
sukker açúcar
suppe(r) sopa (s)
surkål chucrute
surt picles
svampe cogumelos
sveske- ... de ameixas secas
svine- ... de porco
svinekam porco assado
svinekød carne de porco
svær torresmo
sylte carne de porco salgada
syltet, syltede em conserva
syltetøj geleia de frutas
sød(t), søde doce
sød-og-sur agridoce
sødlig meio doce
søtunge linguado
te, the chá
torsk bacalhau fresco
trøfler trufas
tunge língua, linguado
tærte torta
urter ervas
vaffel, vafler waffle (s)
valnødde- ... de nozes
vand água
vanillecreme creme de baunilha
vegetarretter pratos vegetarianos
vildt caça
vildtsovs molho de groselha
vin(e) vinho
vinbjergsnegle lesmas
vindruer uvas
wienerbrød massa folhada dinamarquesa
wienerschnitzel escalope de porco ou vitela
ymer espécie de coalhada
æble- ... de maçã
æblemost suco de maçã
æbleskiver rosca frita
æg ovos
æggekage omelete (com bacon)
ærter ervilhas
øl cerveja
øllebrød sopa feita de centeio e cerveja
ørred truta
østers ostras
ål enguia
ål i gelé enguia em gelatina

ESPANHOL

SUMÁRIO

INTRODUÇÃO

PRONÚNCIA

Ao ler a pronúncia imitada, acentue as sílabas sublinhadas. Pronuncie cada sílaba como se fosse de uma palavra em português e você será suficientemente bem compreendido. Lembre-se dos pontos abaixo, para melhorar sua pronúncia.

a	sempre aberto, como em 'c**a**sa'
e/o	sempre fechados, como em 'c**e**do', 't**o**do'
j	antes ou após vogal, pronuncie como um 'h' aspirado e originado na garganta (grafado **X** na pronúncia)
g	antes de 'e' e 'i', pronuncie como indicado para o 'j' antes ou após vogal
z	antes ou após vogal, pronuncie 'ss' tocando a língua nos dentes de cima (grafado **Z** na pronúncia)
c	antes de 'e' e 'i', pronuncie como indicado para o 'z' antes ou após vogal
ch	como 'tch' em português
ll	como 'lh' em português
l	em fim de sílaba, pronuncie tocando a língua no céu da boca
ñ	como 'nh' em português
r	no início de palavras ou após 'l', 'n' e 's', pronuncie como 'rr' dobrado, forte (grafado **RR** na pronúncia)
s	antes ou após vogal, pronuncie como 'ss' em português
v	como 'b' em português

GÊNEROS E ARTIGOS

Os substantivos têm dois gêneros em espanhol, como em português. Neste livro eles são precedidos de artigos definidos (**el** e **la**, masculino e feminino singulares; e **los/las**, os respectivos plurais) ou indefinidos (**un/una** e **unos/unas**).

FRASES ÚTEIS

Sim, Não

Sim/Não
Sí/No
si/no

OK
Vale
ba-le

Está bem
Está bien
es-ta bien

Certo/Tudo bem
Eso es
e-ço es

Apresentações, Saudações

Como está? Muito prazer
¿Qué tal?, mucho gusto
ke tal mu-tcho gus-to

Bom dia/Boa tarde/Boa noite
Buenos días/Buenas tardes/Buenas noches
bue-nos di-as/bue-nas tar-des/bue-nas no-tches

Até logo/Adeus
Adiós
a-dios

Como vai?
¿Cómo está usted?
ko-mo es-ta us-ted

(informal)
¿Cómo estás?
ko-mo es-tas

Meu nome é ...
Me llamo ...
me lha-mo

Qual o seu nome?
¿Cómo se llama usted?
ko-mo se lha-ma us-ted

(informal)
¿Cómo te llamas?
ko-mo te lha-mas

Este/Esta é ... *(apresentando uma pessoa)*
Éste/Ésta es ...
es-te/es-ta es

Olá!
¡Hola!
o-la

Obrigado, Por Favor, Desculpe

Obrigado (a)
Gracias
gra-Zias

Não, obrigado (a)
No, gracias
no gra-Zias

Por favor
Por favor
por fa-bor

Desculpe!
¡Perdón!
per-don

Perdão!/Sinto muito
¡Perdón!/Lo siento
per-don/lo sien-to

Onde, Como, Pedidos Simples

Com licença, por favor *(para que alguém dê passagem)*
¿Me hace el favor?
me a-Ze el fa-bor

Pode me dizer ...?
¿Puede decirme ...?
pue-de de-Zir-me

Deseja um/uma ...?
¿Quiere un/una ...?
kie-re un/u-na

Gostaria de ...?
¿Le gustaría ...?
le gus-ta-ri-a

Há ... aqui?
¿Hay ... aquí?
ai ... a-ki

O que é isso?
¿Qué es eso?
ke es e-sso

Quanto é?
¿Cuánto es?
kuan-to es

Onde está o/a ...?
¿Dónde está el/la ...?
don-de es-ta el/laa

Há acesso para cadeira de rodas?
¿Hay acceso para sillas de ruedas?
ai ak-sse-so pa-ra si-lhas de rue-das

Há acesso para deficientes físicos?
¿Hay acceso a minusválidos?
ai ak-sse-so a mi-nus-va-li-dos

Sobre Você Mesmo

Sou de ...
Soy de ...
soi de

Tenho ... anos
Tengo ... años
ten-go ... a-nhos

Sou ...
Soy ...
soi

Sou casado (a)/divorciado (a)
Estoy casado (a)/divorciado (a)
es-toi ka-ssa-do (a)/di-bor-Zia-do (a)

Sou solteiro (a)
Soy soltero (a)
soi sol-te-ro (a)

Tenho ... irmãos/irmãs/filhos/filhas
Tengo ... hermanos/hermanas/hijos/hijas
ten-go ... er-ma-nos/er-ma-nas/i-Xos/i-Xas

Ajuda, Problemas

Pode me ajudar?
¿Puede ayudarme?
pue-de a-yu-dar-me

Não compreendo
No comprendo
no kom-pren-do

Alguém aqui fala português?
¿Alguien de aquí habla portugués?
al-guien de a-ki a-bla por-tu-gues

Não falo espanhol
No hablo español
no a-blo es-pa-nhol

Não sei
No sé
no se

Por favor, fale mais devagar
Por favor, hable más despacio
por fa-bor a-ble mas des-pa-Zio

Por favor, escreva isso para mim
Por favor, escríbamelo
por fa-bor es-kri-ba-me-lo

Eu me perdi
Me he perdido
me e per-di-do

Caia fora!
¡Lárguese!
lar-gue-sse

PREFERÊNCIAS, CONVERSAS SOCIAIS

Gosto de/adoro o/a ...
Me gusta/encanta el/la ...
me gus-ta/en-kan-ta el/la

Não gosto de ...
No me gusta el/la ...
no me gus-ta el/la

Detesto ...
Detesto ...
de-tes-to

Você gosta de ...?
¿Le gusta ...?
le gus-ta

É delicioso/horrível!
¡Es exquisito/horrible!
es eks-ki-ssi-to/o-RRi-ble

Não bebo/fumo
No bebo/fumo
no be-bo/fu-mo

Importa-se se eu fumar?
¿Le importa que fume?
le im-por-ta ke fu-me

O que deseja (beber/comer)?
¿Qué quiere (beber/tomar)?
ke kie-re (be-ber/to-mar)

Eu gostaria de ...
Quería ...
ke-ri-a

Não quero nada, obrigado (a)
No quiero nada, gracias
no kie-ro na-da gra-Zias

Saúde!
¡Salud!
sa-lud

PALAVRAS E FRASES QUE VOCÊ VAI OUVIR

¡adelante!	entre!
aquí tiene	aqui está
¡bien!	bem!
¡buen viaje!	boa viagem!
¿cómo?	como?
¡cuánto lo siento!	sinto muito!
¡cuidado!	cuidado!
de acuerdo	OK
de nada	de nada, não por isso
eso es	é isso aí
¡hasta luego!	até logo!
¡hola!	olá!
muchas gracias	muito obrigado (a)
por favor	por favor
¿qué ha dicho?	o que disse?
sírvase usted mismo	sirva-se o (a) senhor (a) mesmo (a)

DIAS, MESES, ESTAÇÕES

domingo	domingo	*do-min-go*
segunda-feira	lunes	*lu-nes*
terça-feira	martes	*mar-tes*
quarta-feira	miércoles	*mier-ko-les*
quinta-feira	jueves	*Xue-bes*
sexta-feira	viernes	*bier-nes*
sábado	sábado	*sa-ba-do*
janeiro	enero	*e-ne-ro*
fevereiro	febrero	*fe-bre-ro*
março	marzo	*mar-Zo*
abril	abril	*a-bril*
maio	mayo	*ma-yo*
junho	junio	*Xu-nio*
julho	julio	*Xu-lio*
agosto	agosto	*a-gos-to*
setembro	septiembre	*sep-tiem-bre*
outubro	octubre	*ok-tu-bre*
novembro	noviembre	*no-biem-bre*
dezembro	diciembre	*di-Ziem-bre*
primavera	primavera	*pri-ma-be-ra*
verão	verano	*be-ra-no*
outono	otoño	*o-to-nho*
inverno	invierno	*in-bier-no*
Ano-Novo	Año Nuevo	*a-nho nue-bo*
Natal	Navidad	*na-bi-dad*
Noite de Natal	Nochebuena	*no-tche-bue-na*
Véspera de Ano-Novo	Nochevieja	*no-tche-bie-Xa*
Páscoa	Pascua	*pas-kua*
Semana Santa	Semana Santa	*se-ma-na san-ta*
Sexta da Paixão	Viernes Santo	*bier-nes san-to*

NÚMEROS

0 cero *Ze-ro*
1 uno, una* *u-no, u-na*
2 dos *dos*
3 tres *tres*
4 cuatro *kua-tro*
5 cinco *Zin-ko*
6 seis *seis*
7 siete *sie-te*
8 ocho *o-tcho*
9 nueve *nue-be*
10 diez *diez*
11 once *on-Ze*
12 doce *do-Ze*
13 trece *tre-Ze*
14 catorce *ka-tor-Ze*
15 quince *kin-Ze*
16 dieciséis *die-Zi-sseis*
17 diecisiete *die-Zi-ssie-te*
18 dieciocho *die-Zi-o-tcho*
19 diecinueve *die-Zi-nue-be*

20 veinte *bein-te*
21 veintiuno *bein-ti-u-no*
22 veintidós *bein-ti-dos*
30 treinta *trein-ta*
31 treinta y uno *trein-ta i u-no*
32 treinta y dos *trein-ta i dos*
40 cuarenta *kua-ren-ta*
50 cincuenta *Zin-kuen-ta*
60 sesenta *se-ssen-ta*
70 setenta *se-ten-ta*
80 ochenta *o-tchen-ta*
90 noventa *no-ben-ta*
100 cien *Zien*
110 ciento diez *Zien-to diez*
200 doscientos, doscientas *dos-Zien-tos, dos-Zien-tas*
500 quinientos, quinientas *ki-nien-tos, ki-nien-tas*
1.000 mil *mil*
1.000.000 un millón *un mi-lhon*

* Quando **uno** precede um substantivo masculino, perde o '**o**' final (um ponto, **un punto**). Para substantivos femininos usa-se **una** (uma pessoa, **una persona**). Para centenas (200, 300, 400 etc.), o final **-as** é usado com substantivos femininos (300 notas, **trescientos billetes**; 500 pessoas, **quinientas personas**).

TEMPO

hoje	hoy	*oi*
ontem	ayer	*a-yer*
amanhã	mañana	*ma-nha-na*
esta semana	esta semana	*es-ta se-ma-na*
semana que vem	la semana que viene	*la se-ma-na ke bie-ne*
esta manhã	esta mañana	*es-ta ma-nha-na*
esta tarde	esta tarde	*es-ta tar-de*
esta noite	esta noche	*es-ta no-tche*
hoje à noite	esta noche	*es-ta no-tche*
ontem à noite	anoche	*a-no-tche*
amanhã de manhã	mañana por la mañana	*ma-nha-na por la ma-nha-na*
dentro de três dias	dentro de tres días	*den-tro de tres di-as*
há três dias	hace tres días	*a-Ze tres di-as*
tarde	tarde	*tar-de*
cedo	temprano	*tem-pra-no*
logo	pronto	*pron-to*
mais tarde	más tarde	*mas tar-de*
neste momento	en este momento	*en es-te mo-men-to*
um segundo	un segundo	*un se-gun-do*
um minuto	un minuto	*un mi-nu-to*
15 minutos	un cuarto de hora	*un kuar-to de o-ra*
meia hora	media hora	*me-dia o-ra*
45 minutos	tres cuartos de hora	*tres kuar-tos de o-ra*
a hora	la hora	*la o-ra*
o dia	el día	*el di-a*
todos os dias	todos los días	*to-dos los di-as*
no dia seguinte	al día siguiente	*al di-a si-guien-te*
a semana	la semana	*la se-ma-na*
o mês	el mes	*el mes*
o ano	el año	*el a-nho*

Como Dizer as Horas

Como em português, utiliza-se muito em espanhol a expressão 'em ponto' (**en punto**) quando se quer enfatizar um horário bem preciso. Por exemplo: **es la una en punto**. Exceto para a primeira hora, em todos os demais casos o verbo vai no plural. Assim, diga **son las cinco (en punto)**.

Para expressar minutos decorridos após a hora de referência, a construção também é como a costumeira no Brasil, salvo pelo uso do artigo: por exemplo, **son las seis y diez** ('são 6h10'). Para expressar minutos que faltam para a hora de referência, contudo, a construção usual é diferente: 'vinte para as dez' é **diez menos veinte**. A palavra para 'quinze minutos' é **cuarto**; assim, **las siete menos cuarto** indica 'quinze para as sete' e **las cinco y cuarto** expressa '5h15'. A metade da hora é como no Brasil: **media** (meia). Assim, **las seis y media** é '6h30'.

A forma **a las** é sempre empregada nas indicações de tempo nas quais, no Brasil, usaríamos a contração 'às'. Por exemplo, **a las tres y cuarto** é '3h15'. Lembre-se de trocar o **las** por **la** quando usar 'uma' ('à 1h30' fica **a la una y media**).

que horas são?	¿qué hora es?	*ke o-ra es*
da manhã	de la mañana	*de la ma-nha-na*
da tarde	de la tarde	*de la tar-de*
da noite	de la noche	*de la no-tche*
1h	la una	*la u-na*
1h10	la una y diez	*la u-na i diez*
1h15	la una y cuarto	*la u-na i kuar-to*
1h30	la una y media	*la u-na i me-dia*
1h40	las dos menos veinte	*las dos me-nos bein-te*
1h45	las dos menos cuarto	*las dos me-nos kuar-to*
2h em ponto	las dos en punto	*las dos en punto*
às 7h	a las siete	*a las sie-te*
meio-dia	mediodía	*me-dio-di-a*
meia-noite	medianoche	*me-dia-no-tche*

COMUNICAÇÃO

Palavras e Frases Úteis

cartão telefônico	una tarjeta de teléfono	*tar-Xe-ta de te-le-fo-no*
celular	el teléfono móvil	*te-lefo-no mo-bil*
chamada a cobrar	una llamada a cobro revertido	*lha-ma-da a ko-bro re-ber-ti-do*
e-mail	la dirección de email	*di-re-kssi-on de e-mail*
emergência	una emergencia	*e-mer-Xen-Zia*
fax	el fax	*fax*
internet	el internet	*in-ter-net*
número	el número	*nu-me-ro*
número errado	el número equivocado	*nu-me-ro e-ki-bo-ka-do*
prefixo	el prefijo	*pre-fi-Xo*
ramal	la extensión	*eks-ten-sion*
sinal de discagem	la señal para marcar	*se-nhal pa-ra mar-kar*
telefone	un teléfono	*te-le-fo-no*
telefonista	la operadora	*o-pe-ra-do-ra*

Onde fica o telefone público mais próximo?
¿Dónde está la cabina telefónica más cercana?
don-de es-ta la ka-bi-na te-le-fo-ni-ka mas Zer-ka-na

Quero um número de ...
Quiero un número de ...
kie-ro un nu-me-ro de

Eu gostaria de falar com ...
Quería hablar con ...
ke-ri-a a-blar con

Alô, aqui quem fala é ...
Hola, soy ...
o-la soi

Posso deixar um recado para ele (a)?
¿Podría dejarle un recado?
po-dri-a de-Xar-le un RRe-ka-do

Voltarei a ligar mais tarde
Volveré a llamar luego
bol-be-re a lha-mar lue-go

Qual o número do seu fax/seu e-mail?
¿Cual es su número de fax/dirección de email?
kual es su nu-me-ro de fax/di-rek-ssion de e-mail

Posso usar a fotocopiadora/o fax?
¿Puedo usar la fotocopiadora/el fax?
pue-do u-sar la fo-to-ko-pi-a-do-ra/el fax

Frases que Você Vai Ouvir

¿Con quién quiere que le ponga?
Com quem deseja falar?

Se ha equivocado de número
O (A) senhor (a) errou o número

¿Quién es?
Quem fala?

Al aparato/Al habla/Soy yo
Ele mesmo/Sou eu

¿Cuál es su teléfono?
Qual é seu número?

Lo siento, no está
Sinto muito, ele (a) não está

Vuelva a llamar mañana, por favor
Ligue de novo amanhã, por favor

Le diré que le/la ha llamado usted
Direi a ele/ela que o (a) senhor (a) ligou

EMERGÊNCIAS

Palavras e Frases Úteis

acidente	un accidente	*ak-Zi-den-te*
ambulância	una ambulancia	*am-bu-lan-Zia*
assalto	un robo	*RRo-bo*
batida de carro	un accidente de coche	*ak-Zi-den-te de ko-tche*
corpo de bombeiros	los bomberos	*bom-be-ros*
defeito, avaria	una avería	*a-be-ri-a*
delegacia de polícia	la comisaria	*ko-mi-ssa-ri-a*
emergência	una emergencia	*e-mer-Xen-Zia*
polícia	la policía	*po-li-Zi-a*

Socorro!
¡Socorro!
so-ko-RRo

Pare!
¡Pare!
pa-re

Chame uma ambulância!
¡Llame una ambulancia!
lha-me u-na am-bu-lan-Zia

Depressa!
¡Dése prisa!
de-sse pri-ssa

Meu endereço é ...
Mi dirección es ...
mi di-rek-Zion es

Roubaram meu passaporte/meu carro
Me han robado el pasaporte/el coche
me an RRo-ba-do el pa-ssa-por-te/el ko-tche

HOTÉIS

Palavras e Frases Úteis

almoço	el almuerzo	*al-muer-Zo*
banheiro	el cuarto de baño	*kuar-to de ba-nho*
bed and breakfast	alojamiento y desayuno	*a-lo-Xa-mien-to i de-ssa-yu-no*
café da manhã	el desayuno	*de-ssa-yu-no*
cama	la cama	*ka-ma*
cama de casal	la cama doble	*ka-ma do-ble*
cama de solteiro	la cama individual	*ka-ma in-di-bi-du-al*
camareira	la camarera	*ka-ma-re-ra*
chave	la llave	*lha-be*
chuveiro	la ducha	*du-tcha*
conta	la cuenta	*kuen-ta*
elevador	el ascensor	*as-Zen-sor*
estacionamento	el aparcamiento	*a-par-ka-mien-to*
gerente	el director	*di-rek-tor*
hotel	el hotel	*o-tel*
jantar	la cena	*Ze-na*
meia pensão	media pensión	*me-dia pen-sion*
pensão	la pensión	*pen-sion*
pensão completa	pensión completa	*pen-sion kom-ple-ta*
quarto	la habitación	*a-bi-ta-Zion*
quarto com duas camas	una habitación con dos camas	*a-bi-ta-Zion kon dos ka-mas*
quarto duplo	una habitación doble	*a-bi-ta-Zion do-ble*
quarto simples	una habitación individual	*a-bi-ta-Zion in-di-bi-du-al*
recepção	la recepción	*RRe-Zep-Zion*
sacada	el balcón	*bal-kon*
sala de jantar	el comedor	*ko-me-dor*
sanitários	los servicios	*ser-bi-Zios*
serviço de quarto	el servicio de habitaciones	*ser-bi-Zio de a-bi-ta-Zio-ne*

Vocês têm vagas?
¿Tienen alguna habitación libre?
tie-nen al-gu-na a-bi-ta-Zion li-bre

Fiz uma reserva
He hecho una reserva
e e-tcho u-na RRe-sser-ba

Eu gostaria de um quarto para uma pessoa
Quería una habitación individual
ke-ri-a u-na a-bi-ta-Zion in-di-bi-du-al

Eu gostaria de um quarto com sacada/banheiro
Quería una habitación con balcón/cuarto de baño
ke-ri-a u-na a-bi-ta-Zion con bal-kon/kuar-to de ba-nho

Os quartos possuem TV via satélite/TV a cabo?
¿Hay televisión por satélite/por cable en las habitaciones?
ai te-le-vis-sion por sa-te-li-te/por ka-ble en las abi-ta Zio nes

Eu gostaria de um quarto para uma noite/para três noites
Quería una habitación para una noche/para tres noches
ke-ri-a u-na a-bi-ta-Zion pa-ra u-na no-tche/pa-ra tres no-tches

Qual é o preço por noite?
¿Cuál es la tarifa por noche?
kual es la ta-ri-fa por no-tche

A que horas é o café da manhã/o jantar?
¿A qué hora es el desayuno/la cena?
a ke o-ra es el de-ssa-yu-no/la Ze-na

Por favor, acorde-me às ...
Haga el favor de llamarme a las ...
a-ga el fa-bor de lha-mar-me a las

Podem servir-me o café da manhã em meu quarto?
¿Pueden servirme el desayuno en mi habitación?
pue-den ser-bir-me el de-ssa-yu-no en mi a-bi-ta-Zion

O número de meu quarto é ...
El número de mi habitación es ...
el nú-me-ro de mi a-bi-ta-Zion es

Não há papel higiênico no banheiro
No hay papel higiénico en el cuarto de baño
no ai pa-pel i-Xie-ni-ko en el kuar-to de ba-nho

Não se consegue abrir a janela
No se puede abrir la ventana
no se pue-de a-brir la ben-ta-na

Não há água quente
No hay agua caliente
no ai a-gua ka-lien-te

Vou embora amanhã
Me marcho mañana
me mar-tcho ma-nha-na

A que horas devo desocupar o quarto?
¿A qué hora tengo que desocupar la habitación?
a ke o-ra ten-go ke de-sso-ku-par la a-bi-ta-Zion

Pode dar minha conta, por favor?
¿Me da la cuenta, por favor?
me da la kuen-ta por fa-bor

Vou pagar com cartão (de crédito)
Pagaré con tarjeta (de crédito)
pa-ga-re kon tar-Xe-ta (de kre-di-to)

Vou pagar em dinheiro
Pagaré al contado
pa-ga-re al kon-ta-do

Pode chamar um táxi?
¿Puede llamar a un taxi?
pue-de lha-mar a un ta-ksi

Expressões que Você Vai Encontrar

almuerzo	almoço
ascensor	elevador
completo	não há vagas, lotado
cuarto de baño	banheiro
cuenta	conta
desayuno	café da manhã
empujar	empurrar
entrada	entrada
prohibida la entrada	entrada proibida
prohibido el paso	acesso proibido
salida de emergencia	saída de emergência
servicio	sanitário
tirar	puxar, atirar, jogar fora

Frases que Você Vai Ouvir

Lo siento, está lleno
Sinto muito, está lotado

No nos quedan habitaciones dobles/individuales
Não temos mais quartos para duas pessoas/para uma pessoa

¿Para cuántas noches?
Para quantas noites?

¿Va a pagar al contado, o con tarjeta?
Vai pagar em dinheiro ou com cartão?

Haga el favor de pagar por adelantado
Por favor, pague adiantado

Tiene que desocupar la habitación antes de las doce
O senhor deve desocupar o quarto antes do meio-dia

COMPRAS

Por favor, onde fica/ficam ...?
Por favor, ¿dónde está/están ...?
por fa-bor don-de es-ta/es-tan

Vocês têm ...?
¿Tienen ...?
tie-nen

Quanto é isto?
¿Cuánto es esto?
kuan-to es es-to

Onde se paga?
¿Dónde se paga?
don-de se pa-ga

Posso pagar com cartão de crédito?
¿Puedo pagar con tarjeta de crédito?
pue-do pa-gar con tar-Xe-ta de kre-di-to

Pode me dar um recibo?
¿Me da un recibo?
me da un RRe-Zi-bo

Há algo mais barato?
¿Tiene usted algo más barato?
tie-ne us-ted al-go mas ba-ra-to

Podem me devolver o dinheiro?
¿Pueden devolverme el dinero?
pue-den de-bol-ber-me el di-ne-ro

Está bem, vou levar
Está bien, me lo llevo
es-ta bien me lo lhe-bo

Não é o que eu queria
No es lo que yo quería
no es lo ke yo ke-ri-a

REFEIÇÕES

Entre muitos locais em que você pode fazer refeições, destacam-se:

Restaurante:	Há uma classificação oficial para eles (1 a 5 garfos), que se baseia mais na variedade de pratos do que na qualidade.
Cafetería:	Não confunda com o 'café' brasileiro. Trata-se mais propriamente de uma lanchonete, um misto de bar, café e restaurante. Come-se no balcão ou, mediante pequena taxa adicional, em mesas simples. Em geral, o cardápio apresenta boa variedade de sugestões de pratos combinados, a preços razoáveis (procure por **platos combinados**).
Fonda:	Oferece comida simples, barata e em geral boa.
Hostería ou **Hostal:**	Restaurante geralmente especializado em pratos regionais.
Parador:	Os restaurantes dos **paradores** oferecem serviço de primeira classe em ambiente requintado.
Café ou **Bar:**	São bares que servem os mais diversos tipos de aperitivos e bebidas. Vale a pena utilizá-los quando você quiser apenas um lanche rápido. Alguns oferecem **tapas** (petiscos) grátis para acompanhar bebidas alcoólicas. Muitos também servem refeições completas.
Merendero:	**Café** ao ar livre no litoral ou no campo. Em geral é barato e tem boa qualidade.

Na Espanha serve-se habitualmente o café da manhã às 8h, o almoço às 14h e o jantar às 22h.

Palavras e Frases Úteis

açúcar	el azúcar	*a-<u>Zu</u>-kar*
água	el agua	*<u>a</u>-gua*
bolo	un pastel	*pas-<u>tel</u>*
café	el café	*ka-<u>fe</u>*

cardápio — la carta — *kar-ta*
carta de vinhos — la carta de vinos — *kar-ta de bi-nos*
cerveja — una cerveza — *Zer-be-Za*
chá — el té — *te*
chef — el cocinero — *ko-Zi-ne-ro*
colher — la cuchara — *ku-tcha-ra*
colher de chá — la cucharilla — *ku-tcha-ri-lha*
conta — la cuenta — *kuen-ta*
copo — el vaso — *ba-sso*
entrada — el primer plato — *pri-mer pla-to*
faca — el cuchillo — *ku-tchi-lho*
garçom — el camarero — *ka-ma-re-ro*
garçonete — la camarera — *ka-ma-re-ra*
garfo — el tenedor — *te-ne-dor*
garrafa — la botella — *bo-te-lha*
gorjeta — una propina — *pro-pi-na*
guardanapo — la servilleta — *ser-bi-lhe-ta*
jarra — una jarra — *Xa-RRa*
leite — la leche — *le-tche*
manteiga — la mantequilla — *man-te-ki-lha*
meio litro — medio litro — *me-dio li-tro*
mesa — una mesa — *me-ssa*
pão — el pan — *pan*
pimenta — la pimienta — *pi-mien-ta*
porção especial para crianças — una ración especial para niños — *RRa-Zion es-pe-Zial pa-ra ni-nhos*
prato — el plato — *pla-to*
prato principal — el segundo plato — *se-gun-do pla-to*
recibo — un recibo — *RRe-Zi-bo*
sal — la sal — *sal*
sanduíche — un bocadillo — *bo-ka-di-lho*
sobremesa — el postre — *pos-tre*
sopa — la sopa — *so-pa*
vinho — el vino — *bi-no*
xícara — la taza — *ta-Za*

Uma mesa para uma pessoa, por favor
Una mesa para una persona, por favor
u-na me-ssa pa-ra u-na per-sso-na por fa-bor

Uma mesa para duas/três pessoas, por favor
Una mesa para dos/tres personas, por favor
u-na me-ssa pa-ra dos/tres per-sso-nas por fa-bor

Vocês têm cadeirão?
¿Hay sillita de niño?
ai si-lhi-ta de ni-nho

Pode nos trazer o cardápio/a carta de vinhos?
¿Nos trae la carta/la carta de vinos?
nos trae la kar-ta/la kar-ta de bi-nos

O que o senhor sugere?
¿Qué recomendaría usted?
ke RRe-ko-men-da-ri-a us-ted

Eu gostaria de ...
Quería ...
ke-ri-a

Só um café, por favor
Un café nada más, por favor
un ka-fe na-da mas por fa-bor

Só quero uma refeição leve
Sólo quiero una comida ligera
so-lo kie-ro u-na ko-mi-da li-Xe-ra

Há um prato do dia?
¿Hay menú del día?
ai me-nu del di-a

Uma jarra de 1 litro de vinho tinto da casa, por favor
Una jarra de litro de tinto de la casa, por favor
u-na Xa-RRa de li-tro de tin-to de la ka-ssa por fa-bor

O senhor tem algum prato vegetariano?
¿Tiene algún plato vegetariano?
tie-ne al-gun pla-to be-Xe-ta-ria-no

Pode nos trazer água, por favor?
¿Nos trae agua, por favor?
nos trae a-gua por fa-bor

Poderia esquentar este pote/a comida do bebê para mim?
¿Podría calentar este biberón/comida para niño?
po-dria ka-len-tar es-te bi-be-ron/ko-mi-da pa-ra ni-nho

Garçom, por favor!
¡Oiga, por favor!
oi-ga por fa-bor

Não pedi isto
No he pedido esto
no e pe-di-do es-to

Pode nos trazer mais ...?
¿Nos trae más ...?
nos trae mas

Pode me trazer outra faca/outro garfo?
¿Me trae otro cuchillo/tenedor?
me trae o-tro ku-tchi-lho/te-ne-dor

Pode nos trazer a conta, por favor?
¿Nos trae la cuenta, por favor?
nos trae la kuen-ta por fa-bor

Pode me dar um recibo, por favor?
¿Me puede dar un recibo, por favor?
me pue-de dar un RRe-Zi-bo por fa-bor

A comida estava muito boa, obrigado (a)
La comida ha sido muy buena, gracias
la ko-mi-da a si-do mui bue-na gra-Zias

MANUAL DO MENU

aceitunas azeitonas
aguacate abacate
ahumados defumados
ajo alho
albaricoques damascos
albóndigas almôndegas
alcachofas alcachofras
alcaparras alcaparras
almejas amêijoas
almendras amêndoas
alubias con ... feijão com ...
anchoas anchovas
anguila enguia
arenque arenque
arroz arroz
arroz con leche arroz-doce
asados assados
atún atum
avellanas avelãs
azúcar açúcar
bacalao bacalhau
batido milkshake
bebidas bebidas
berenjenas berinjelas
besugo al horno pargo (peixe) assado
bistec de ternera bife de vitela
bizcochos biscoitos
bonito al horno atum assado
bonito con tomate atum com tomate
boquerones fritos anchovas fritas
brazo gitano rocambole
brevas bêberas (figos temporões)
buñuelos filhós, bolinhos de chuva
cachelada batatas cozidas com porco
calabaza cabaça-amargosa (variedade de abóbora)
calamares lulas
caldeirada sopa de peixe
caldereta gallega cozido de verduras
caldo de ... caldo de ...
camarones camarões pequenos
canelones canelone
cangrejos de río caranguejos de rio
caracoles caracóis (escargots)
caramelos caramelos, balas
carnes carnes
carro de queso carrinho de queijos
castañas castanhas portuguesas
cebolla cebola
cebolletas cebolinhas
centollo caranguejo de mar
cerezas cerejas
cerveza cerveja
cesta de frutas cesta de frutas
champiñón cogumelos
chanquetes peixe semelhante ao arenque pequeno
chipirones variedade de lula
chirimoyas frutas-do-conde
chocos variedade de lula
chuleta bisteca
churros churros
cigalas lagostins
ciruelas ameixas
ciruelas pasas ameixas secas
cochinillo asado leitão assado
cocido cozido feito com carne, grão de bico e verduras
cocktail de bogavante coquetel de lagosta
cocochas (de merluza) cocochas de merluza
codornices codornas
col couve
coles de Bruselas couve-de-bruxelas
coliflor couve-flor

conejo asado coelho assado
congrio congro (peixe)
contra de ternera con guisantes vitela cozida com ervilhas
contrafilete de ternera contrafilé de vitela
copa ... taça ...
cordero asado cordeiro assado
cordero chilindrón cozido de carneiro com cebola, tomate, pimenta e ovos
costillas de cerdo costela de porco
crema catalana creme brûlée
crema de cangrejos creme de caranguejos
crema de espárragos creme de aspargos
crema de legumbres creme de legumes
crocante sorvete com pedaços de nozes
croquetas croquetes
cuajada coalhada
dátiles tâmaras
embutidos embutidos
empanada gallega empada de peixe
empanada santiaguesa empanada de peixe
empanadillas de bonito empadinhas de atum
empanadillas de carne empadinhas de carne
ensalada salada
entrecot a la parrilla entrecosto grelhado
entrecot de ternera entrecosto de vitela
escalope a la milanesa escalope de vitela à milanesa
escalope a la plancha escalope de vitela na chapa
escalope de lomo de cerdo escalope de lombo de porco
escalope de ternera escalope de vitela
escalope empanado escalope empanado
espadín a la toledana espadilha (peixe) marinada
espaguetis italiana espaguete
espárragos aspargos
espinacas espinafre
estofado de ... guisado de ...
fabada (asturiana) feijão cozido com linguiça
faisán faisão
fiambres frios
fideos macarrão fino
flan flã (pudim)
fresas con nata morangos com creme chantilly
fruta fruta
gallina en pepitoria galinha cozida com pimenta
gambas camarões
garbanzos grão de bico
gazpacho andaluz sopa fria de tomate
gelatina de ... gelatina de ...
gratén de ... gratinado de ...
grelo folha de nabo
guisantes con jamón ervilhas com presunto
guisantes salteados ervilhas sautées
habas favas
habichuelas feijão
helado sorvete
hígado fígado
higos figos
higos secos figos secos
horchata (de chufas) bebida refrescante com sabor de amêndoa
huevos ovos
huevos escalfados ovos sem casca passados por água quente
huevos fritos ovos fritos
huevos rellenos ovos recheados
huevos revueltos ovos mexidos
jamón presunto
judías verdes vagens
jugo suco
langosta lagosta

langostinos lagostins
laurel louro
leche frita pudim de leite e ovos
leche merengada leite com merengues
lechuga alface
lengua língua
lenguado linguado
lentejas lentilhas
liebre estofada lebre guisada
lombarda repolho vermelho
lomo curado lombo de porco defumado
lonchas de jamón presunto cru em fatias
longaniza linguiça de porco
lubina robalo
macarrones macarrão
macedonia de fruta salada de frutas
manises amendoins
manitas de cordero pernas de cordeiro
manos de cerdo pés de porco
mantecadas madalenas
mantequilla manteiga
manzanas maçãs
mariscada seleção de frutos do mar frios
mariscos del día frutos do mar frescos
mariscos del tiempo frutos do mar da estação
medallones de anguila medalhões de enguia
medallones de merluza medalhões de merluza
mejillones mexilhões
melocotón pêssego
melón melão
membrillo marmelo
menestra de legumbres menestra de legumes
menú de la casa cardápio da casa
menú del día cardápio do dia
merluza merluza
mermelada geleia
mero mero
morcilla chouriço (morcela)
morros de cerdo beiço de porco
morros de vaca beiço de vaca
mortadela mortadela
morteruelo tipo de patê
nabo nabo
naranjas laranjas
natillas doce de ovos, leite e açúcar
níscalos cogumelos selvagens
nísperos nêsperas
nueces nozes
paella paelha (ensopado de arroz com frutos do mar, legumes e carnes)
paella castellana paelha de carne
paella de marisco paelha de frutos do mar
paella de pollo paelha de frango
paella valenciana paelha de frutos do mar, coelho e frango
paleta de cordero lechal paleta de cordeiro jovem
pan pão
pan de higos bolo de figos secos
panache de verduras seleção de verduras cozidas
panceta bacon
parrillada de caza carnes de caça grelhadas
parrillada de mariscos frutos do mar grelhados
pasas passas
pastel de ... pastel de ...
pasteles bolos
patatas batatas
patatas fritas batatas fritas
pato pato
pavo peru
pecho de ternera peito de vitela
pechuga de pollo peito de frango
pepinillos pepinos pequenos
pepino pepinos

peras peras
perdices perdizes
perejil salsa
pescaditos fritos peixe frito
picadillo de ternera picadinho de vitela
pimienta pimenta, pimenta-do-reino
pimientos pimentões
pimientos morrones tipo de pimentões
pimientos rellenos pimentões recheados
pimientos verdes pimentões verdes
piña abacaxi
pinchos morunos churrasquinho
piñones pinhões
pisto seleção de verduras fritas
pisto manchego caldo de verduras com cebola e tomate
plátanos bananas
pollo frango
pomelo toronja (grapefruit)
potaje castellano guisado espesso
potaje de garbanzos guisado de grão de bico
potaje de habichuelas guisado de feijão-branco
potaje de lentejas guisado de lentilhas
puchero canario cozido de carne, grão de bico e milho
pulpitos con cebolla polvos jovens com cebola
pulpo polvo
puré de patatas purê de batata
purrusalda bacalhau com alho-poró e batatas
queso queijo
quisquillas camarões
rábanos rabanetes
rape peixe-pescador
raya arraia
remolacha beterraba
repollo repolho
requesón requeijão
riñones rins
rodaballo rodovalho (peixe)
romero alecrim
roscas roscas
sal sal
salchichas salsichas
salchichón salsicha branca com pimenta
salmón salmão
salmonetes salmonetes
salsa molho
salsa allioli/ali oli maionese com alho
sandía melancia
sardinas sardinhas
setas a la plancha cogumelos grelhados
setas rellenas cogumelos recheados
sobreasada paio das ilhas Baleares
solomillo filé
solomillo frío rosbife frio
sopa sopa
sopa castellana sopa de verduras
sopa de gallina sopa de galinha
sopa mallorquina sopa com tomate, carne e ovos
sopa sevillana sopa de peixe e maionese
sorbete sorvete com frutas
tallarines talharim
tarta torta
tencas tenca (peixe)
ternera asada vitela assada
tocinillos del cielo creme caramelado
tomates rellenos tomates recheados
tomillo tomilho
tordo tordo
torrijas rabanadas
tortilla tipo de omelete
trucha truta
turrón nugá (doce de nozes ou amêndoas)
uvas uvas
vieiras vieiras
zanahorias cenouras
zumo de … suco de...

FINLANDÊS

SUMÁRIO

INTRODUÇÃO

PRONÚNCIA

Ao ler a pronúncia imitada, pronuncie cada sílaba como se fosse de uma palavra em português, com clareza, e você será suficientemente compreendido. A sílaba acentuada nas palavras finlandesas é sempre a primeira. A entonação não tem extremos. Preste atenção nos seguintes sons:

letra	pronúncia	símbolo	exemplo
consoantes			
h	como em **r**ato ou ca**rr**o, nunca mudo	*r, rr*	hattu *rattu*
j	som de 'i', como em **i**ogurte	*i*	juusto *iuusto*
r	como em cari**d**ade, mesmo no início da palavra	*r*	rakas *racas*
ng	como em si**ng**er, do inglês	*ng*	auringon *auringon*
vogais			
y/yy	como 'u' do francês, s**u**r, ou o 'ü' do alemão, **ü**ber	*uw*	yksi *uwksi*
ä/ää	como em h**a**t, do inglês	*a/ah*	päivää *paivaah*
ö/öö	como 'e' francês de j**e**	*o/oh*	tyttö *tuwtto*

Quando aparece uma dupla consoante no finlandês original procure pronunciar a letra claramente duas vezes.

ALFABETO EM FINLANDÊS

Em algumas secções e no *Manual do Menu* adotou-se a ordem alfabética finlandesa. Após a letra 'z', seguem-se as seguintes letras suplementares: **å, ä, ö.**

FRASES ÚTEIS

SIM, NÃO

Sim/Não
Kyllä/Ei
quillah/Ei

OK
Selvä
selvah

Está bem
Hyvä on
ruwvah on

Está certo
Aivan niin
aivan niin

APRESENTAÇÕES, SAUDAÇÕES

Como vai, prazer em conhecê-lo (a)
Päivää, hauska tutustua
paihvah, rausca tutustua

Bom dia
Huomenta
ruomenta

Boa noite/Boa noite *(ao deitar)*
Iltaa/Hyvää yötä
iltaa/ruwvuuh uwotah

Adeus, até logo
Näkemiin
naquemiin

Como vai?
Mitä kuuluu?
mitah cuuluu

Meu nome é ...
Nimeni on ...
nimeni on

Qual o seu nome?
Mikä teidän nimenne on?
micah teidan nimenne on

(informal)
Mikä sinun nimesi on?
micah sinun nimesi on

Este é ...
Tämä on ...
tamah on

Oi/Olá
Terve/Hei!
terve/rei

Obrigado, Por Favor, Desculpe

Obrigado (a)/Não, obrigado (a)
Kiitos/Ei kiitos
quitos/ei quitos

Por favor
Olkaa/Ole hyvä
olcaa/ole ruwvah

Desculpe!
Anteeksi!
anteecsi

Onde, Como, Pedido Simples

Com licença, por favor
Anteeksi
anteecsi

Pode me dizer ...?
Voitteko sanoa minulle ...?
voitteco sanoa minulle

Pode me dar ...?
Voinko saada ...?
voinco saada

Deseja um/uma ...?
Haluaisitteko ...?
raluaisitteco

Gostaria de ...?
Haluaisitteko ...?
raluaisitteco

O que é isso?
Mitä se on?
mitah se on

Quanto custa isso?
Paljonko se on?
paljonco se on

Onde está o/a ...?
Missä on ...?
missah on

Há acesso para cadeira de rodas?
Voiko sinne mennä rullatuolissa oleva henkilö?
voico sinne mennah rullatuolissa oleva henquiloh

É permitida a entrada de cão-guia?
Onko opaskoirilla pääsy sinne?
onco opascoirilla paasuw sinne

Sobre Você Mesmo

Sou de ...
Olen ... sta/lta
olen ... sta/lta

Tenho ... anos
Olen ... vuotta vanha
olen ...vuotta vanra

Sou ...
Olen ...
olen

Sou casado (a)/solteiro (a)/divorciado (a)
Olen naimisissa/naimaton/eronnut
olen naimisissa/naimaton/eronnut

Tenho ... irmãs/irmãos/filhos
Minulla on ... sisarta/veljeä/lasta
minulla on ... sisarta/velieah/lasta

AJUDA, PROBLEMAS

Pode me ajudar?
Voitteko auttaa minua?
voitteco auttaa minua

Não compreendo
En ymmärrä
en uwmmarah

Alguém aqui fala português/inglês?
Puhuuko joku täällä portugalia/englantia?
puruuco iocu taallah portugalia/englantia

Não falo finlandês
En puhu suomea
en puru suomea

Não sei
En tiedä
en tiedah

Por favor, fale mais devagar
Puhukaa hitaammin olkaa hyvä?
purucaa ritaammin olcaa huwvah

Por favor, escreva isso para mim
Voisitteko kirjoittaa sen minulle?
voisitteco quirioittaa sen minulle

Eu me perdi
Olen eksynyt
olen ecsuwnuwt

Vá embora!
Menkää pois!
mencaah pois

Preferências, Conversas Sociais

Gosto (de)/Adoro ...
Pidän/Rakastan ...
pidan/racastan

Não gosto (de) ...
En pidä ...
en pidah

Detesto ...
Vihaan ...
virraan

Gosta (de) ...?
Pidätko ...?
pidatcoh

É delicioso/horrível!
Se on herkullista/kauheaa!
se on rercullista/caurreaa

Não bebo/fumo
En juo/polta
en iuo/polta

Importa-se se eu fumar?
Pahastutteko jos poltan?
parrastutteco ios poltan

O que deseja (para beber)?
Mitä haluaisitte juoda?
mitah raluaisitte iuoda

Eu gostaria de um/uma ...
Haluaisin ...
raluaisin

Não quero nada, obrigado (a)
Kiitos, ei mitään minulle
quitos, ei mitaan minulle

Saúde! *(para brindar)*
Kippis/Skål!
quippis/scool

Palavras e Frases que Você Vai Ouvir

anteeksi	com licença
anteeksi	desculpe!/com licença?
ei kestä	não por isso, de nada
hei/terve	olá
henkilöllisyystodistus, olkaa hyvä	seus documentos, por favor
hyvä	bem
hyvää matkaa!	boa viagem!
hyvästi	até logo
mitä sanoitte?	o que disse?
näkemiin	até logo
niinkö?	verdade?
olkaa hyvä	aqui está
ottakaa itse	sirva-se
selvä	claro
tulkaa sisään	entre
varo!	cuidado!

DIAS, MESES, ESTAÇÕES

domingo	sunnuntai	*sunnuntai*
segunda-feira	maanantai	*maanantai*
terça-feira	tiistai	*tiistai*
quarta-feira	keskiviikko	*quesquiviicco*
quinta-feira	torstai	*torstai*
sexta-feira	perjantai	*periantai*
sábado	lauantai	*lauantai*
janeiro	tammikuu	*tammicuu*
fevereiro	helmikuu	*relmicuu*
março	maaliskuu	*maaliscuu*
abril	huhtikuu	*rurrticuu*
maio	toukokuu	*toucocuu*
junho	kesäkuu	*quesacuu*
julho	heinäkuu	*reinacuu*
agosto	elokuu	*elocuu*
setembro	syyskuu	*suuwscuu*
outubro	lokakuu	*locacuu*
novembro	marraskuu	*marascuu*
dezembro	joulukuu	*ioulucuu*
primavera	kevät	*quevat*
verão	kesä	*quesah*
outono	syksy	*suwcsuw*
inverno	talvi	*talvi*
Natal	joulu	*ioulu*
Noite de Natal	jouluaatto	*iouluaatto*
Sexta da Paixão	pitkäperjantai	*pitcaperiantai*
Páscoa	pääsiäinen	*paasiainen*
Ano-Novo	uusi vuosi	*uusi vuosi*
Véspera de Ano-Novo	uuden vuoden aatto	*uuden vuoden aatto*
Pentecostes	helluntai	*relluntai*

NÚMEROS

0 nolla *nolla*
1 yksi *uwcsi*
2 kaksi *cacsi*
3 kolme *colme*
4 neljä *neliah*
5 viisi *viisi*
6 kuusi *cuosi*
7 seitsemän *seitseman*
8 kahdeksan *carrdecsan*
9 yhdeksän *uwrrdecsan*
10 kymmenen *quwmmenen*

11 yksitoista *uwcsitoista*
12 kaksitoista *cacsitoista*
13 kolmetoista *colmetoista*
14 neljätoista *neliahtoista*
15 viisitoista *viisitoista*
16 kuusitoista *cuositoista*
17 seitsemäntoista *seitsemantoista*
18 kahdeksantoista *carrdecsantoista*
19 yhdeksäntoista *uwrrdecsantoista*

20 kaksikymmentä *caksicuwmmentah*
21 kaksikymmentäyksi *cacsicuwmmentahuwcsi*
22 kaksikymmentäkaksi *cacsicuwmmentacacsi*
30 kolmekymmentä *colmecuwmmentah*
40 neljäkymmentä *neliacuwmmentah*
50 viisikymmentä *viisicuwmmentah*
60 kuusikymmentä *cuusicuwmmentah*
70 seitsemänkymmentä *seitsemancuwmmentah*
80 kahdeksankymmentä *carrdecsancuwmmentah*
90 yhdeksänkymmentä *uwrrdecsancuwmmentah*
100 sata *sata*
110 satakymmenen *satacuwmmenen*
200 kaksisataa *cacsisataa*
1.000 tuhat *turrat*
10.000 kymmenentuhatta *cuwmmenenturratta*
20.000 kaksikymmentätuhatta *cacsicuwmmentahturratta*
100.000 satatuhatta *sataturratta*
1.000.000 miljoona *milioona*

TEMPO

hoje	tänään	*tanaan*
ontem	eilen	*eilen*
amanhã	huomenna	*huomenna*
esta semana	tällä viikolla	*tallah viicolla*
semana passada	viime viikolla	*viime viicolla*
semana que vem	ensi viikolla	*ensi viicolla*
esta manhã	tänä aamuna	*tanah aamuna*
esta tarde	tänä iltapäivänä	*tanah iltapaivanah*
esta noite	tänä yönä	*tanah uwonah*
dentro de três dias	kolmen päivän kuluttua	*colmen paivan culuttua*
há três dias	kolme päivää sitten	*colme paivaah sitten*
tarde	myöhään	*muworraan*
cedo	tällä hetkellä	*tallah hetquellah*
logo	aikaisin	*aicaisin*
mais tarde	myöhemmin	*muworremmin*
imediatamente	heti	*reti*
segundo	sekunti	*secuntti*
minuto	minuutti	*minuutti*
dez minutos	kymmenen minuuttia	*cuwmmenen minuuttia*
um quarto de hora	vartti	*vartti*
meia hora	puoli tuntia	*puoli tuntia*
hora	tunti	*tunti*
dia	päivä	*paivah*
todos os dias	joka päivä	*ioca paivah*
o dia todo	koko päivän	*coco paivan*
semana	viikko	*viicco*
duas semanas	kaksi viikkoa	*cacsi viiccoa*
mês	kuukausi	*cuucausi*
ano	vuosi	*vuosi*

Como Dizer as Horas

O sistema de 24 horas é usado na forma escrita, em tabelas de horários, para marcar encontros, e também verbalmente em agências de informações ou em programas de televisão ou rádio. Mas na maioria dos casos usa-se o sistema de 12 horas.

'Que horas são?' é **Mitä kello on?**. **Kello** significa literalmente 'relógio'. A resposta é: **Kello on yksi** ('É uma hora'), **Kello on kaksi** ('São duas horas'), **Kello on viisi** ('São cinco horas') e assim por diante. Note que ao dizer meia hora (**puoli**) o finlandês refere-se à hora seguinte. Assim, 'cinco e meia' é **puoli kuusi**, literalmente 'meia (para) seis'.

Para expressar minutos após determinada hora, diz-se primeiro os minutos, acompanhado com **yli** e a hora. Por exemplo, 'dez e cinco' é **viisi yli kymmenen**. Quando se quer dizer 'para', usa-se **vaille**. **Kaksikymmentä vaille yksitoista** é 'vinte para as onze'.

Às vezes é usado **vartti** para dizer 'um quarto de hora'. Por exemplo, **varttia vaille kuusi** é 'quinze para as seis'.

1h	kello yksi	*quello uwcsi*
1h10	kymmentä yli yksi	*cuwmmentah uwli uwcsi*
1h15	varttia yli yksi	*varttia uwli uwcsi*
1h20	kaksikymmentä yli yksi	*cacsicuwmmentah uwli uwcsi*
1h30	puoli kaksi	*puoli cacsi*
1h40	kaksikymmentä vaille kaksi	*cacsicuwmmentah vaille cacsi*
1h45	varttia vaille kaksi	*varttia vaille cacsi*
2h	kello kaksi	*quello cacsi*
meio-dia	keskipäivä	*quesquipaivah*
meia-noite	keskiyö	*quesqueuwoh*

COMUNICAÇÃO

Palavras e Frases Úteis

cabine telefônica	puhelinkioski	*purrelinquiosqui*
cartão telefônico	puhelinkortti	*purrelincortti*
celular	kännykkä	*cannuwccah*
chamada a cobrar	vastapuhelu	*vastapurrelu*
código	koodi	*coodi*
e-mail	sähköpostiosoite	*sarrkopostiosoite*
emergência	hätätilanne	*ratatilanne*
informações	tiedusteluja	*tiedusteluia*
fax	faksi	*facsi*
internet	internet	*internet*
número	numero	*numero*
número errado	väärä numero	*vaarah numero*
operador	operaattori	*operaattori*
ramal	posti, alanumero	*posti, alanumero*
sinal de discagem	soittoääni	*soittoaani*
telefone	puhelin	*purrelin*
Web site	web-sivusto	*web-sivusto*

Onde fica a cabine telefônica mais próxima?
Missä on lähin puhelinkioski?
missah on larrin purrelinquiosqui

Quero um número de ...
Haluaisin numeron
raluaisin numeron

Posso falar com ..., por favor
Haluaisin puhua ... kanssa
raluaisin purua .... canssa

Meu número é ...
Numeroni on ...
numeroni on

Posso deixar um recado?
Voinko jättää viestin?
voinco iattaah viestin

Voltarei a ligar mais tarde
Soitan myöhemmin
soitan muwrremmin

Qual o número do seu fax/seu e-mail?
Mikä on teidän faksinumeronne/sähköpostiosoitteenne?
micah on teidan facsinumeronne/sahkopostiosoittenne

Posso enviar um fax/um e-mail daqui?
Voinko lähettää täältä faksin/sähköpostia?
voinco lahettah taaltah facsin/sarcohpostia

Frases que Você Vai Ouvir

Kenen kanssa haluaisitte puhua?
Com quem gostaria de falar?

Teillä on väärä numero
Você ligou o número errado

Anteeksi, kuka kysyy?
Da parte de quem?

Puhelimessa
Sou eu/Pode falar

Hetkinen olkaa hyvä
Aguarde na linha

Voitteko soittaa uudestaan myöhemmin?
Pode voltar a ligar mais tarde?

Valitettavasti hän ei ole paikalla
Sinto muito, ele/ela não está

Emergências

acidente	onnettomuus	*onnettomuus*
ambulância	ambulanssi	*ambulanssi*
bombeiros	palokunta	*palocunta*
colisão	yhteenajo	*uwrteenaio*
defeito	epäkunnossa	*epakunnossa*
delegacia de polícia	poliisiasema	*poliisiasema*
emergência	hätätilanne	*ratatilanne*
fogo	tuli	*tuli*
polícia	poliisi	*poliişi*
roubo	varkaus	*varcaus*

Socorro!
Apua!
apua

Pare!
Pysähdy!
puwsahduw

Chame uma ambulância!
Kutsu ambulanssi!
cutsu ambulanssi

Depressa!
Kiirehtikää!
quiirerrticaah

Meu endereço é ...
Osoitteeni on ...
osoitteeni on

Roubaram meu passaporte/meu carro
Passini/autoni on varastettu
passini/autoni on varastettu

HOTÉIS

Palavras e Frases Úteis

almoço	lounas	*lounas*
arrumadeira	siivooja	*siivoia*
banheiro	kylpyhuone	*cuwlpuwrruone*
bed and breakfast	huone aamiaisella	*ruone aamiaisella*
café da manhã	aamiainen	*aamiainen*
cama	vuode	*vuode*
chave	avain	*avain*
conta	lasku	*lascu*
ducha	suihku	*suirrcu*
elevador	hissi	*rissi*
estacionamento	parkkipaikka	*parcquipaicca*
gerente	johtaja	*iorrtaia*
hotel	hotelli	*rotelli*
jantar	illallinen	*illallinen*
meia pensão	puolihoito	*puolirroito*
nota fiscal	kuitti	*cuitti*
pensão completa	täysihoito	*tauwsirroito*
pensão familiar	täysihoitola	*tauwsirroitola*
quarto	huone	*ruone*
quarto conjugado	kaksi eri vuodetta	*cacsi eri vuodetta*
quarto duplo	kahden hengen huone	*carden renguen ruon e*
quarto simples	yhden hengen huone	*uwrrden renguen ruone*
recepção	vastaanotto	*vastaanotto*
recepcionista	vastaanottoapulainen	*vastaanotto-apulainen*
sacada	parveke	*parveque*
sala de jantar	ruokasali	*ruocasali*
sanitário	vessa	*vessa*
serviço de quarto	huonepalvelu	*ruonepalvelu*

Vocês têm vagas?
Onko teillä vapaita huoneita?
onco teillah vapaita ruoneita

Fiz uma reserva
Minulla on varaus
minulla on varaus

Eu gostaria de um quarto simples
Haluaisin yhden hengen huoneen
raluaisin uwrrden renguen ruoneen

Eu gostaria de um quarto com banheiro/sacada
Haluaisin huoneen jossa on kylpyhuone/parveke
raluaisin ruoneen, iossa on cuwlpuwrruone/parveque

Os quartos possuem TV via satélite/TV a cabo?
Onko huoneissa satelliitti/kaapeli-teeveetä?
onco ruoneissa satelliitti/caapeli-teeveetah

Eu gostaria de um quarto para uma noite/três noites
Haluaisin huoneen yhdeksi/kolmeksi yöksi
raluaisin ruoneen uwrrdecsi/colmecsi uwocsi

Qual o preço por noite?
Mitä maksaa yksi yö?
mitah macsaa uwksi uwoh

A que horas é o café da manhã/jantar?
Milloin on aamiainen/päivällinen?
milloin on aamiainen/paivallinen

Por favor, acorde-me à 1h
Herättäkää minut kello yksi
rerattakaah minut quello uwksi

Podem servir o café da manhã no meu quarto?
Voinko saada aamiaisen huoneeseeni?
voinco saada aamiaisen ruoneeseeni

O número do meu quarto é ...
Huoneeni numero on ...
ruoneeni numero on

Não há papel higiênico no banheiro
Vessassa ei ole vessapaperia
vessassa ei ole vessapaperia

Não se consegue abrir a janela
Ikkuna ei avaudu
iccuna ei avaudu

Não há água quente
Ei ole kuumaa vettä
ei ole cuumaa vettah

Vou embora amanhã
Lähden huomenna
larrden ruomenna

A que horas devo desocupar o quarto?
Milloin minun on luovutettava huone?
milloin minun on luovutettava ruone

Minha conta, por favor?
Saisinko laskuni?
saisinco lascuni

Vou pagar com cartão de crédito
Maksan luottokortilla
macsan luottocortilla

Vou pagar em dinheiro
Maksan käteisellä
macsan cateisellah

Pode chamar um táxi?
Voitteko hankkia minulle taksin?
voitteco cutsua minulle tacsin

Expressões que Você Vai Encontrar

aamiainen	café da manhã
hissi	elevador
hätäuloskäytävä	saída de emergência
kylpyhuone	banheiro
lasku	conta
lounas	almoço
portaat	escada
pääsy kielletty	entrada proibida
sisäänkäynti	entrada
suihku	ducha
työnnä	empurre
täynnä	não há vagas
vedä	puxe

Frases que Você Vai Ouvir

Valitan, mutta hotelli täynnä
Sinto muito, estamos lotados

Ei ole enää kahden/yhden hengen huoneita jäljellä
Não temos quartos simples/duplos

Kuinka moneksi yöksi?
Por quanto tempo?

Kuinka maksatte?
Como o (a) senhor (a) gostaria de pagar?

Voitteko maksaa etukäteen
Por favor, pague adiantado

Huone on luovutettava puoleen päivään mennessä
O (A) senhor (a) deve desocupar o quarto até o meio-dia

COMPRAS

Por favor, onde está/estão ...?
Anteeksi, missä on ...?
anteecsi, missah on

Você tem ...?
Onko teillä...?
onco teillah

Quanto custa isto?
Paljonko tämä maksaa?
paljonco tamah macsaa

Onde fica o caixa?
Missä voin maksaa?
missah voin macsaa

Vocês aceitam cartão de crédito?
Hyväksyttekö luottokortteja?
ruwvacsuwttekoh luottocortteia

Poderia me dar uma nota fiscal?
Voinko saada kuitin?
voinco saada cuitin

Tem algo menos caro?
Onko teillä mitään halvempaa?
onco teillah iotain ralvempaa

Poderia ter o dinheiro de volta?
Voinko saada hyvityksen?
voinco saada ruwvituwcsen

Está ótimo. Vou levar
Se on hyvä. Otan sen
se on ruwvah. otan sen

Não é o que eu queria
Se ei ole mitä haluan
se ei ole mitah raluan

REFEIÇÕES

Não é difícil comer bem e com preço razoável na Finlândia. Os cardápios encontram-se muitas vezes nas janelas dos restaurantes, facilitando a escolha de um que esteja dentro do seu orçamento. Não há o hábito de dar gorjeta para os garçons, mas se você ficar especialmente satisfeito com o serviço pode deixar o troco ou uma quantia mais substancial. Essa regra também se aplica aos motoristas de táxi, barbeiros e cabeleireiros.

Há muitas cafeterias em todas as cidades, chamadas **kahvila** ou **baari**, nas quais você pode pedir um sanduíche de pão branco ou preto com queijo, presunto ou salada, empadas com carne moída, salmão cortado, arroz e ovos etc. Não esqueça de experimentar os deliciosos doces, como o **viineri** (vienense).

Os restaurantes oferecem uma seleção de pratos tradicionais e lanches. Bolinho de carne é um prato típico, além de uma variedade de salsichas vendidas nos quiosques à noite. Outros pratos tradicionais são sopa de ervilha e rolinhos de couve. O salmão dos rios nórdicos, muitas vezes servido como **raavilohi** ou **gravad lax**, é uma especialidade escandinava e são muitos os pratos de peixes de água doce, tais como **kuha** e **siika** (lucioperca, um peixe parecido com hadoque). Recomenda-se também o arenque báltico grelhado ou defumado, sem esquecer o arenque em sal, que é muito popular. Se você visitar as quedas-d'água em agosto pode participar de uma das festas do camarão-d'água-doce e beber uns copinhos de vodca gelada para acompanhar.

Cerveja e vodca são populares, mas também há muitos vinhos disponíveis. Os finlandeses, junto com os outros escandinavos, amam tomar café, que é em geral servido muito forte com um pouquinho de creme de leite.

Os doces tradicionais consistem principalmente de frutas, silvestres ou cultivadas. O sorvete e o chocolate finlandês são altamente recomendáveis.

Palavras e Frases Úteis

açúcar	sokeri/a	*soqueri/soqueria*
água	vesi/vettä	*vesi/vettah*
bolo	kakku	*caccu*
café	kahvi	*carvi*
cardápio	menu	*menu*
carta de vinhos	viinilista	*viinilista*
cerveja	olut	*olut*
chá	tee	*thee*
colher	lusikka	*lusicca*
colher de chá	teelusikka	*theelusicca*
conta	lasku	*lascu*
copo	lasi	*lasi*
entrada	alkuruoka	*alcuruoca*
faca	veitsi	*veitsi*
garçom	tarjoilija	*tarioiliia*
garçonete	tarjoilijatar	*tarioiliiatar*
garfo	haarukka	*raarucca*
guardanapo	servietti	*servietti*
gorjeta	juomaraha	*iuomararra*
lanche	välipala	*valipala*
leite	maito	*maito*
manteiga	voi	*voi*
mesa	pöytä	*pouwtah*
nota fiscal	kuitti	*cuitti*
pão	leipä	*leipah*
pimenta	pippuri	*pippuri*
porção para criança	lasten annos	*lasten annos*
prato	lautanen	*lautanen*
prato principal	pääruoka	*paaruoca*
sal	suola	*suola*
sanduíche	voileipä	*voileipah*
sobremesa	jälkiruoka	*iahlquiruoka*
sopa	keitto	*queitto*
vinho	viini/ä	*viini/viiniah*
xícara	kuppi	*cuppi*

Uma mesa para um, por favor
Pöytä yhdelle, kiitos
pouwtah uwrrdelle, quiitos

Uma mesa para dois/três, por favor
Pöytä kahdelle/kolmelle, kiitos
pouwtah carrdelle/colmelle, quiitos

Vocês têm cadeirão?
Onko teillä lastentuolia?
onco teillah lastentuolia

Pode me trazer o cardápio/a carta de vinhos?
Voinko nahdä ruoka/viinilistan?
voinco narrdah ruoca/viinilistan

O que o senhor sugere?
Mitä suosittelette?
mitah suosittelette

Eu gostaria de ...
Haluaisin ...
raluaisin

Só uma xícara de café/chá, por favor
Vain kuppi kahvia, kiitos
vain cuppi carrvia, quiitos

Só quero um lanche
Haluaisin vain välipalan
raluaisin vain valipalaa

Há um cardápio do dia?
Onko teillä päivän erikoista?
onco teillah paivan ericoista

Uma jarra de vinho tinto da casa, por favor
Pullo talon viiniä, kiitos
pullo talon viiniah, quiitos

Servem pratos vegetarianos?
Onko teillä kasvisruokia?
onco teillah casvisruoquia

Pode nos servir água?
Voisimmeko saada vettä?
voisimmeco saada vettah

O (A) senhor (a) poderia esquentar esta mamadeira/a comida da criança?
Voisitteko lämmitää tämän tuttipullon/vauvanruuan?
voisitteco lammitaah taman tuttipullon/vauvanruuan

Garçom/garçonete!
Tarjoilija/tarjoilijatar!
tarioiliia/tarioiliiatar

Isto não é o que pedimos
Emme me tilanneet tätä
emme me tilanneet tatah

Pode nos servir mais ...?
Saammeko hieman lisää ...?
saammeco rieman lisaah

Pode me dar outra faca/outro garfo?
Voinko saada toisen veitsen/haarukan?
voinco saada toisen veitsen/raarukan

Pode nos trazer a conta, por favor?
Saammeko laskun, kiitos?
saammeco lascun, quiitos

Pode me dar um recibo, por favor?
Saanko kuitin, kiitos?
saanco cuitin, quiitos

A comida estava muito boa, obrigado (a)
Ruoka oli oikein hyvää, kiiton
ruoka oli oiquein ruwvaah, quiitos

MANUAL DO MENU

aamiainen café da manhã
alkuruoka entrada
ananas abacaxi
anjovis anchova
ankka pato
ankkapasteijaa empada de pato
aprikoosi damasco
artisokka alcachofra
avokaado abacate
baari lanchonete/bar
banaani banana
beef stroganoff estrogonofe de carne
blinis panqueca com ovas
bortsch sopa de beterraba com creme azedo
brut bem seco
crépes panquecas com molho de laranja
etanoita caracóis
fasaania faisão
gratinoitu gratinado
gravad lax salmão meio cru
grillattu grelhado
haarukka garfo
hanhi ganso
hapoton kivennäisvesi água mineral sem gás
haudukas refogado
hedelmäsalaatti salada de frutas
herneitä ervilhas
hillo geleia
hirvenlihaa carne de alce
hummeri lagosta
hummerikeitto sopa de lagosta
huoneen lämpötilassa natural, na temperatura do ambiente
häränkieltä língua de boi
iso katkarapu gambá
jauhelihaa carne moída
jukurttia iogurte
juomaraha gorjeta
juustoa queijo
juustotarjotin bandeja de queijos
jälkiruoka sobremesa
jälkiruoka-astia vasilha de sobremesa
jäätelöä sorvete
kaakao chocolate quente
kaali couve
kahvi/a café
kahvi (musta) café (preto)
kahvi ja kerma café com creme
kahviaamiainen café da manhã simples
kahvila café, doçaria
kakku bolo
kala- ja äyriäisruokaa frutos do mar
kalaa peixe
kalakeitto sopa de peixe
kaljaa cerveja caseira (às vezes sem álcool)
kalkkuna peru
kanaa kermakastikkeessa frango no molho branco
kanaa riisin kanssa frango com arroz
kanaa sieni- ja valkoviinikastikkeessa frango no molho de vinho branco
kananmaksapasteijaa empada de fígado de frango
kania coelho
karhunpaisti carne de urso
katkarapucocktail coquetel de frutos do mar
katkarapuja camarões
kebab carne no espeto estilo árabe
keitetty cozido
keitetty muna ovo cozido
keitto/a sopa

kermajuustoa queijo cremoso
kermakastikkeessa no molho branco
kermavaahto chantilly
keskikypsä semipassado
kevyt light
kiisseli sobremesa de geleia de frutas silvestres
kinkku presunto
kirsikka cereja
kreippi toranja
kuha lucioperca
kuitti recibo
kuiva seco
kuivattu luumu ameixa seca
kukkakaali couve-flor
kuoriaisia marisco
kuorrutettu ja paistettu meriantura linguado grelhado à parmegiana
kuppi xícara
kurkku pepino
kyljys costeleta
kylkipaisti costela assada
kypsäksi/hyvin paistettu bem passado
kypsytetty rasvassa frito
lakkalikööri licor de amora ártica dos pântanos
lammas/ta carneiro
lammaspata vihanneksilla carneiro estufado com legumes
lampaanniska nuca de carneiro
lampaanreisi pernil de carneiro
lasi copo
lasku conta
lasten annos porção para crianças
lautanen prato
leikkeleitä frios
leipä/ä pão
leivos torta
lihaa carne
lihaliemi caldo de carne
lihapata guisado de carne
lihapullia bolinhas de carne
likööri licor
limonaatia limonada
lintua pássaro
lohi salmão
lounas almoço
lusikka colher
luumu ameixa
maito/a leite
maitokahvi café com leite
makaroonia macarrão
makea doce
makkara salsicha
mansikoita morangos
manteli amêndoa
marsipaani marzipã
mehu suco
meriantura viini- ja sienikastikkeessa linguado no molho de cogumelo e vinho
mersimarjalikööri licor de framboesa ártica
minttuteetä chá de hortelã
munakas omelete
munakokkeli ovos mexidos
munkki sonho
munuainen rim
murot cereais
mustaherukka groselha
mustikkapiirakka torta de mirtilo
mätiä ova
nakki(makkara) salsichinha
näkkileipää pão crocante
naudanliha bife
ohukainen panqueca
olut cerveja
omeletti omelete
omena maçã
omenapiiras torta de maçã
osteri ostra
paistettu kana frango assado

paistettu muna ovo frito
paistettu omena maçã assada
paisti assado
paistinperunat batatas levemente fritas
palapaisti guisado de carne
papuja feijão
parsa aspargo
persikka pêssego
peruna batata
perunamuhennos purê de batata
perunoiden ja vihannesten kanssa com batatas e legumes
pihvi ja ranskalaiset bife e fritas
pihvi bife
piimä leite azedo
piiras empada
pilsneri pilsner, cerveja
pinaattia espinafre
piparkakku biscoito de gengibre
piparminttu hortelã-pimenta
pippuria pimenta
polarliköőri licor de arando
poreileva kivennäisvesi água mineral com gás
porkkana cenoura
poronliha carne de rena
porsaankyljys costeleta de porco
porsasta porco
pulla pão doce
punakaali couve vermelha
punakampela solha
punapaprika pimentão vermelho
punaviiniä vinho tinto
puolikypsä malpassado
purjosipuli alho francês
puuro mingau
päivällinen jantar
päivän ruoka prato do dia
päivän ruokalista cardápio do dia
pääruoka prato principal
päärynä pera
pöytä mesa
raastettu ralado
raavilohi salmão semicru
ranskalaiset batatas fritas
rapu caranguejo
retiisi rabanete
riisi arroz
roseeviiniä vinho rosado
ruis cevada
ruispuuro mingau de cevada
ruokalista cardápio
rypäle uva
saksanpähkinä noz
salaatti salada
sekasalaatti salada mista
sekavihannekset legumes mistos
servietti guardanapo
sieni cogumelo
siideri sidra
siika peixe branco de água doce
silakka arenque báltico
silli arenque
sillisalaatti salada de arenque
simpukoita valkoviinissä amêijoa no vinho branco
sinappia mostarda
sipsit batatinhas
sipuli cebola
sipulikeitto sopa de cebola
sipulikeitto leivänkuutioiden kanssa sopa de cebola com cubos de pão
sitruuna limão
sitruunateetä chá de limão
smörgåsbord mesa de entradas frias
sokeri/a açúcar
sorsa pato
suola sal
suolakurkku picles
sämpylä pãozinho
taimen truta

talon viiniä vinho da casa
tarjoilija garçom
tarjoilijatar garçonete
taskurapu caranguejo
tee/tä chá
teelusikka colher de chá
teetä maidon kanssa chá com leite
tomaatti tomate
tomaattikeitto sopa de tomate
tonnikala atum
tummaa escuro
tuore appelsiinimehu suco de laranja natural
turistiruokalista cardápio para turistas
turska bacalhau
tynnyriolut chope
vadelmia framboesas
välipala lanche
valkoista branco
valkokastike molho branco
valkosipuli/a alho
valkoviiniä vinho branco
vaniljakastike molho de baunilha
vartaassa paistettu assado no espeto
vasikanmaksaa fígado de vitela
vasikka vitela
veitsi faca
veriohukkaat panquecas pretas
vesi/vettä água
vesihaudutettu muna ovo escaldado sem a casca
vihanneksia legumes
vihanneskeitto sopa de legumes
vihreä paprika pimenta verde
vihreä salaatti salada verde
viiliä coalho
viineri doce dinamarquês
viini/ä vinho
viinikastike molho de vinho
viinikastikkeessa no molho de vinho
viinilista lista de vinhos
vin vinho
vispikerma chantilly
vohveli waffle
voi/ta manteiga
voileipä sanduíche
voileipäpöytä mesa de entradas frias
vuohenjuusto queijo de cabra
vuosikerta viini vinho clássico
Wienershcnitzel escalope à milanesa

FRANCÊS

SUMÁRIO

INTRODUÇÃO

PRONÚNCIA

Ao ler a pronúncia imitada, acentue as partes sublinhadas. Pronuncie cada sílaba como se fosse de uma palavra em português e você será suficientemente bem compreendido. Lembre-se dos pontos abaixo, para melhorar sua pronúncia.

ã na transcrição da pronúncia, representa o som de um 'an' anasalado
õ representa o som de um 'on' anasalado
ll indica que a sílaba com 'l' deve ser pronunciada com a língua tocando no céu da boca
rr indica que a letra 'r' deve ser pronunciada com seu som de 'rr' dobrado, forte

As vogais podem ter os mais diversos sons, dependendo de como aparecem nas palavras. Por isso, na transcrição da pronúncia muitas estão acentuadas, para indicar como devem ser ditas. Mas atenção: isso não significa necessariamente que os acentos estejam nas sílabas tônicas –o que indica a tônica é o sublinhado. Assim, a pronúncia imitada de **vêtement** (roupa) será 'vét-mã'. Outra observação importante: às vezes, a sílaba final de uma palavra une-se à inicial da próxima na frase, e com isso o som de uma ou de ambas pode se modificar. O texto da pronúncia imitada leva isso em consideração e reproduz os sons como se pertencessem a uma só palavra.

GÊNEROS E ARTIGOS

Os substantivos têm dois gêneros em francês, como em português. Neste livro eles são precedidos de artigos definidos (**le** e **la**, masculino e feminino singulares; e **les**, plural para os dois gêneros). Onde é mais adequado, usaram-se os indefinidos **un** para o masculino e **une** para o feminino, ou 'algum/a' e 'alguns/algumas': **du/de la** e o plural comum **des**.

FRASES ÚTEIS

SIM, NÃO

Sim/Não
Oui/non
u-í/nõ

OK
D'accord
da-cór

Está bem
C'est bien
cé bi-ã

Exato/Isso mesmo
C'est exact
cé-têc-za-ct

APRESENTAÇÕES, SAUDAÇÕES

Muito prazer [em conhecê-lo (a)]
Enchanté (de faire votre connaissance)
ã-chan-tê de fér vó-tre co-nés-sans

Bom dia
Bonjour
bõ-jur

Boa tarde/Boa noite
Bonsoir
bõ-so-ar

Até logo
Au revoir
ôr-re-vo-ar

Como vai?
Comment allez-vous?
co-mã-ta-lê-vu

(informal)
Comment ça va?
co-mã ça va

Meu nome é …
Je m'appelle ...
je ma-pé-le

Qual o seu nome?
Comment vous appelez-vous?
co-mã vu-za-pê-lê-vu

(informal)
Comment tu t'appelles?
co-mã ti ta-pé-le

Este (a) é …
Voici …
vo-a-ci

Bom dia/Olá!
Bonjour/Salut!
bõ-jur/sa-li

Obrigado, Por Favor, Desculpe

Obrigado (a)
Merci
mêr-ci

Não, obrigado (a)
Non, merci
nõ mêr-ci

Por favor
S'il vous plaît
sill vu plé

Desculpe!/Perdão!
Pardon!
par-dõ

Onde, Como, Pedidos Simples

Com licença, por favor
Pardon
par-dõ

Pode me dizer …?
Pouvez-vous me dire ...?
pu-vê vu me dir

Pode me dar ...?
Est-ce que je pourrais avoir ...?
és-ke je pur-ré a-vo-ar

Deseja um/uma ...?
Est-ce que vous voulez un/une ...?
és-ke vu vu-lê ã/i-ne

Gostaria de ...?
Est-ce que vous voulez ...?
és-ke vu vu-lê

Há ... aqui?
Est-ce qu'il y a ... ici?
és-ke ki-li-á ... i-ci

O que é isso?
Qu'est-ce que c'est?
kés-ke cé

Quanto custa?
Combien ça coûte?
com-bi-ã ça cu-te

Onde está o/a ...?
Où est le/la ...?
u é le/la

Há acesso para cadeira de rodas?
Y a-t-il un accès pour les personnes à mobilité réduite?
iá-till ãn ak-sé purr lê perr-són a mô-bi-li-tê rê-du-it

É permitida a entrada de cão-guia?
Les chiens guide sont-ils admis?
lê xi-ãn gui-d som-til ad-mi

Sobre Você Mesmo

Sou de ...
Je viens de ...
je vi-ã de

Tenho … anos
J'ai … ans
jé … ã

Sou …
Je suis …
je su-í

Sou casado (a)/solteiro (a)/divorciado (a)
Je suis marié (ée)/célibataire/divorcé (ée)
je su-í mar-ri-ê/ce-li-ba-tér/di-vor-cê

Tenho … irmãos/irmãs/filhos/filhas
J'ai … frères/soeurs/fils/filles
jé … frrér/sér/fis/fí-e

Ajuda, Problemas

Pode me ajudar?
Pouvez-vous m'aider?
pu-vê-vu mé-dê

Não compreendo
Je ne comprends pas
je ne com-prrã pa

Fala português/inglês/alemão/espanhol?
Est-ce que vous parlez portugais/anglais/allemand/espagnol?
és-ke vu par-lê por-ti-gué/an-glé/a-le-man/es-pa-nholl

Não falo francês
Je ne parle pas français
je ne par-le pa frran-cé

Não sei
Je ne sais pas
je ne sé pa

Pode falar mais devagar, por favor?
Pouvez-vous parler plus lentement, s'il vous plaît?
pu-vê-vu par-lê pli lã-te-mã sill vu plé

Pode escrever isso para mim, por favor?
Pouvez-vous me l'écrire, s'il vous plaît?
pu-vê-vu me le-crrir sill vu plé

Eu me perdi
Je me suis perdu
je me su-í per-di

Vá embora!
Allez-vous-en!
a-lê-vu-zã

Preferências, Conversas Sociais

Gosto (de)/Adoro ...
J'aime/j'adore ...
jé-me/ja-dór

Não gosto (de) ...
Je n'aime pas ...
je né-me pa

Detesto ...
Je déteste ...
je de-tés-te

Gosta de ...?
Aimez-vous ...?
é-mê vu

É delicioso/horrível!
C'est délicieux/horrible!
cé de-li-ci-ê/or-ri-ble

Não bebo/não fumo
Je ne bois pas/ne fume pas
je ne bo-á pa/ne fi-me pa

Importa-se se eu fumar?
Cela ne vous ennuie pas que je fume?
ce-lá ne vu-ze-nu-í pa ke jê fi-me

O que deseja beber?
Qu'est-ce que vous voulez boire?
kés-ke vu vu-lê bo-ar

Eu gostaria de um/uma ...
Je voudrais un/une ...
je vu-drré-zã/zi-ne

Não quero nada, obrigado (a)
Rien pour moi, merci
ri-ã pur mo-á mêr-ci

Saúde!
Santé!
san-tê

PALAVRAS E FRASES QUE VOCÊ VAI OUVIR

à bientôt até logo
attention! atenção!, cuidado!
au revoir até logo
bien bem
bon! bom!
bonjour bom dia, olá
bon voyage! boa viagem!
entrez entre
excusez-moi desculpe
je vous en prie não por isso, de nada
papiers, s'il vous plaît seus documentos, por favor
pardon!/pardon? desculpe!/com licença?
qu'est-ce que vous avez dit? o que disse?
servez-vous sirva-se
voici aqui está
vraiment? verdade?

DIAS, MESES, ESTAÇÕES

domingo	dimanche	*di-man-che*
segunda-feira	lundi	*lã-di*
terça-feira	mardi	*mar-di*
quarta-feira	mercredi	*mêr-crrê-di*
quinta-feira	jeudi	*jê-di*
sexta-feira	vendredi	*vã-drre-di*
sábado	samedi	*sâ-me-di*
janeiro	janvier	*jan-vi-ê*
fevereiro	février	*fe-vrri ê*
março	mars	*mars*
abril	avril	*a-vrrill*
maio	mai	*mé*
junho	juin	*ju-ã*
julho	juillet	*ju-iê*
agosto	août	*u*
setembro	septembre	*sep-tã-brre*
outubro	octobre	*ôc-tô-brre*
novembro	novembre	*nô-vã-brre*
dezembro	décembre	*dê-çã-brre*
primavera	le printemps	*prã-tã*
verão	l'été	*le-tê*
outono	l'automne	*lô-tôm-ne*
inverno	l'hiver	*li-vér*
Natal	Noël	*nô-éll*
Noite de Natal	la veille de Noël	*vé-ie de nô-éll*
Sexta da Paixão	Vendredi saint	*vã-drre-di sã*
Páscoa	Pâques	*pá-ke*
Ano-Novo	le nouvel an	*nu-véll ã*
Véspera de Ano-Novo	la veille de jour de l'an	*vé-ie de jur de lã*
Pentecostes	la Pentecôte	*pã-te-cô-te*

NÚMEROS

0 zéro *zêr-rô*
1 un, une *ã, i-ne*
2 deux *dê*
3 trois *trro-á*
4 quatre *ka-trre*
5 cinq *sénk*
6 six *siz*
7 sept *sét*
8 huit *u-ít*
9 neuf *nêf*

10 dix *diz*
11 onze *õ-ze*
12 douze *du-ze*
13 treize *trré-ze*
14 quatorze *ka-tór-ze*
15 quinze *kã-ze*
16 seize *sé-ze*
17 dix-sept *diz-sét*
18 dix-huit *di-zu-í*
19 dix-neuf *diz-nêf*

20 vingt *vén*
21 vingt et un *vén-te-ã*
22 vingt-deux *vén-dê*
30 trente *trã-te*
40 quarante *kár-ran-te*
50 cinquante *sén-kan-te*
60 soixante *soa-çan-te*
70 soixante-dix *soa-çan-te-diz*
80 quatre-vingts *ka-trre-vén*
90 quatre-vingt-dix *ka-trre-vén diz*
100 cent *sã*
110 cent-dix *sã-diz*
200 deux cents *dês-sã*
1.000 mille *mill*
10.000 dix mille *diz mill*
20.000 vingt mille *vén mill*
100.000 cent mille *sã mill*
1.000.000 un million *ã mi-li-õ*

TEMPO

hoje	aujourd'hui	*ô-jur-du-í*
ontem	hier	*i-ér*
amanhã	demain	*de-mã*
esta semana	cette semaine	*cé-te se-mé-ne*
semana passada	la semaine dernière	*se-mé-ne dêr-ni-ér*
próxima semana	la semaine prochaine	*se-mé-ne prro-ché-ne*
esta manhã	ce matin	*cê ma-tã*
esta tarde	cet après-midi	*cê-ta-prré-mi-di*
esta noite/ hoje à noite	ce soir	*cê so-ar*
dentro de três dias	dans trois jours	*dan trro-á jur*
há três dias	il y a trois jours	*i-li-á trro-á jur*
tarde	tard	*tar*
cedo	tôt	*tô*
logo	bientôt	*bi-ã-tô*
mais tarde	plus tard	*pli tar*
neste momento, agora	pour le moment, maintenant	*pur le mo-mã* *mén-tnan*
segundo	une seconde	*se-gon-de*
minuto	une minute	*mi-ni-te*
10 minutos	dix minutes	*diz mi-ni-te*
15 minutos	un quart d'heure	*ã kar dêur-re*
meia hora	une demi-heure	*i-ne de-mi-êur-re*
45 minutos	trois quarts d'heure	*trro-á kar dêur-re*
hora	une heure	*i-ne êur-re*
dia	un jour	*ã jur*
cada dia, todos os dias	chaque jour	*chak jur*
o dia todo	toute la journée	*tu-te la jur-nê*
semana	une semaine	*i-ne se-mé-ne*
15 dias, duas semanas	quinze jours, deux semaines	*kã-ze jur, dê se-mé-ne*
mês	un mois	*ã mo-á*
ano	une année, un an	*i-ne a-nê, ã-nã*

Como Dizer as Horas

A indicação de tempo com o uso das 24 horas é empregada por escrito em quadros de horários e na marcação de reuniões, e também verbalmente, por exemplo em escritórios de informação e quando se está fazendo referência a horários de programas de rádio e de televisão. Na maior parte das situações, porém, você vai ouvir a contagem de 1 a 11 para as horas da tarde e da noite.

Pergunta-se 'Que horas são?' da seguinte maneira: **Quelle heure est-il?**. E a resposta é dada deste modo: (**Il est**) **une heure**, '(é) 1h'; (**il est**) **quatre heures**, '(são) 4h' e assim por diante.

Para indicar a meia hora exata, use a expressão **et demie**. Assim, para '5h30', diga **cinq heures et demie**. Para expressar minutos decorridos após a hora de referência, diga a hora seguida pelo número de minutos. Por exemplo, '5h10' é **cinq heures dix**. Para expressar minutos que faltam para a hora de referência, use **moins**, que significa 'menos'. Assim, para 'vinte para as onze', utilize a expressão **onze heures moins vingt**.

'Quinze minutos' é quart. Para indicar '3h15', diga **trois heures et quart**; para 'quinze para as oito', diga **huit heures moins le quart**. A palavra 'às', em frases como 'às 2h15', é traduzida como **à** (**à deux heures et quart**).

da manhã	du matin	*di ma-tã*
da tarde	de l'après-midi	*de la-pré-mi-di*
da noite	du soir	*di so-ar*
1h	une heure	*i-ne êur-re*
1h10	une heure dix	*i-ne êur-re diz*
1h15	une heure et quart	*i-ne êur-re e kar*
2h20	deux heures vingt	*dê-zêur-re vã*
1h30	une heure et demie	*i-ne êur-re e de-mi*
1h40	deux heures moins vingt	*dê-zêur-re mo-ã vén*
1h45	deux heures moins le quart	*dê-zêur-re mo-ã le kar*
meio-dia	midi	*mi-di*
meia-noite	minuit	*mi-nu-it*

COMUNICAÇÃO

PALAVRAS E FRASES ÚTEIS

cabine telefônica	une cabine	*ca-bi-ne*
cartão telefônico	la télécarte	*te-le-car-te*
celular	le téléphone portable	*te-le-fón pôrr-ta-blê*
chamada a cobrar	une communication en PCV	*co-mi-ni-ca-ciõ ã pe ce ve*
e-mail	l'adresse électronique	*a-drréss ê-lek-trrô-nik*
fax	le fax	*faks*
informações	les renseignements	*rã-céi-nhe-mã*
internet	l'internet	*internet*
número	le numéro	*ni-mêr-rô*
número errado	un faux numéro	*fo ni-mêr-rô*
prefixo	l'indicatif	*ã-di-ca-tif*
ramal	le poste, l'extension	*pós-te, ecs-tã-ciõ*
sinal de discagem	la tonalité	*to-na-li-tê*
telefone	le téléphone	*te-le-fó-ne*
telefonista (homem)	l'opérateur	*o-pêr-ra-tér*
telefonista (mulher)	l'opératrice	*o-pêr-ra-tri-ce*
Web site	le site web	*sai-t ué-b*

Onde fica a cabine telefônica mais próxima?
Où se trouve la cabine téléphonique la plus proche?
u se trru-ve la ca-bi-ne te-le-fo-ni-ke la pli prô-che

Eu gostaria de obter um número de ...
Je voudrais un numéro à ...
je vu-drré-zã ni-mêr-rô a

Eu gostaria de falar com ...
Je voudrais parler à ...
je vu-drré par-lê a

Meu número é ...
Mon numéro est le ...
mõ ni-mêr-rô é le

Pode lhe deixar um recado?
Pouvez-vous lui laisser un message?
pu-vê-vu lu-í lés-sê ã mes-sa-ge

Voltarei a ligar mais tarde
Je rappellerai plus tard
je ra-pê-lêr-ré pli tar

Qual o número do seu fax/seu e-mail?
Quel est votre numéro de fax/adresse électronique?
qué-lé vó-trr nú-me-rrô dô faks/a-drréss ê-lek-trrô-nik

Posso enviar um fax/um e-mail daqui?
Puis-je envoyer un message électronique/fax d'ici?
puí-jô ãn-vuá-iê ãn mê-sá-ge ê-lek-trrô-nik/faks di-si

Frases que Você Vai Ouvir

A qui désirez-vous parler?
Com quem deseja falar?

Vous avez un faux numéro
O (A) senhor (a) discou o número errado

C'est de la part de qui?
Da parte de quem?

Lui-même/elle-même
Ele mesmo/ela mesma (formal)

Ne quittez pas
Aguarde na linha

Pourriez-vous rappeler plus tard?
Pode voltar a ligar mais tarde?

Désolé, il/elle n'est pas là
Lamento, ele/ela não está

EMERGÊNCIAS

Palavras e Frases Úteis

acidente	un accident	*ac-ci-dã*
ambulância	une ambulance	*am-bi-lan-ce*
batida	un accident	*ac-ci-dã*
corpo de bombeiros	les pompiers	*pom-pi-ê*
defeito, avaria	une panne	*pá-ne*
emergência	l'urgence	*ir-jã-ce*
fogo	le feu	*fê*
polícia	la police	*po-li-ce*
posto policial	le poste de police	*pós-te de po-li-ce*
roubo	un cambriolage	*cam-bri-o-la-ge*

Socorro!
A l'aide!
a-lé-dê

Pare!
Arrêtez!
ar-ré-tê

Chame uma ambulância!
Appelez une ambulance!
a-pê-lê i-ne am-bi-lan-ce

Depressa!
Faites vite!
fé-te vi-te

Meu endereço é ...
Mon adresse est ...
mõ-na-drrés-se é

Roubaram meu passaporte/meu carro
On a volé mon passeport/ma voiture
õ-ná vo-lê mõ pas-pór/ma voa-tir

HOTÉIS

Palavras e Frases Úteis

almoço	le déjeuner	*de-je-nê*
café da manhã	le petit déjeneur	*pe-ti de-je-nê*
cama	le lit	*li*
cama de casal	un lit de deux personnes	*li de dê per-çó-ne*
cama de solteiro	un lit d'une personne	*li di-ne per-çó-ne*
camareira	la femme de chambre	*fá-me de cham-bre*
chave	la clé, la clef	*clê, cléf*
chuveiro	la douche	*du-che*
conta	la note	*nó-te*
elevador	l'ascenseur	*as-çã-cér*
estacionamento	le parking	*par-king*
gerente	le directeur	*di-rec-tér*
hotel	un hôtel	*ô-téll*
jantar	le dîner	*di-nê*
meia pensão	la demi-pension	*de-mi pã-ciõ*
nota fiscal	le reçu	*re-çu*
pensão completa	la pension complète	*pã-ciõ com-plé-te*
pensão familiar	une pension de famille	*pã-ciõ de fa-mi-e*
quarto	la chambre	*cham-bre*
quarto com duas camas	une chambre à deux lits	*cham-bre a dê li*
quarto duplo	une chambre pour deux personnes	*cham-bre pur dê per-çó-ne*
quarto simples	une chambre pour une personne	*cham-bre pur i-ne per-çó-ne*
recepção	la réception	*re-cep-ciõ*
recepcionista	le/la receptionniste	*re-cep-ciõ-nis-te*
sacada	un balcon	*ball-cõ*
sala de jantar	la salle à manger	*sa-le a man-gê*
sanitários	les toilettes	*to-a-lé-te*
serviço de quarto	le service en chambre	*ser-vi-ce ã cham-bre*

Vocês têm vagas?
Avez-vous des chambres libres?
a-vê-vu dé cham-bre li-bre

Fiz uma reserva
J'ai réservé
jé re-ser-vê

Eu gostaria de um quarto para uma pessoa
Je voudrais une chambre pour une personne
je vu-drré-zi-ne cham-bre pur i-ne per-çó-ne

Eu gostaria de um quarto com banheiro/sacada
Je voudrais une chambre avec salle de bain/balcon
je vu-drré-zi-ne cham-bre a-véc sa-le de bã/ball-cõ

Os quartos possuem TV via satélite/TV a cabo?
Les chambres ont-elles la télé par satellite/cablée?
lê chãm-brr om-té-lê lá tê-lê parr sá-tê-li-te/ká-blê

Eu gostaria de um quarto para uma noite/três noites
Je voudrais une chambre pour une nuit/trois nuits
je vu-drré-zi-ne cham-bre pur i-ne nu-í/trro-á nu-í

Qual o preço por noite?
Quel est le prix pour une nuit?
ké-lé le prri pur i-ne nu-í

A que horas servem o café da manhã/o jantar
A quelle heure servez-vous le petit déjeuner/le dîner?
a ké-le eur-re ser-ve-vu le pe-ti de-je-nê/le di-nê

Acorde-me às ...h, por favor
Réveillez-moi à ... heures, s'il vous plaît
re-ve-iê-mo-á a ...ur-re sill vu plé

Podem servir meu café da manhã no quarto?
Pouvez-vous servir mon petit déjeuner dans la chambre?
pu-vê-vu ser-vir mõ pe-ti de-je-nê dã la cham-bre

O número de meu quarto é ...
Le numéro de ma chambre est ...
le ni-mer-rô de ma cham-bre é

Não há papel higiênico no banheiro
Il n'y a pas de papier toilette dans la salle de bain
ill ni a pa de pa-pi-ê to-a-lé-te dã la sa-le de bã

Não se consegue abrir a janela
Pas moyen d'ouvrir la fenêtre
pa mo-ai-ã du-vrrir la fe-né-trre

Não há água quente
Il n'y a pas d'eau chaude
ill ni a pa dô chô-de

Vou embora amanhã
Je pars demain
je par de-mã

A que horas devo desocupar o quarto?
A quelle heure dois-je libérer la chambre?
a ké-le êur-re doáj li-bêr-rê la cham-bre

Pode preparar minha conta, por favor?
Pouvez-vous préparer ma note, s'il vous plaît?
pu-vê-vu prrê-par-rê ma nó-te sill vu plé

Vou pagar com cartão de crédito
Je payerai avec une carte de crédit
je pé-iêr-ré a-véc i-ne car-te de crrê-dí

Vou pagar em dinheiro
Je payerai comptant
je pé-iêr-ré comp-tan

Pode me chamar um táxi?
Pouvez-vous m'appeler un taxi?
pu-vê-vu ma-pê-lê ã tac-ci

Expressões que Você Vai Encontrar

addition	conta
ascenseur	elevador
complet	não há vagas, lotado
déjeuner	almoço
douche	chuveiro
entrée	entrada
entrée interdite	entrada proibida
escalier	escada
petit déjeuner	café da manhã
poussez	empurre
privé	privativo
salle de bain	banheiro
sortie de secours	saída de emergência
tirez	puxe

Frases que Você Vai Ouvir

Je suis désolé, mais nous sommes complets
Lamento, mas estamos lotados

Nous n'avons plus de chambres pour deux personnes/ une personne
Não temos mais quartos para duas pessoas/uma pessoa

Pour combien de nuits?
Para quantas noites?

Comment payez-vous?
De que modo vai pagar?

Veuillez payer d'avance
Por favor, pague adiantado

La chambre doit être libérée à midi
O quarto deve ser desocupado ao meio-dia

COMPRAS

Por favor, pode me dizer onde fica ...?
Pardon, pouvez-vous me dire où se trouve ...?
par-dõ pu-vê-vu me dir u se trru-ve

Vocês têm ...?
Avez-vous ...?
a-vê-vu

Quanto custa isto?
Ça coûte combien?
ça cu-te com-biã

Onde se deve pagar?
Où faut-il payer?
u fô-till pé-iê

Aceitam cartões de crédito?
Acceptez-vous les cartes de crédit?
ac-cêp-tê-vu lé car-te de crrê-di

Pode me dar um recibo?
Puis-je avoir un reçu?
puíj a-vo-ár-rã rê-çu

Vocês têm alguma coisa menos cara?
Avez-vous quelque chose de moins cher?
a-vê-vu kél-ke chô-se de mo-ã chér

Pode me reembolsar?
Pouvez-vous me rembourser?
pu-vê-vu me rã-bur-cê

Está bem, vou levar
C'est bien, je le prends
cé biã je le prrã

Não é o que eu queria
Ce n'est pas ce que je voulais
ce né pa cek-je vu-lé

REFEIÇÕES

Não é difícil comer bem e barato na França. Por lei, a relação dos preços deve ser exibida do lado de fora do estabelecimento. Com isso, você pode verificar antes de entrar se o restaurante está de acordo com seu orçamento. Embora o serviço seja incluído na conta, é de praxe dar gorjeta para o garçom ou a garçonete. Nos cafés, mesmo que se tenha parado só para tomar um cafezinho ou uma bebida, costuma-se deixar as moedas que eventualmente tenham sobrado do troco.

Todas as cidades têm cafés nos quais, na hora do almoço, você pode pedir um simples sanduíche, um **croque-monsieur** (sanduíche grelhado de presunto e queijo que, com o acréscimo de um ovo, torna-se um **croque-madame**), o **plat du jour** (prato do dia), **rillettes** (carne de porco ou de ganso em fatias bem finas, que podem ser espalhadas sobre o pão), patês ou uma travessa de **crudités** (legumes crus) ou de frios.

Os **bistros** são pequenos bares, em geral de família, que servem pratos tradicionais ou petiscos na hora do almoço e à noite. O **menu du jour** (cardápio do dia) é geralmente uma boa pedida. As especialidades regionais incluem: **crêpes**, na Bretanha; **choucroute** (chucrute com linguiças e pedaços de presunto defumado) e torta de cebolas, na Alsácia; **ratatouille** (cozido de pimentão, berinjela, tomates e outros legumes), na Provença; e **bouillabaisse** (sopa de peixe) e **salade niçoise** (salada mista com azeitonas, anchovas, atum, tomate e outros legumes), na costa mediterrânea. Para acompanhar, você pode pedir vinho da casa ou um dos de marca listados no cardápio.

As **brasseries**, em geral grandes e barulhentas e nada indicadas para um jantar íntimo, oferecem cerveja e vinho tirados de máquina. Ficam abertas até tarde e costumam servir a qualquer hora petiscos ou refeições completas.

Os cafés e bares franceses sempre servem café. Se você pedir **un café** ou **un express**, vão lhe dar um café curto forte. **Un crème** é um cafezinho com leite; **un grand crème** é um café grande com leite. Você também pode pedir **un café léger** (café fraco) ou **un café bien serré** (café bem forte).

Palavras e Frases Úteis

açúcar	du sucre	*si-crre*
água	de l'eau	*ô*
bolo	du gâteau	*ga-tô*
café	du café	*ca-fe*
cardápio	le menu	*me-ni*
carta de vinhos	la carte des vins	*car-te dé vén*
cerveja	de la bière	*biér*
chá	du thé	*tê*
colher	une cuillère	*cui-li-ér*
colher de café	une cuillère à café	*cui-li-ér a ca-fê*
conta	l'addition	*a-di-ciõ*
copo	un verre	*vér*
entrada	une entrée	*ã-trrê*
faca	un couteau	*cu-tô*
garçom	un serveur	*sêr-vér*
garçonete	une serveuse	*sêr-vê-ze*
garfo	une fourchette	*fur-ché-te*
gorjeta	un pourboire	*pur-bo-ar*
leite	du lait	*lé*
manteiga	du beurre	*bêur-re*
mesa	une table	*ta-ble*
pão	du pain	*pén*
pimenta	du poivre	*po-á-vrre*
porção especial para crianças	une portion enfant	*por-ciõ ã-fã*
prato	une assiette	*as-si-é-te*
prato principal	le plat principal	*pla prén-ci-pall*
recibo	le reçu	*re-ci*
refeição ligeira	un snack	*snac*
sal	du sel	*sél*
sanduíche	un sandwich	*san-duí-ch*
sobremesa	un dessert	*des-sér*
sopa	de la soupe	*sup*
vinho	du vin	*vén*
xícara	une tasse	*tass*

Uma mesa para uma pessoa, por favor
Une table pour une personne, s'il vous plaît
i-ne ta-ble pur i-ne per-çó-ne sill vu plé

Uma mesa para duas/três pessoas, por favor
Une table pour deux/trois personnes, s'il vous plaît
i-ne ta-ble pur dê/trro-á per-çó-ne sill vu plé

Vocês têm cadeirão?
Auriez-vous une chaise haute?
ô-ri-e vu i-ne xé-z ô-te

O cardápio/a carta de vinhos, por favor
Le menu/la carte des vins, s'il vous plaît
le me-ni/la car-te dé vén sill vu plé

O que o senhor sugere?
Que recommandez-vous?
ke re-co-mã-dê-vu

Eu gostaria de ...
J'aimerais ...
jé-mêr-ré

Só um café/chá
Un café/thé seulement
ã ca-fê/tê sêll-mã

Só quero uma refeição ligeira
Je voudrais juste manger un snack
je vu-drre jus-te man-ge a snac

Há um cardápio do dia?
Est-ce qu'il y a un menu du jour?
és-ki-li-á ã me-ni di jur

Uma jarra de vinho tinto da casa, por favor
Une carafe de vin rouge maison, s'il vous plaît
i-ne car-ra-fe de vén ru-ge mé-sõ sill vu plé

Servem pratos vegetarianos?
Est-ce que vous servez des plats végétariens?
és-ke vu sêr-vê dé pla ve-ge-tar-riã

Pode nos servir água?
Est-ce que nous pourrions avoir de l'eau?
és-ke nu pur-riõ a-vo-á de lô

Poderia esquentar este pote/a comida do bebê para mim?
Pourriez-vous réchauffer ce biberon/petit pot pour moi?
pu-ri-e-vu rê-xô-fê ce bi-be-rrom/pe-ti pô purr mu-á

Garçom/garçonete!
Garçon/Mademoiselle!
gar-çõ/mad-moá-zé-le

Isto não é o que pedimos
Ce n'est pas ce que nous avons commandé
ce né pa ce ke nu-za-võ co-man-dê

Pode nos servir mais ...?
Est-ce qu'on peut avoir plus de ...?
és-kõ pe a-vo-á pli de

Pode me dar outra faca/outro garfo?
Est-ce que je peux avoir un autre couteau/une autre fourchette?
és-ke je pe a-vo-á ã-nô-tre cu-tô/i-ne ô-tre fur-ché-te

A conta, por favor
L'addition, s'il vous plaît
la-di-ciõ sill vu plé

Pode me dar um recibo, por favor?
Est-ce que je peux avoir un reçu, s'il vous plaît?
és-ke je pe a-vo-á ã re-çu sill vu plé

Estava muito bom, obrigado (a)
C'était très bon, merci
ce-té trré bõ mêr-ci

MANUAL DO MENU

à la broche assado no espeto
à la jardinière com legumes variados
à la normande em molho cremoso
à point ao ponto
abricot damasco
agneau cordeiro
ail alho
ailloli maionese ao alho
amande amêndoa
ananas abacaxi
anchois anchova
andouillette linguiça condimentada
artichaut alcachofra
asperge aspargo
au gratin gratinado em molho de leite, creme e queijo
avocat abacate
banane banana
bavaroise musse leve
béarnaise com molho béarnaise (molho espesso feito com ovos e manteiga)
béchamel molho bechamel (molho branco)
beurre manteiga
beurre noir manteiga com estragão
bien cuit bem passado
bière cerveja
bière à la pression cerveja de máquina, chope
bière blonde cerveja tipo lager
bifteck bife, filé
bisque de homard sopa de lagosta
blanquette de veau ensopado de vitela
bleu queijo
bœuf boi, carne de boi
bœuf braisé carne assada
bœuf en daube carne assada em panela
bouilli fervido
bouillon caldo
boulette almôndega
bouquet rose camarão-rosa
bourride sopa de peixe
braisé assado
brioche brioche
brochette espetinho
brut muito seco
cabillaud bacalhau
café café
café au lait café com leite
café complet café da manhã completo
café crème cafezinho com leite
calamar/calmar lula
calvados conhaque de maçã
canard pato
caneton pato jovem
carbonnade carne cozida em cerveja
carotte cenoura
carré d'agneau costeletas de cordeiro
carrelet solha (peixe)
carte menu, cardápio
carte des vins carta de vinhos
casse-croûte refeição ligeira
cassis groselha preta
cassoulet guisado de feijão, porco e pato
cerise cereja
chambré à temperatura ambiente
champignon cogumelo
chantilly chantilly
charcuterie linguiças, presuntos, embutidos feitos de carne de porco
charlotte charlote (sobremesa feita de camadas de frutas, creme e biscoitos)
chausson aux pommes pãozinho de maçã
cheval cavalo
chèvre queijo de leite de cabra
chevreuil cabrito
chocolat chaud chocolate quente
chou couve
chou-fleur couve-flor

chou rouge couve vermelha
cidre sidra
citron limão
citron pressé suco de limão fresco
cocktail de crevettes coquetel de camarão
cœur coração
colin abrótea (peixe)
compote compota
concombre pepino
confit conservado em gordura
confiture geleia
consommé consomê
coq au vin galinha em vinho tinto
côte de porc costeleta de porco
côtelette costeleta
coupe taça para sobremesa
crabe caranguejo
crème creme, molho cremoso; cafezinho com leite
crème à la vanille creme de baunilha
crème anglaise creme inglês
crème chantilly chantilly
crème pâtissière creme para confeitar
crêpe crepe, panqueca
crêpes Suzette crepe flambado com molho de laranja
crevette grise camarão-cinzento
crevette rose camarão-rosa
croque-madame sanduíche grelhado de queijo e presunto com um ovo frito
croque-monsieur sanduíche grelhado de queijo e presunto
crudités seleção de legumes servidos crus
crustacés crustáceos
déjeuner almoço
digestif licor
dinde peru
dîner jantar
doux doce
eau minérale gazeuse água mineral com gás
entrecôte carne de costela
entrée entrada
entremets sobremesa
épinards en branches espinafre em folha
escalope de veau milanaise escalope de vitela com molho de tomate
escalope panée escalope à milanesa
escargot escargot (caracol)
faisan faisão
farci recheado
flageolets variedade de feijão
flan flã, pudim de leite
foie de veau fígado de vitela
foie gras fígado de ganso ou de pato, especialmente engordados
fonds d'artichaut fundos de alcachofra
fondue savoyarde fondue de queijo
fraise morango
framboise framboesa
frit frito
frites batatas fritas
fromage queijo
fromage blanc queijo branco cremoso
fromage de chèvre queijo de leite de cabra
fruits de mer frutos do mar
galette bolo chato e redondo
garni com batatas e verduras
gâteau bolo
gaufre waffle, filhós
gigot d'agneau perna de cordeiro
glace sorvete
grand cru grand cru (vinho de safra datada)
gratin gratinado (prato levado ao forno recoberto com queijo ralado, farinha de rosca etc.)
gratin dauphinois batatas fatiadas e gratinadas
gratinée sopa de cebola gratinada
grillé grelhado
haricots feijão

homard lagosta
hors d'œuvre petiscos, aperitivos
huître ostra
jambon presunto
julienne sopa de legumes
jus suco
lait leite
langue de bœuf língua de boi
lapin coelho
léger leve
légume legume
lièvre lebre
limonade limonada
marchand de vin em molho de vinho tinto
marron castanha
massepain marzipã
menthe hortelã
menthe à l'eau licor de menta com água
menu du jour cardápio do dia
menu gastronomique cardápio para gastrônomos
menu touristique cardápio para turistas
millefeuille bolo de massa folhada
morue bacalhau
mouclade mexilhões em molho cremoso com açafrão e vinho branco
moules marinière mexilhões em vinho branco
mousseux espumante
moutarde mostarda
mouton carneiro
nature simples (alimento servido ao natural, sem complementos)
navarin guisado de carneiro com legumes
noisette avelã
noix noz
nouilles macarrão
œuf à la coque ovo quente
œuf poché ovo pochê
œufs à la neige ovos nevados (flocos de claras batidas e depois cozidas numa calda à base de leite, gemas e açúcar)
œufs brouillés ovos mexidos
œuf sur le plat ovo frito
oie ganso
oignon cebola
omelette omelete
omelette paysanne omelete de batata e bacon
orange pressée suco de laranja fresco
pain pão
palette de porc paleta de porco
pamplemousse toronja (grapefruit)
pastis bebida alcoólica com anis
pâté de canard patê de pato
pâté de foie de volaille patê de fígado de galinha
pâtes massas
pêche pêssego
petit déjeuner café da manhã
petit pain pãozinho
petit pois ervilhas
petits fours pequenos biscoitos decorados
petit suisse queijo cremoso leve
pistache pistache
plat du jour prato do dia
plateau de fromages tábua de queijos
poire pera
poire belle Hélène pera em calda de chocolate
poireau alho-poró
poisson peixe
poivre pimenta-do-reino em pó
poivron pimentão vermelho ou verde
pomme maçã
pomme bonne femme maçã assada
pomme de terre batata
pommes Dauphine batatas gratinadas com creme e queijo

pommes de terre sautées batatas fritas sautées
pommes frites batatas fritas
porc porco
potage sopa
potage printanier sopa de legumes
pot-au-feu cozido de carne e legumes
potée cozido de carne e lentilha ou feijão
poule au pot cozido de galinha e legumes
poule au riz galinha com arroz
poulet chasseur frango com cogumelos e vinho branco
poulet rôti frango assado
provençale com tomates, alho e ervas
prune ameixa
pruneau ameixa seca
purée purê
purée de marrons purê de castanha
radis rabanete
ragoût guisado, ensopado
raisin uva
râpé ralado
riz arroz
rognon rim
roquefort queijo de leite de ovelha, com veios azuis
rôti assado
rouille molho que acompanha bouillabaisse (sopa de peixe)
saint-honoré bolo enfeitado com chantilly
salade salada; verdura com a qual se faz salada (principalmente a alface)
salade composée salada mista
salade verte salada verde
sanglier javali
sauce aurore molho branco com purê de tomate
sauce béarnaise molho espesso com ovos e manteiga
sauce blanche molho branco
sauce matelote molho de vinho
sauce suprême molho cremoso
sauce vinot molho de vinho
saucisse linguiça
saucisson salame
saumon salmão
saumon fumé salmão defumado
sec seco
sel sal
sirop xarope; para a preparação de bebidas
sole bonne femme linguado em vinho branco e cogumelos
sole meunière linguado passado em farinha e frito em manteiga
soupe à l'oignon sopa de cebola
soupe aux tomates sopa de tomate
soupe de poisson sopa de peixe
steak frites filé com batatas fritas
sucre açúcar
suprême de volaille supremo de frango
tarte torta
tarte frangipane torta de amêndoas
terrine patê
thé chá
thé à la menthe chá com hortelã
thé au lait chá com leite
thé citron chá com limão
thon atum
tomate tomate
tourte torta com cobertura
truite truta
veau vitela
velouté de tomate creme de tomate
viande carne
vin vinho
vin blanc vinho branco
vin de pays vinho regional
vin de table vinho de mesa
vin rosé vinho rosé
vin rouge vinho tinto
volaille galinha, aves domésticas
yaourt iogurte

GREGO

SUMÁRIO

INTRODUÇÃO

Pronúncia

Ao ler a pronúncia imitada, acentue as partes sublinhadas. Pronuncie cada sílaba como se fosse de uma palavra em português, e você será suficientemente bem compreendido. Para alguns sons da língua grega não existe grafia correspondente em português. Por isso foi adotada a grafia de outras línguas, do alemão ou do inglês (veja os quadros seguintes).

O Alfabeto Grego

Para ajudá-lo a ler placas e sinais, segue abaixo o alfabeto grego, com o nome da letra e um guia para a pronúncia.

letra		*nome*	*pronúncia*
Α	α	alfa	'a', como em 'caso'
Β	β	vita	'v', como em 'vida'
Γ	γ	gama	**gh**ama, pronunciar o 'g' como um sopro vindo da garganta
Δ	δ	delta	**dh**elta, pronunciar com a língua tocando os dentes da frente
Ε	ε	epsílon	'e', como em 'Eva'
Ζ	ζ	zita	'z', como em 'zebra'
Η	η	ita	'i', como em 'crise'
Θ	θ	thita	'th', como em '*th*ing' do inglês
Ι	ι	iota	'i', como em 'crise'
Κ	κ	kapa	'c', como em 'casa' (grafado **k** na pronúncia)
Λ	λ	lambda	'l', como em 'lava'
Μ	μ	mi	'm', como em 'milho'
Ν	ν	ni	'n', como em 'nível'

Ξ	ξ	ksi	'x', como em 'táxi' (grafado **ks** na pronúncia)
Ο	ο	ômicron	'o', como em 'veloz'
Π	π	pi	'p', como em 'pino'
Ρ	ρ	ro	'r', como em 'Roma' (pronuncia-se como em italiano)
Σ	σ, ς	sigma	's', como em 'sons' ou em 'passeio', mas 'z', quando seguido de μ
Τ	τ	taf	't', como em 'texto' (não pronunciar 'tch')
Υ	υ	ípsilon	'i', como em 'crise'
Φ	φ	fi	'f', como em 'final'
Χ	χ	hi	'ich', como em alemão; quando seguido dos sons 'a', 'e', 'i', 'o' ou 'u', pronuncia-se como 'he', do inglês (grafado na pronúncia **ch** ou h, conforme o caso)
Ψ	ψ	psi	'ps', como em 'psicólogo'
Ω	ω	ômega	'o', como em 'veloz'

Combinações de Letras

As seguintes combinações são pronunciadas como um único som:

Αι αι	'e', como em 'Eva'
Ει ει/Οι οι	'i', como em 'crise'
Ου ου	'u', como em 'uva'
Μπ μπ	'b', como em 'bola', algumas vezes 'tambor'
Ντ ντ	'd', como em 'dado', algumas vezes 'andar'
Γκ γκ	'g', como em 'gato', algumas vezes 'frango'
Γξ γξ	como em 'anxiety' do inglês (grafado **nks**)
Τζ τζ	'dis', grafado **ds** na pronúncia

Em grego o ponto de interrogação é escrito como ponto e vírgula (;).

FRASES ÚTEIS

Sim/Não
Ναι/Όχι
ne/o-hi

Obrigado (a)
Ευχαριστώ
ef-haristo

Não, obrigado (a)
Όχι, ευχαριστώ
o-hi ef-haristo

Por favor
Παρακαλώ
parakalo

Não compreendo
Δεν καταλαβαίνω
dhen katalaveno

Fala inglês/francês/alemão?
Μιλάτε Αγγλικά/Γαλλικά/Γερμανικά;
milate Anglika/Ghalika/Ghermanika

Não falo grego
Δέν μιλάω Ελληνικά
dhen milao elinika

Por favor, pode falar mais devagar?
Παρακαλώ, μιλάτε πιό αργά;
parakalo, milate pio argha

Pode escrever isso para mim, por favor?
Μου το γράφοτο, παρακαλώ;
mu to ghrafete, parakalo

Bom dia/Boa tarde/Boa noite
Καλημέρα/καλησπέρα/καληνύχτα
kalimera/kalispera/kalinichta

Até logo
Αντίο
andio

Como vai?
Τι κάνεις;
ti kanis

Com licença, por favor
Συγγνώμη, παρακαλώ
singnomi, parakalo

Desculpe!
Συγγνώμη!
singnomi

Mil desculpas!
Ειλικρινά, λυπάμαι
ilikrina, lipame

Pode me ajudar?
Μπορείς να με βοηθήσεις;
boris na me voithissis

Pode me dizer ...?
Μου λέτε ...;
mu lete

Pode me dar ...?
Μπορώ να έχω ...;
boro na e-ho

Gostaria de ...
Θα ήθελα ...
tha ithela

Há ... aqui?
Υπάρχει ... εδώ;
ipar-hi ... edho

Onde fica o banheiro?
Που είναι οι τουαλέτες;
pu ine i tualetes

Onde posso conseguir ...?
Που μπορώ να πάρω ...;
pu boro na paro

Há acesso para cadeira de rodas?
Υπάρχει πρόσβαση για αναπηρικό καροτσάκι;
ipar-hi prosvasi ghia anapiriko karotsaki

Quanto custa?
Πόσο κάνει;
posso kani

Aceitam cartões de crédito?
Δέχεστε πιστωτικές κάρτες;
dhe-heste pistotikes kartes

Posso pagar com cheque?
Μπορώ να πληρώσω με επιταγή;
boro na plirosso me epitaghi

Que horas são?
Τι ώρα είναι;
ti ora ine

Preciso ir agora
Πρέπει να πηγαίνω τώρα
prepi na pigheno tora

Saúde!
Εις υγείαν!
is ighian

Vá embora!
Παράτα με!
paratame

Palavras e Frases que Você Vai Ver ou Ouvir

ανακοίνωση	*anakinossi*	aviso
ΑΝΑΧΩΡΗΣΕΙΣ/ αναχωρήσεις	*ana-horissis*	partidas
ΑΝΟΙΚΤΑ/ανοικτά	*anikta*	aberto
ΑΝΟΙΚΤΟΝ/ανοικτόν	*anikton*	aberto
ΑΣΑΝΣΕΡ/ασανσέρ	*assanser*	elevador
αντίο	*andio*	até logo
απαγορεύεται το κάπνισμα	*apaghorevete to kapnisma*	não fumar
αργά	*argha*	devagar
αριστερά	*aristera*	esquerda
ΑΦΙΞΕΙΣ/αφίξεις	*afiksis*	chegadas
βιβλιοθήκη	*vivliothiki*	biblioteca
ΓΥΝΑΙΚΩΝ/γυναικών	*ghinekon*	senhoras
ΔΕΝ ΛΕΙΤΟΥΡΓΕΙ/ δεν λειτουργεί	*dhen liturghi*	com defeito
δεξιά	*dheksia*	direita

→

διάλειμμα	*dhialima*	intervalo
ΕΙΣΟΔΟΣ/είσοδος	*issodhos*	entrada
έκθεση	*ekthessi*	exposição, sala de exibição
έλεγχος	*elen-hos*	inspeção
ελεύθερος	*eleftheros*	livre
ΕΞΟΔΟΣ/έξοδος	*eksodhos*	saída
ευχαριστώ	*ef-haristo*	obrigado (a)
καλώς ήρθατε	*kalos irthate*	bem-vindo (a)
ΚΑΠΝΙΖΟΝΤΕΣ/καπνίζοντες	*kapnizodes*	fumantes
ΚΑΤΗΛΗΜΜΕΝΟΣ/ κατηλημμένος	*katilimenos*	ocupado
ΚΙΝΔΥΝΟΣ/κίνδυνος	*kindhinos*	perigo de morte
ΚΛΕΙΣΤΑ/κλειστά	*klista*	fechado
ΚΛΕΙΣΤΟΝ/κλειστόν	*kliston*	fechado
μέχρι	*mechri*	até
μη	*mi*	proibido
ναί	*ne*	sim
ορίστε;	*oriste?*	posso ajudar?
όχι	*o-hi*	não
παρακαλώ	*parakalo*	por favor; posso ajudá-lo?
πεζοί	*pezi*	pedestres
προσοχή παρακαλώ	*prosso-hi parakalo*	por favor, atenção
ΠΡΟΣΟΧΗ!/προσοχή!	*prosso-hi*	cuidado!
ΣΥΡΑΤΕ/σύρατε	*sirate*	puxar
ΣΤΟΠ/στόπ	*stop*	parada
στρίψατε	*stripsate*	curva
ΣΧΟΛΕΙΟ/σχολείο	*s-holio*	escola
ΤΑΜΕΙΟ/ταμείο	*tamio*	caixa
ΤΕΛΩΝΕΙΟ/Τελωνείο	*Telonio*	clientes
ΤΟΥΡΙΣΤΙΚΗ ΑΣΤΥΝΟΜΙΑ/ Τουριστική Αστυνομία	*Turistiki Astinomia*	polícia turística
χαίρετε	*herete*	olá
ωθήσατε	*othissate*	empurrar
ώρες λειτουργίας	*ores liturghias*	horário

DIAS, MESES, ESTAÇÕES

domingo	Κυριακή	*kiriaki*
segunda-feira	Δευτέρα	*dheftera*
terça-feira	Τρίτη	*triti*
quarta-feira	Τετάρτη	*tetarti*
quinta-feira	Πέμπτη	*pembti*
sexta-feira	Παρασκευή	*paraskevi*
sábado	Σάββατο	*savato*
janeiro	Ιανουάριος	*ianuarios*
fevereiro	Φεβρουάριος	*fevruarios*
março	Μάρτιος	*martios*
abril	Απρίλιος	*aprilios*
maio	Μάιος	*maios*
junho	Ιούνιος	*iunios*
julho	Ιούλιος	*iulios*
agosto	Αύγουστος	*avghustos*
setembro	Σεπτέμβριος	*septemvrios*
outubro	Οκτώβριος	*oktovrios*
novembro	Νοέμβριος	*noemvrios*
dezembro	Δεκέμβριος	*dhekemvrios*
primavera	άνοιξη	*aniksi*
verão	καλοκαίρι	*kalokeri*
outono	φθινόπωρο	*fthinoporo*
inverno	χειμώνας	*himonas*
Natal	Χριστούγεννα	*christughena*
Noite de Natal	Παραμονή Χριστουγέννων	*paramoni christughenon*
Sexta da Paixão	Μεγάλη Παρασκευή	*meghali paraskevi*
Páscoa	Πάσχα	*pas-ha*
Ano-Novo	Πρωτοχρονιά	*protochronia*
Véspera de Ano-Novo	Παραμονή Πρωτοχρονιάς	*paramoni protochronias*

NÚMEROS

0 μηδέν *midhen*
1 ένα *ena*
2 δύο *dhio*
3 τρία *tria*
4 τέσσερα *tessera*

5 πέντε *pende*
6 έξι *eksi*
7 επτά *epta*
8 οχτώ *ochto*
9 εννιά *enia*

10 δέκα *dheka*
11 έντεκα *edeka*
12 δώδεκα *dhodheka*
13 δεκατρία *dheka-tria*
14 δεκατέσσερα *dheka-tessera*
15 δεκαπέντε *dheka-pende*
16 δεκαέξι *dheka-eksi*
17 δεκαεπτά *dheka-epta*
18 δεκαοχτώ *dheka-ochto*
19 δεκαεννιά *dheka-enia*
20 είκοσι *ikossi*
21 εικοσιένα *ikossi-ena*
22 εικοσιδύο *ikossi-dhio*
30 τριάντα *trianda*
31 τριανταένα *trianda-ena*
32 τριανταδύο *trianda-dhio*
40 σαράντα *saranda*
50 πενήντα *peninda*
60 εξήντα *eksinda*
70 εβδομήντα *evdhomida*
80 ογδόντα *oghdhonda*
90 ενενήντα *eneninda*
100 εκατό *ekato*
110 εκατόν δέκα *ekaton dheka*
200 διακόσια *dhiakossia*
1.000 χίλια *hilia*
1.000.000 ένα εκατομμύριο *ena ekatomirio*

TEMPO

hoje	σήμερα	*simera*
ontem	χτες	*chtes*
amanhã	αύριο	*avrio*
antes de ontem	προχτές	*prochtes*
depois de amanhã	μεθαύριο	*methavrio*
esta semana	αυτή την εβδομάδα	*afti tin evdhomadha*
semana passada	την περασμένη εβδομάδα	*tin perasmeni evdhomadha*
próxima semana	την επόμενη εβδομάδα	*tin epomeni evdhomadha*
esta manhã	το πρωί	*to proi*
esta tarde	το απόγευμα	*to apoghevma*
esta noite	το βράδυ	*to vradhi*
hoje à noite	απόψε	*apopse*
ontem à tarde	χτες το απόγευμα	*ch-tes t'apoghevma*
ontem à noite	χτες τη νύχτα	*ch-tes ti nich-ta*
amanhã de manhã	αύριο το πρωί	*avrio to proi*
amanhã à noite	αύριο το βράδυ	*avrio to vradhi*
dentro de três dias	σε τρεις μέρες	*se tris meres*
há três dias	πριν τρεις μέρες	*prin tris meres*
tarde	αργά	*argha*
cedo	νωρίς	*noris*
logo	σύντομα	*sindoma*
mais tarde	αργότερα	*arghotera*
neste momento	προς το παρόν	*pros to paron*
segundo	το δευτερόλεπτο	*to dhefterolepto*
minuto	το λεπτό	*to lepto*
10 minutos	δέκα λεπτά	*dheka lepta*
15 minutos	ένα τέταρτο	*ena tetarto*
meia hora	μισή ώρα	*missi ora*
45 minutos	τρία τέταρτα της ώρας	*tria tetarta tis oras*
hora	ώρα	*ora*

dia	μέρα	*mera*
semana	εβδομάδα	*evdhomadha*
15 dias, duas semanas	σε δύο εβδομάδες	*se dhio evdhomadhes*
mês	μήνας	*minas*
ano	χρόνος	*chronos*

Como Dizer as Horas

Em grego, sempre se deve colocar primeiro as horas, depois os minutos, precedidos da palavra **ke** (και), quando os minutos tiverem passado da hora, ou da palavra **para** (παρά), quando os minutos faltarem para determinada hora. Por exemplo, 5h20 lê-se **5 ke 20** (*pede ke ikossi*), 5h40 é **6 para 20** (*eksi para ikossi*). A Grécia está cinco horas na frente em relação ao horário oficial do Brasil.

1h	μία η ώρα	*mia i ora*
1h10	μία και δέκα	*mia ke dheka*
1h15	μία και τέταρτο	*mia ke tetarto*
1h20	μία και είκοσι	*mia ke ikossi*
1h30	μία και μισή	*mia ke missi*
1h40	δύο παρά είκοσι	*dhio para ikossi*
1h45	δύο παρά τέταρτο	*dhio para tetarto*
1h50	δύο παρά δέκα	*dhio para dheka*
2h	δύο η ώρα	*dhio i ora*
13h	δεκατρείς	*dheka-tris*
16h30	δεκαέξι και τριάντα	*dheka-eksi ke trianda*
20h10	είκοσι και δέκα	*ikossi ke dheka*
às 5h30	στις πέντε και μισή	*stis pede ke missi*
às 7h	στις επτά	*stis epta*
meio-dia	το μεσημέρι	*to messimeri*
meia-noite	τα μεσάνυχτα	*ta messanichta*

COMUNICAÇÃO

PALAVRAS E FRASES ÚTEIS

cabine telefônica	ο τηλεφωνικός θάλαμος	*o tilefonikos thalamos*
cartão telefônico	η τηλεφωνική κάρτα	*i tilefoniki karta,*
celular	το κινητό τηλέφωνο	*tokinito tilefono*
chamada a cobrar	το τηλεφώνημα κολέκτ	*to tilefonima kolekt*
código	ο κωδικός	*o kodhikos*
discar	καλώ	*kalo*
emergencia	η επείγουσα ανάγκη	*i epighussa anagui*
extensão	το εσωτερικό	*to essoteriko*
informações	οι πληροφορίες	*i plirofories*
número	ο αριθμός	*o arithmos*
número errado	λάθος νούμερο	*lathos numero*
telefone	το τηλέφωνο	*to tilefono*

Onde fica a cabine telefônica mais próxima?
Που είναι ο πλησιέστερος τηλεφωνικός θάλαμος;
pu ine o plissi-esteros tilefonikos thalamos

Alô, aqui quem fala é ...
Χαίρετε, είμαι ο/η ...
herete, ime o/i

É o/a ...?
Ο/η ...;
o/i

Sou eu/pode falar
ο ίδιος
o idhios

Eu gostaria de falar com ...
Θα ήθελα να μιλήσω στον ...
tha ithela na milisso ston

Por favor, diga que ... ligou
Παρακαλώ του λέτε ότι τηλεφώνησε ο/η ...
parakalo tu lete oti tilefonisse o/i

Diga-lhe que me telefone, por favor
Πέστε του να με ξαναπάρει παρακαλώ
peste tu na me ksanapari parakalo

Meu número é ...
το τηλέφωνο μου είναι ...
to tilefono mu ine

Você sabe onde ele está?
Ξέρετε που είναι;
kserete pu ine

Posso deixar um recado para ele/ela?
Μπορείτε να του αφήσετε ένα μήνυμα;
borite na tu afissete ena minima

Voltarei a ligar mais tarde
Θα σε ξαναπάρω αργότερα
tha se ksanaparo arghotera

Desculpe, foi engano
Πήρατε λάθος αριθμό
pirate lathos arithmo

Quanto custa uma chamada para ...?
Πόσο στοιχίζει ένα τηλεφώνημα στο ...;
posso sti-hizi ena tilefonima sto

Quero que seja a cobrar
Θα ήθελα τα έξοδα να πληρωθούν εκεί
tha ithela ta eksodha na plirothun eki

Quero um número em ...
Θέλω ένα αριθμό στην ...
thelo ena arithmo stin

Qual o número do seu fax/seu e-mail?
Ποιός είναι ο αριθμός του φαξ/Ποιά είναι η διεύθυνση (email);
pios ine o arithmos tu faks/pia ine i dhiefthinsi 'email'

Posso enviar um fax/um e-mail daqui?
Μπορώ να στείλω φαξ/email από εδώ;
boro na stilo faks/'email' apo edho

Expressões que Você Vai Encontrar

ακουστικό	*akustiko*	aparelho (fone)
άμεσος δράσις	*amessos dhrassis*	emergência, polícia
αριθμός	*arithmos*	número
δεν λειτουργεί	*dhen liturghi*	não funciona
καλεί	*kali*	chamando
καλέσατε	*kalessate*	discar
κέρματα	*kermata*	moeda
κωδικός	*kodhikos*	código
λάθος νούμερο	*lathos numero*	número errado
μιλάει	*milai*	ocupado
μονάδες	*monadhes*	unidades
νούμερο	*numero*	número
πυροσβεστική	*pirosvestiki*	bombeiro
τηλεφώνημα	*tilefonima*	chamada
τηλεφωνώ	*tilefono*	telefonar
τοπικό	*topiko*	chamada local
χαίρετε	*herete*	alô
χρυσός οδηγός	*chrissos odhighos*	páginas amarelas
υπεραστικό	*iperastiko*	chamada de longa distância ou internacional

HOTÉIS

Palavras e Frases Úteis

almoço	το γεύμα	*to ghevma*
aposento	το δωμάτιο	*to dhomatio*
banheiro	το λουτρό	*to lutro*
café da manhã	το πρωινό	*to proino*
cama	το κρεβάτι	*to krevati*
chave	το κλειδί	*to klidhi*
conta	ο λογαριασμός	*o logharιasmos*
ducha	το ντους	*to dus*
elevador	το ασανσέρ	*to assanser*
gerente	ο διευθυντής	*o dhi-efthindis*
hall de entrada	το φουαγέ	*to fuaghe*
hotel	το ξενοδοχείο	*to ksenodho-hio*
jantar	το δείπνο	*to dhipno*
meia pensão	η ντεμί-πανσιόν	*i demi-pansion*
nota fiscal	η απόδειξη	*i apodhiksi*
pensão completa	η φουλ-πανσιόν	*i ful-pansion*
quarto	το υπνοδωμάτιο	*to ipnodhomatio*
quarto conjugado	το δωμάτιο με δύο κρεβάτια	*to dhomatio me dhio krevatia*
quarto duplo	το διπλό δωμάτιο	*to dhiplo dhomatio*
quarto simples	το μονό δωμάτιο	*to mono dhomatio*
recepção	η ρεσεψιόν	*i ressepsion*
recepcionista	ο ρεσεψιονίστας	*o ressepsionistas*
restaurante	το εστιατόριο	*to estiatorio*
sacada	το μπαλκόνι	*to balkoni*
saguão	το σαλόνι	*to saloni*
sala de jantar	η τραπεζαρία	*i trapezaria*
sanitário	η τουαλέτα	*i tualeta*
serviço de quarto	το σέρβις δωματίου	*to servis dhomatiu*

Vocês têm vagas?
Εχετε κενά δωμάτια,
e-hete kena dhomatia

Fiz uma reserva
Εχω κλείσει δωμάτιο
e-ho klissi dhomatio

Eu gostaria de um quarto simples
Θα ήθελα ένα μονό δωμάτιο
tha ithela ena mono dhomatio

Eu gostaria de um quarto duplo
Θα ήθελα ένα δωμάτιο με διπλό κρεβάτι
tha ithela ena dhomatio me dhiplo krevati

Eu gostaria de um quarto conjugado
Θα ήθελα ένα δωμάτιο με δύο κρεβάτια
tha ithela ena dhomatio me dhio krevatia

Eu gostaria de um quarto com banheiro/sacada
Θα ήθελα ένα δωμάτιο με μπάνιο/μπαλκόνι
tha ithela ena thomatio me banio/balkoni

Os quartos possuem TV via satélite/TV a cabo?
Τα δωμάτια έχουν δορυφορική/καλωδιακή τηλεόραση;
ta dhomatia e-hun dhoriforiki/kalodhiaki tileorassi

Eu gostaria de um quarto para uma noite/três noites
Θα ήθελα ένα δωμάτιο για μία νύχτα/τρεις νύχτες
tha ithela ena dhomatio ghia mia nich-ta/tris nich-tes

Qual o preço por noite?
Πόσο στοιχίζει η διανυκτέρευση;
posso sti-hizi i dhianikterefssi

A que horas é o café da manhã/jantar?
Πότε έχει πρωινό/δείπνο;
pote e-hi proino/dhipno

Você poderia carregar minha bagagem?
Θα μου φέρετε τις βαλίτσες μου;
tha mu ferete tis valitses mu

Por favor, acorde-me às …h
Παρακαλώ ειδοποιήστε με στις …
parakalo idhopi-isteme stis

Podem servir o café da manhã no meu quarto?
Μπορώ να πάρω το πρωινό στο δωματιό μου;
boro na paro to proino sto dhomatio mu

Voltarei às …h
Θα επιστρέψω στις …
tha epistrepso stis

O número do meu quarto é …
Ο αριθμός του δωματιού μου είναι …
o arithmos tu dhomatiu mu ine

Vou embora amanhã
Φεύγω αύριο
fevgho avrio

Minha conta, por favor?
Τον λογαριασμό παρακαλώ
ton loghariasmo parakalo

Pode chamar um táxi?
Μου καλείτε ένα ταξί;
mu kalite ena taksi

Expressões que Você Vai Encontrar

ασανσέρ	*assanser*	elevador
δείπνο	*dhipno*	jantar
δωμάτια	*dhomatia*	quartos
είσοδος	*issodhos*	entrada
έξοδος κινδύνου	*eksodhos kindhinu*	saída de emergência
εστιατόριο	*estiatorio*	restaurante
λογαριασμός	*loghariasmos*	conta
λουτρό	*lutro*	banheiro
ντους	*dus*	ducha
ξενοδοχείο	*ksenodhohio*	hotel
πρωινό	*proino*	café da manhã
ρεσεψιόν	*ressepsion*	recepção
σκάλες	*skales*	escadas
σύρατε	*sirate*	puxe
τουαλέτες	*tualetes*	sanitários
υπόγειο	*ipoghio*	térreo
φαγητό	*faghito*	almoço
ωθήσατε	*othisate*	empurre

Frases que Você Vai Ouvir

Dhen ipar-hun mona/dhipla dhomatia kena
Não temos mais quartos para uma pessoa/duplo

Imaste ghemati
Não temos vagas

Parakalo, plironete prokatavolika
Por favor, pague adiantado

Parakalo, afinete to dhiavatirio sas edho
Por favor, deixe seu passaporte aqui

COMPRAS

Onde é o departamento de ...?
Που είναι το τμήμα των ...;
pu ine to tmima ton

Você tem ...?
Εχετε ...;
e-hete

Quanto custa isto?
Πόσο κάνει αυτό;
posso kani afto

Onde fica o caixa?
Πού πληρώνω;
pu plirono

Tem algo menos caro?
Έχετε τίποτα φτηνότερο;
e-hete tipota ftinotero

Poderia embrulhar para mim?
Μου το τυλίγετε;
mu to tilighete

Poderia me dar uma nota fiscal?
Μου δίνετε μία απόδειξη;
mu dhinete mia apodhiksi

Eu gostaria de trocar isto, por favor
Θα ήθελα να το αλλάξω αυτό, παρακαλώ
tha ithela na to alakso afto, parakalo

Estou só olhando
Απλώς κοιτάζω
aplos kitazo

Voltarei mais tarde
Θα επιστρέψω αργότερα
tha epistrepso arghotera

REFEIÇÕES

Na lista a seguir você encontra os diferentes tipos de lugares onde pode comer e beber na Grécia. Note que as letras maiúsculas gregas são quase sempre diferentes das minúsculas.

ΕΣΤΙΑΤΟΡΙΟΝ Εστιατόριον *estiatorion* (restaurante)
Em todos os locais turísticos, você encontra o cardápio impresso em inglês e grego, e os atendentes geralmente falam inglês. Se desejar, prove algumas das várias guloseimas gregas e em locais menores será bem-vindo à cozinha para observar o que estão preparando. Em geral o cardápio traz dois preços para cada item –o mais alto inclui taxa de serviço.

ΤΑΒΕΡΝΑ Ταβέρνα *taverna*
Típico restaurante grego onde se pode provar vinho diretamente do tonel.

ΨΑΡΟΤΑΒΕΡΝΑ Ψαροταβέρνα *psarotaverna*
Restaurante especializado em frutos do mar.

ΨΗΣΤΑΡΙΑ Ψησταριά *psistaria*
Restaurante especializado em comida assada no carvão.

ΟΥΖΕΡΙ Ουζερί *uzeri*
Bar que serve uzo (ouzo), aguardente feita com essência de anis verde, e cerveja, acompanhados de petiscos (μεζέδες *mezedhes*), tira-gostos e algumas vezes polvo ou frutos do mar, principalmente se o bar ficar nas ilhas.

ΖΑΧΑΡΟΠΛΑΣΤΕΙΟ Ζαχαροπλαστείο *za-haroplastio*
Doçaria ou café onde servem bolos e bebidas leves. Local ideal para tomar café da manhã.

ΚΑΦΕΝΕΙΟ Καφενείο *kafenio*
Café no qual é servido o café grego acompanhado de doces tradicionais. Neste local você pode jogar cartas ou gamão.

Palavras e Frases Úteis

açúcar	η ζάχαρη	*i za-hari*
água	το νερό	*to nero*
bolo	το γλυκό	*to gliko*
café	ο καφές	*o kafes*
cardápio	το μενού	*to menu*
carta de vinhos	ο κατάλογος κρασιών	*o kataloghos krassion*
cerveja	η μπύρα	*i bira*
chá	το τσάι	*to tsai*
chef	ο μάγειρας	*o maghiras*
colher	το κουτάλι	*to kutali*
colher de chá	το κουταλάκι	*to kutalaki*
conta	ο λογαριασμός	*o loghariasmos*
copo	το ποτήρι	*to potiri*
faca	το μαχαίρι	*to ma-heri*
garçom	ο σερβιτόρος	*o servitoros*
garçonete	η σερβιτόρα	*i servitora*
garfo	το πιρούνι	*to piruni*
garrafa	το μπουκάλι	*to bukali*
gorjeta	το πουρμπουάρ	*to purbuar*
guardanapo	η χαρτοπετσέτα	*i hartopetseta*
leite	το γάλα	*to ghala*
mesa	το τραπέζι	*to trapezi*
nota fiscal	η απόδειξη	*i apodhiksi*
prato	το πιάτο	*to piato*
sanduíche	το σάντουιτς	*to sanduits*
sopa	η σούπα	*i supa*
vinho	το κρασί	*to krassi*
xícara	το φλυτζάνι	*to flidsani*

Uma mesa para um/dois/três, por favor
Ένα τραπέζι για ένα/δύο/τρία άτομα, παρακαλώ
ena trapezi ghia ena/dhio/tria atoma, parakalo

Pode nos trazer o cardápio?
Μπορούμε να δούμε το μενού;
borume na dhume to menu

Vocês têm cadeirão?
Υπάρχει παιδική καρέκλα;
ipar-hi pedhi-hi karekla

O que o senhor sugere?
Τι θα προτείνατε;
ti tha protinate

O senhor tem cardápio vegetariano?
Είναι για χορτοφάγους;
Ine ghia hortofagus

Eu gostaria de ...
Θα ήθελα ...
tha ithela

Garçom!
Γκαρσόν!
garsson

Pode nos trazer a conta, por favor?
Μας φέρνετε τον λογαριασμό, παρακαλώ;
mas fernete ton logariasmo, parakalo

Nós não pedimos isso
Δεν παράγγειλα αυτό
dhen paranguila afto

A comida estava muito boa, obrigado (a)
Το φαγητό ήταν πολύ καλό, ευχαριστούμε
to faghito itan poli kalo, ef-haristume

MANUAL DO MENU

μηλοχυμός *milo-himos* suco de maçã
μοσχάρι βραστό *mos-hari vrasto* vitela cozida
μοσχάρι κοκκινιστό *mos-hari kokinisto* vitela no molho de tomate
μοσχάρι με κριθαράκι *mos-hari me kritharaki* vitela com massa
μοσχάρι με μελιτζάνες *mos-hari me melidsanes* vitela com berinjela
μοσχάρι με μπάμιες *mos-hari me bamies* vitela com quiabo
μοσχάρι με πατάτες *mos-hari me patates* vitela com batata
μοσχάρι με πατάτες στο φούρνο *mos-hari me patates sto furno* vitela com batata, preparadas no forno
μοσχάρι με πουρέ *mos-hari me pure* vitela com purê
μοσχάρι ροσμπίφ *mos-hari rosbif* rosbife de vitela
μοσχάρι με αρακά *mos-hari me araka* vitela com ervilha
μοσχάρι σνίτσελ με πουρέ *mos-hari snitsel me pure* schnitzel com purê
μοσχαρίσιος κιμάς *mos-harisios kimas* vitela em pedaços
μουσακά *mussaka* mussaca
μουστοκούλουρα *mustokulura* doce de mosto
μουστάρδα *mustardha* mostarda
μπακαλιάρος πλακί *bakaliaros plaki* bacalhau cozido em molho de tomate
μπακαλιάρος τηγανιτός *bakaliaros tighanitos* bacalhau frito
μπακλαβάς *baklavas* baclavá
μπάμιες λαδερές *bamies ladheres* quiabo e tomate cozidos em óleo
μπανάνα *banana* banana
μπαρμπούνια πανέ *barbunia pane* salmão à milanesa
μπεζέδες *bezedhes* merengue de creme
μπέϊκον καπνιστό *be-ikon kapnisto* toucinho defumado
μπεσαμέλ σάλτσα *bessamel saltsa* bechamel
μπισκότα σοκολάτας *biskota sokolatas* biscoito de chocolate
μπισκοτάκια αλμυρά *biskotakia almira* salgadinhos
μπιφτέκι *bifteki* hambúrguer
μπον φιλέ *bon file* bife de filé
μπουγάτσα γλυκιά *bughatsa ghlikia* folhado de creme
μπουρεκάκια *burekakia* torta de queijos ou nozes
μπριάμι με κολοκυθάκια *briami me kolokithakia* abobrinhas cozidas com batatas no forno
μπριζόλες βωδινές στη σχάρα *brizoles vodhines sti s-hara* bife grelhado
μπριζόλες στο τηγάνι *brizoles sto tighani* bife frito
μπριζόλες χοιρινές *brizoles hirines* costeleta de porco
μπρόκολο *brokolo* brócolis
μπύρα *bira* cerveja
μύδια τηγανιτά *midhia tighanita* mexilhão frito
νες καφέ *nes kafe* café instantâneo
νεφρά ψητά/τηγανιτά *nefra psita/tighanita* rim assado/frito
ντολμάδες αυγολέμονο με κιμά *dolmadhes avgholemono me kima* parras recheadas no molho de ovo e limão com carne picada
ντολμάδες γιαλαντζή *dolmadhes ghilandsi* parras recheadas com arroz

ντοματόσουπα *domatosupa* sopa de tomate

χυμός ντομάτα *himos domata* suco de tomate

ντομάτες γεμιστές με κιμά *domates ghemistes me kima* tomates recheados com carne picada

ντοματοσαλάτα *domatossalata* salada de tomate

ντομάτα *domata* tomate

ντομάτες γεμιστές με ρύζι *domates ghemistes me rizi* tomates recheados com arroz

ντόνατς *donats* donuts

ξηροί καρποί *ksiri karpi* frutas secas

ξιφίας *ksifias* peixe-espada

ξύδι *khidhi* vinagre

ομελέτα *omeleta* omelete

ομελέτα με λουκάνικα *omeleta me lukanika* omelete com linguiça

ορεκτικά *orektika* aperitivo

ούζο *uzo* licor feito de essência de anis verde

παγωτό κοκτέϊλ *paghoto kokte-il* coquetel de sorvete

παγωτό κρέμα *paghoto krema* sorvete de creme

παγωτό βερύκοκκο *paghoto verikoko* sorvete de damasco

παγωτό με σαντυγί *paghoto me sandighi* sorvete com creme de chantilly

παγωτό μόκκα *paghoto mokka* sorvete de café

παγωτό μπανάνα *paghoto banana* sorvete de banana

παγωτό σοκολάτα *paghoto sokolata* sorvete de chocolate

παγωτό φράουλα *paghoto fra-ula* sorvete de morango

παγωτό φυστίκι *paghoto fistiki* sorvete de pistache

πάπρικα *paprika* páprica

πάστα αμυγδάλου *pasta amigdhalu* doce de amêndoa

πάστα κορμός *pasta korkos* barra de chocolate

πάστα νουγκατίν *pasta nugatin* doce de creme

πάστα σοκολατίνα *pasta sokolatina* doce de chocolate

πάστα φράουλα *pasta fra-ula* doce de morango

παστίτσιο λαζάνια *pastitsio lazania* lasanha

παστίτσιο μακαρόνια με κιμά *pastitsio makaronia me kima* macarrão e carne picada com bechamel assados

πατάτες γαρνιτούρα *patates gharnitura* guarnição de batata

πατάτες γιαχνί *patates ghiachni* batatas cozidas com cebola e tomate

πατάτες με κολοκυθάκια στο φούρνο *patates me kolokithakia sto furno* batatas, abobrinhas e tomates assados

πατάτες πουρέ *patates pure* purê

πατάτες σουφλέ *patates sufle* suflê de batata

πατάτες στο φούρνο ριγανάτες *patates sto furno righanates* batatas assadas com orégano, limão e azeite

πατάτες τηγανιτές *patates tighanites* batatas fritas

πατάτες τσιπς *patates tsips* batatas crisps

πατατοσαλάτα *patatossalata* salada de batata

πατζάρια *padsaria* beterraba

πεπόνι *peponi* melão

πέστροφα ψητή *pestrofa psiti* truta assada

πηχτή *pich-ti* músculo

πιλάφι με γαρίδες *pilafi me gharidhes* pilau (iguaria oriental composta de arroz, carne, especiarias) com camarão

πιλάφι με μύδια *pilafi me midhia* pilau com mexilhão
πιλάφι με σάλτσα ντομάτα *pilafi me saltsa domata* pilau com molho de tomate
πιλάφι ταςκεμπάπ *pilafi tas-kebap* pilau com kebab
πιπέρι *piperi* pimentão
πιπεριές γεμιστές με ρύζι/κιμά *piperies ghemistes me rizi/kima* pimentão recheado com arroz/carne picada
πιπεριές πράσινες/κόκκινες *piperies prassines/kokives* pimentão verde/vermelho
πιπεριές τηγανιτές *piperies tighanites* pimentão frito
πιροσκί *piroski* linguiça ou enroladinho de carne
πίτσα με ζαμπόν *pitsa me zabon* pizza de presunto
πίτσα με μανιτάρια *pitsa me manitaria* pizza de cogumelo
πίτσα με ντομάτα και τυρί *pitsa me domata ke tiri* pizza de tomate e queijo
πίτσα σπέσιαλ *pitsa spessial* pizza especial
πίττα με κιμά *pita me kima* bolo de carne
πορτοκαλάδα *portokaladha* laranjada
πορτοκάλι *portokali* laranja
πουτίγκα με ανανά *putiga me anana* pudim de abacaxi
πουτίγκα με καρύδια *putiga karidhia* pudim de nozes
πουτίγκα με σταφίδες *putiga me stafidhes* pudim de uva-passa
πρασσόπιττα *prassopita* torta de alho-poró
πράσσα *prassa* alho-poró
παρμεζάνα *parmezana* parmesão
ραβιόλια *raviolia* ravióli
ραβανί *ravani* pão de ló
ρίγανη *righani* orégano
ροδάκινα *rodhakina* pêssego
ροσμπίφ αρνί μοσχάρι *rosbif arni moshari* rosbife de vitela ou cordeiro
ρυζόγαλο *rizoghalo* arroz-doce
ρώσικη σαλάτα *rossiki salata* maionese
σαλάμι *salami* salame
σαλάτα *salata* salada
σαλάτα αμπελοφάσουλα *salata abelofassula* salada de vagem
σαλάτα με κουνουπίδι βραστό *salata me kuvupidhi vrasto* salada de couve-flor cozida
σαλάτα με μαρούλια *salata me marulia* salada de alface
σαλάτα με ντομάτες και αγγούρια *salata me domates ke aguria* salada de tomate e pepino
σαλάτα με ντομάτες και πιπεριές *salata me domates ke piperies* salada de tomate e pimentão
σαλάτα με σπαράγγια *salata me sparaguia* salada de aspargos
σαλάτα με φασόλια ξερά *salata me fassolia ksera* salada de feijão-manteiga
σαλάτα με χόρτα βρασμένα *salata me horta vrasmena* salada de chicória
σαλάτα χωριάτικη *salata horiatiki* salada grega, com tomate, pepino, queijo feta, pimentão e azeitonas
σαλιγκάρια *saligaria* escargô
σάλτσα μπεσαμέλ *saltsa bessamel* bechamel
σάλτσα ντομάτα *saltsa domata* molho de tomate
σαμάλι *samali* bolo de semolina e mel
σαντιγή *sandighi* creme de chantilly
σαρδέλλες λαδιού *sardheles ladhiu* sardinhas em óleo
σέλινο *selino* aipo
σιμιγδάλη *simigdhali* semolina

σιρόπι *siropi* calda
σκορδαλιά με ψωμί *skordhalia me psomi* molho de alho com pão
σκόρδο *skordho* alho
σοκολάτα *sokolata* chocolate
σοκολατάκια *sokolatakia* leite achocolatado
σολομός καπνιστός *solomos kapnistos* salmão defumado
σουβλάκι καλαμάκι *suvlaki kalamaki* shish-kebab
σουβλάκι ντονέρ με πίττα *suvlaki doner me pita* espetinho de carne com pão pita
σουβλάκια απο κρέας μοσχαρίσιο *suvlakia apo kreas mos-harissio* espeto de vitela
σουβλάκια απο κρέας αρνίσιο *suvlakia apo kreas arnissio* espeto de cordeiro
σουβλάκια απο κρέας χοιρινό *suvlakia apo kreas hirino* espeto de porco
σούπα ρεβύθια *supa revithia* sopa de grão-de-bico
σούπα τραχανάς *supa tra-hanas* sopa de frumento
σούπα φακές *supa fakes* sopa de lentilha
σούπα ψάρι/ ψαρόσουπα αυγολέμονο *supa psari/psarosupa avgholemono* sopa de peixe, ou peixe com ovo e limão
σουπιές τηγανιτές *supies tighanites* lula frita
σουσάμι *sussami* gergelim
σουτζουκάκια *sudsukakia* almôndegas no molho vermelho
σουφλέ με ζαμπόν *sufle me zabon* suflê de presunto
σπαράγγια σαλάτα *sparanguia salata* salada de aspargos
σπληνάντερο *splinandero* tripa recheada com baço
σταφίδες *stafidhes* uva-passa
σταφιδόψωμο *stafidhopsomo* pão com uva-passa
σταφύλι χυμός *stafili humos* suco de uva
σταφύλια *stafilia* uvas
στιφάδο *stifadho* costeleta com cebola
στρείδια *stridhia* ostras
σύκα *sika* figos
συκωτάκια μαρινάτα *sikotakia marinata* miúdos marinados
συκωτάκια πιλάφι *sikotakia pilafi* pilau de miúdos
συκωτάκια στη σχάρα *sikotakia sti s-hara* miúdos grelhados
συκωτάκια τηγανιτά *sikotakia tighanita* miúdos fritos
συναγρίδα ψητή *sinagridha psiti* pargo assado
σφυρίδα βραστή *sfiridha vrasti* garoupa cozida
ταραμοκεφτέδες *taramokeftedhes* rissole de ovas
ταραμοσαλάτα *taramossalata* salada de ovas
τάρτα με κεράσια *tarta me kerassia* torta de cereja
τάρτα με κρέμα και αμύγδαλα *tarta me krema ke amigdhala* torta de creme e amêndoas
τάρτα με κρέμα και καρύδια *tarta me krema ke karidhia* torta de creme e nozes
τάρτα με φράουλες *tarta me fra-ules* torta de morango
τάρτα μήλου *tarta milu* torta de maçã
τας-κεμπάπ *tas kebab* kebab
τζατζίκι *dsadsiki* iogurte, pepino, alho, hortelã e azeite
τηγανιτός *tighanitos* frito
τηγανιτες *tighanites* panquecas
τονοσαλάτα *tonossalata* salada de atum
τόνος *tonos* atum
τοστ κλαμπ *tost klab* misto-quente

τούρτα αμυγδάλου *turta amigdhalu* bolo de amêndoa
τούρτα νουγκατίνα *turta nugatina* bolo de nugá
τούρτα σαντυγί *turta sandighi* bolo de chantilly
τούρτα σοκολάτας *turta sokoladhas* bolo de chocolate
τρουφάκια *trufakia* trufas
τσάι *tsai* chá
τσιπούρες ψητές *tsipures psites* dourado assado
τσίπουρο *tsipuro* raki (tipo de uzo)
τσουρέκια *tsurekia* bolo com leite e uvas-passas, para a Sexta-Feira Santa
τυρί *tiri* queijo
τυρόπιττα *tiropita* torta de queijo
τυροπιττάκια *tiropitakia* pasteizinhos de queijo
φάβα *fava* purê de ervilha
φασολάδα *fassoladha* sopa de feijão
φασολάκια λαδερά *fassolakia ladhera* brotos de feijão no óleo
φασολάκια φρέσκα γιαχνί *fassolakia freska ghiach-ni* brotos de feijão com cebola e tomate
φασόλια γίγαντες στο φούρνο *fassolia ghighades sto furno* feijão-manteiga ao forno
φέτα *feta* queijo feta
φιλέ μινιόν *file minion* filé mignon
φιλέτο *fileto* lombo
φοντάν αμυγδάλου *fodan amigdhalu* bomba de amêndoas
φοντάν απο καρύδια *fodan apo karidhia* bomba de nozes
φουντούκι *fuduki* avelãs
φράουλες *fra-ules* morangos
φράουλες μέ σαντυγί *fra-ules me sandighi* morango com chantilly
φρικασέ αρνί *frikase arni* carneiro cozido com alface e molho de queijo
φρουί-γκλασέ *frui-glasse* fruta cristalizada
φρουτοσαλάτα *frutossalata* salada de frutas
φρυγανιές *frighanies* torrada
φύλλο πίττας *filo pitas* folhados
φυστίκια *fistikia* amendoins
φυστίκια Αιγίνης *fistikia eghinis* pistache
χαβιάρι *haviari* caviar
χαλβάς *halvas* doce de gergelim e nozes
χάμπουργκερ *hamburguer* hambúrguer
χοιρινό με σέλινο *hirino me selino* porco com aipo
χοιρινό παστό *hirino pasto* charque de porco
χοιρινό σούβλας *hirino sivlas* espetinho de porco
χοιρινό στη σχάρα *hirino sti s-hara* porco grelhado
χοιρινό φούρνου με πατάτες *hirino furnu me patates* porco com batatas ao forno
χόρτα βρασμένα σαλάτα *horta vrasmena salata* salada de chicória cozida
χορτόσουπα *hortossupa* sopa de legumes
χταπόδι *ch-tapodhi* polvo
χυμός *himos* suco
χυμός πορτοκάλι *himos portokali* suco de laranja
χυμός ντομάτας *himos domatas* suco de tomate
χωριάτικη σαλάτα *horiatiki salata* salada grega: tomate, pepino, queijo feta, pimentão e azeite
ψάρια μαρινάτα *psaria marinata* peixe marinado
ψάρια τηγανιτά *psaria tighanita* peixe frito
ψάρια ψητά στη σχάρα *psaria psita sti s-hara* peixe assado
ψαρόσουπα *psarosupa* sopa de peixe
ψητός *psitos* grelhados
ψωμί άσπρο/μαύρο *psomi aspro/mavro* pão/pão preto
ψωμί για τοστ *psomi ya tost* pão fatiado

HOLANDÊS

SUMÁRIO

INTRODUÇÃO

Pronúncia

Você não terá dificuldade em ser entendido se seguir o guia de pronúncia abaixo, porque o português e o holandês têm muitos sons em comum. Pronuncie cada sílaba como se fosse de uma palavra em português. Letras sublinhadas recebem ênfase.

Pronuncie os caracteres abaixo como seguem:

rr	como 'rr' em carro, ou 'r' em Roberto
R	como 'r' em barato
ü	som entre 'i' e 'u', com em München (cidade alemã)
aa, oo, ee	são pronunciados como vogal única mas longa.

Se este guia não ajudá-lo, tente falar inglês, pois a maioria dos holandeses tem um conhecimento básico dessa língua.

FRASES ÚTEIS

Sim/Não
Ja/Nee
iá/nê

Obrigado (a)
Dank u wel
dank ü uel

Não, obrigado (a)
Nee, dank u
nê, dank ü

Por favor
Alstublieft
aulst-ü-blift

Não compreendo
Ik begrijp het niet
ic berr-Raip et nit

O (A) senhor (a) fala inglês/francês/alemão?
Spreekt u Engels/Frans/Duits?
sprêct ü engels/frans/dâits

Não falo holandês
Ik spreek geen Nederlands
ic spreic rrin nêderlands

Por favor, fale mais devagar
Wilt u alstublieft wat langzamer spreken
vilt ü aulst-ü-blift vat lángzamer spreiken

Por favor, escreva isso para mim
Wilt u het alstublieft voor mij opschrijven
vilt ü êt aulst-ü-blift voor méi opsrr-Raiven

Bom dia/Boa tarde/Boa noite
Goedemorgen/goedemiddag/goedenavond
rude mór-rren/rude mêdarr/rude narrt

Adeus, até logo
Tot ziens
tot zins

Como vai?
Hoe gaat het met u?
ru rrat êt met ü

Com licença, por favor
Neem me niet kwalijk, alstublieft
neim me nit qualic, aulst-ü-blift

Desculpe!
Sorry!
sóri

Mil desculpas!
Het spijt me echt
êt spéit me errt

Pode me ajudar?
Kunt u mij helpen?
cünt ü me relpen

Perdi meu passaporte/dinheiro/chave do quarto/traveller's cheques
Ik heb mijn paspoort/geld/kamer sleutel/reischeques verloren
ic rép mein passport/rreld/câmer slêtel/Réischeques verlôren

Pode me dizer ...?
Kunt u me vertellen ...?
cünt ü mé vertélen

Pode me dar ...?
Mag ik ... hebben?
marr ic...rében

Eu gostaria de ...
Ik zou graag ...
ic zau rrRaarr

Há ... aqui?
Is er hier een ...?
is ér riir an

Onde posso conseguir ...?
Waar kan ik ... krijgen?
vaar can ic...créi-rren

Onde fica a embaixada do Brasil?
Waar is de Braziliaanse ambassade?
vaar is de braziliaanse ambassade

Quanto custa?
Hoeveel is het?
ruvêl is êt

Aceitam cartões de crédito?
Accepteert u credit cards?
accepteert ü crédit cards

Posso pagar com cheque?
Kan ik met een cheque betalen?
cân ic met an chec bêtalen

Onde fica o banheiro?
Waar zijn de toiletten?
vaar zein de tualeten

Que horas são?
Hoe laat is het?
ru lat is êt

Preciso ir agora
Ik moet nu gaan
ic mut ni raan

Vá embora!
Ga weg!
rra ver

Saúde!
Proost!
prôost

Há acesso para cadeira de rodas?
Is er een ingang voor rolstoelen?
is ér an inrân voor rolstulen

Há acesso para deficiente físico?
Zijn er voorzieningen voor gehandicapten?
zein ér voorzininham vôor rê-endiquépten

É permitida a entrada de cão-guia?
Mogen blindengeleide honden naar binnen?
morren blinden-reléide ronden naar binen

Palavras e Frases que Você Vai Ouvir

aan de voorkant	na frente
aanbellen	tocar a campainha
aankomst	chegada
achter	atrás
attentie	atenção
a.u.b.	por favor
beneden	embaixo, descendo a escada
betalen	pagar
bezet	ocupado
binnengaan	entrar
boven	em cima, subindo a escada
controle	inspeção
dames	senhoras
defect	com defeito
dicht	fechado
douane	alfândega
duwen	empurre
geen, geen een	nenhum
geopend	aberto
gereserveerd	reservado
gesloten	fechado
gevaar	perigo de morte
gratis	gratuito
heren	homens
ingang	entrada
kapot	quebrado
kassa	caixa
kinderen	crianças
kloppen	bater
langzaam	devagar
let op de opstap/ afstap	cuidado, degrau
links	esquerda
niet roken a.u.b.	não fumar

→

niet …	não …
omkeren	virar
onder	sob
open	aberto
openingstijden	horário de abertura
paspoort	passaporte
prijs	preço
rechts	direita
snel	rápido
stad	cidade
stop	parada
straat	rua
strafbaar	sujeito a punição
tarief	tarifa
tijd	tempo
toegang	acesso
tot	até
trekken	puxe
uitgang	saída
vanuit, van	proveniente de, de
verboden	proibido
verhuren	aluga-se
verkopen	à venda
vertrek	partida
voetgangers	pedestres
volwassenen	adultos
voorzichtig	cuidado

DIAS, MESES, ESTAÇÕES

domingo	zondag	*zôndarr*
segunda-feira	maandag	*mâandarr*
terça-feira	dinsdag	*dinsdarr*
quarta-feira	woensdag	*uunsdarr*
quinta-feira	donderdag	*donderdarr*
sexta-feira	vrijdag	*vréidarr*
sábado	zaterdag	*záterdarr*
janeiro	januari	*ianuari*
fevereiro	februari	*februari*
março	maart	*maart*
abril	april	*apríl*
maio	mei	*méi*
junho	juni	*iuni*
julho	juli	*iuli*
agosto	augustus	*aurrostus*
setembro	september	*september*
outubro	oktober	*october*
novembro	november	*november*
dezembro	december	*december*
primavera	lente	*lente*
verão	zomer	*zôomer*
outono	herfst	*rerfst*
inverno	winter	*vínter*
Natal	Kerstmis	*quérstmis*
Noite de Natal	Kerstnacht	*querst-nárrt*
Sexta da Paixão	Goede Vrijdag	*rude vréidarr*
Páscoa	Pasen	*paássen*
Ano-Novo	Nieuwjaar	*niu-iaar*
Véspera de Ano-Novo	Oudejaarsavond	*aude-iaars-avond*

NÚMEROS

0 nul *nul*
1 een *ein*
2 twee *tuê*
3 drie *dri*
4 vier *vir*
5 vijf *véif*
6 zes *zés*
7 zeven *zêven*
8 acht *arrt*
9 negen *neirren*

10 tien *tin*
11 elf *élf*
12 twaalf *tuaalf*
13 dertien *dêrtin*
14 veertien *veêrtin*
15 vijftien *véiftin*
16 zestien *zéstin*
17 zeventien *zêventin*
18 achttien *arrtin*
19 negentien *nêrrentin*
20 twintig *tuinterr*
21 eenentwintig *ein-en- tuinterr*
22 tweeëntwintig *tuê-en- tuinterr*
30 dertig *deRterr*
40 veertig *vêeRterr*
50 vijftig *vaifterr*
60 zestig *zêsterr*
70 zeventig *zêventerr*
80 tachtig *tarrterr*
90 negentig *neirrenterr*
100 honderd *rondert*
110 honderd tien *rondert tin*
200 tweehonderd *tuê-rondert*
1.000 duizend *dãizend*
1.000.000 een miljoen *an mil-iun*

TEMPO

hoje	vandaag	*wandaar*
ontem	gisteren	*rísteren*
amanhã	morgen	*mór-rren*
esta semana	deze week	*deze vêek*
semana passada	vorige week	*vôre-rre vêek*
próxima semana	volgende week	*vólrrende vêek*
esta manhã	vanmorgen	*van mór-rren*
esta tarde	vanmiddag	*van mêdarr*
esta noite	vanavond	*van-ávond*
hoje à noite	vannacht	*van-narrt*
ontem à noite	gisteravond	*rrister-ávond*
amanhã de manhã	morgenochtend (morgenvroeg)	*mór-rren orrtend (mór-rren vRurr)*
amanhã à noite	morgenavond	*mór-rren ávond*
dentro de três dias	over drie dagen	*over dri darren*
há três dias	drie dagen geleden	*dri darren rêleeden*
tarde	laat	*laat*
cedo	vroeg	*vrurr*
logo	gauw	*rrau*
mais tarde	later	*láter*
neste momento	op het moment	*op rét momênt*
segundo	een seconde	*an seconde*
minuto	een minuut	*an minüt*
10 minutos	tien minuten	*tin minüten*
15 minutos	een kwartier	*an quartir*
meia hora	een half uur	*an ralf üür*
45 minutos	drie kwartier	*dri quartir*
hora	een uur	*an üür*
dia	een dag	*an darr*
semana	een week	*an vêek*
mês	een maand	*an maand*
ano	een jaar	*an iar*

Como Dizer as Horas

Dizer as horas na Holanda é semelhante ao inglês. Até 29 minutos passados da hora usa-se **over** e de 31 e 59 minutos, **voor**. Por exemplo: 'seis e dez' é **tien over zes**, e 'seis e cinquenta' é **tien voor zeven**. 15 e 45 minutos são expressos como **kwart over** (um quarto além de) e **kwart voor** (um quarto antes de), respectivamente. Ao dizer 'meia hora' o holandês refere-se à hora seguinte. 'Cinco e meia' fica **half zes** ('meia' para seis). Meio-dia é **twaalf uur** (doze horas) e meia-noite é **twaalf uur 's nachts** (doze horas da noite).

O período entre 16 e 44 minutos é muitas vezes relacionado à meia hora: 5h20 pode ser **twintig over vijf** ('vinte além de cinco'), ou **tien voor half zes** ('dez antes de cinco e meia'). Da mesma forma, 5h40 pode ser **twintig voor zes** ('vinte antes de seis') ou **tien over half zes** ('dez além de cinco e meia'). Felizmente, em tabelas de transporte público é usado o sistema de 24 horas, como em português.

1h	een uur	*an ür*
1h10	tien over een	*tin over ein*
1h15	kwart over een	*quart over ein*
1h20	twintig over een	*tuinterr over ein*
1h30	half twee	*ralf tuê*
1h40	twintig voor twee	*tuinterr voor tuê*
1h45	kwart voor twee	*quart voor tuê*
1h50	tien voor twee	*tin voor tuê*
2h	twee uur	*tuê ür*
13h	dertien uur	*dértin ür*
16h30	zestien uur dertig	*zéstin ür dérter*
20h10	twintig uur tien	*tuinterr ür tin*
às 5h30	om half zes	*om ralf zes*
às 7h	om zeven uur	*om zêven ür*
meio-dia	twaalf uur's middags	*tuaalf ür smíddarrs*
meia-noite	middernacht	*míder-narrt*

COMUNICAÇÃO

PALAVRAS E FRASES ÚTEIS

celular	de mobiele telefoon	*de mobíle telefôn*
chamada a cobrar	het collect call gesprek	*êt colect col rresprée*
código	het netnummer	*êt net-nâmer*
e-mail	het email adres	*êt email adréss*
emergência	spoedgeval	*spút-rrevál*
extensão	het toestel	*êt tústel*
fax	de fax machine	*de fax machine*
informações	inlichtingen	*ínlirrtınham*
número	het nummer	*êt nâmer*
número errado	verkeerd nummer	*verqueerd nâmer*
operador	de telefoniste	*de telefoníste*
sinal de discagem	de kiestoon	*de quíston*
telefone	de telefoon	*de telefôn*
telefone público	de telefooncel	*de telefôncel*
Web site	de Web site	*de web sait*

Onde fica a cabine telefônica mais próxima?
Waar is de dichtstbijzijnde telefooncel?
vaar is de dirrts-beizeinde telefôncel

Quero um número de ...
Ik wil graag een nummer hebben van …
ic vil rrRaarr an nâmer rében van

Posso falar com ..., por favor?
Kan ik … spreken?
can ic... spreeken

Meu número é …
Mijn nummer is …
mein nâmer is

Posso deixar um recado para ele/ela?
Kunt u een boodschap voor hem achterlaten?
cünt ü an bod-srrap voor rem arrter-láten

Voltarei a ligar mais tarde
Ik bel straks wel terug
ic bél stracs vél terurr

Qual o número do seu fax/seu e-mail?
Wat is uw fax nummer/email adres?
uat is iu fax nâmer/email adrés

Posso enviar um e-mail/fax daqui?
Kan ik hiervandaan een fax/email sturen?
can ic riervandaan an fax/email stüren

FRASES QUE VOCÊ VAI OUVIR

Daar spreekt u mee
Sou eu/Pode falar

Het spijt me, hij is er niet
Sinto muito, ele/ela não está

Met wie spreek ik?
Quem está falando?

Kan hij u terugbellen?
Ele pode ligar para você mais tarde?

Met wie wilt u spreken?
Com quem gostaria de falar?

U bent verkeerd verbonden
Você ligou o número errado

Hij is om … terug
Ele/ela estará de volta às …

EXPRESSÕES QUE VOCÊ VAI ENCONTRAR

antwoord apparaat	secretária eletrônica
brand	fogo
brandweer	bombeiro
defect	não funciona
email adres	e-mail
fotokopieer apparaat	fotocopiadora
gesprek	ligação
gouden gids	páginas amarelas
haak	gancho
in het buitenland	no exterior
inwerpen	inserir
interlokaal gesprek	chamada de longa distância
kiesschijf	disco do telefone
lokaal gesprek	ligação local
lokaal	local
maak het kort!	seja breve!
munt, geldstuk	moeda (s)
mobiele telefoon	celular
opnemen	atender o telefone
storingsdienst	serviço falho
tarief	tarifa
telefoniste	operador
telefoon	telefone
telefoonboek	lista telefônica
telefooncel	cabine telefônica
telefoon kaart	cartão telefônico
telefoonnummer	número
tik	pulso
wachten	esperar

HOTÉIS

PALAVRAS E FRASES ÚTEIS

almoço	de lunch	*de lânch*
aposento	de kamer	*de cámer*
banheiro	de badkamer	*de badcámer*
café da manhã	het ontbijt	*êt ontbéit*
cama	het bed	*êt béd*
chave	de sleutel	*de slêtel*
conta	de rekening	*de Rêikenin*
ducha	de douche	*de duche*
elevador	de lift	*de lift*
gerente	de manager, de chef	*de méneger, de chéf*
hall de entrada	de foyer	*de fuaiê*
hotel	het hotel	*êt rotél*
meia pensão	halfpension	*half pensiôn*
pensão completa	volpension	*vol pensiôn*
quarto	de slaapkamer	*de slaapcámer*
quarto conjugado	een kamer met twee eenpersoonsbedden	*en cámer met tuê ein-persons béden*
quarto duplo	de tweepersoonskamer	*de tuê persons cámer*
quarto simples	de eenpersoonskamer	*de ein-persons cámer*
recepção	de receptie	*de Recépssi*
recepcionista		
(feminino)	de receptioniste	*de Recépcioníste*
(masculino)	de receptionist	*de Recépcioníst*
restaurante	het restaurant	*êt RestoRânt*
sacada	het balkon	*êt balcon*
saguão	de conversatiezaal	*de converzatsi zaal*
sala de jantar	de eetkamer	*de êetcámer*
sanitário	het toilet	*ët tualét*
serviço de quarto	de roomservice	*de Rumsêrvice*

Vocês têm vagas?
Hebt u een kamer vrij?
rébt ü en cámer vréi

Fiz uma reserva
Ik heb een kamer besproken
ic réb en cámer be-sprôken

Eu gostaria de um quarto simples
Ik wil graag een eenpersoonskamer
ic vil rrRaarr en een-persons cámer

Nós gostaríamos de um quarto duplo
Wij willen graag een tweepersoonskamer
véi vilen rrRaarr en tuêpersons cámer

Eu gostaria de um quarto com banheiro/sacada
Ik wil graag een kamer met bad/balkon
ic vil rrRaarr een cámer mét bad/balcôn

Os quartos possuem TV via satélite/TV a cabo?
Hebben de kamers satelliet/kabel TV?
rében de cámers satelít/cábel TV

Eu gostaria de um quarto para uma noite/três noites
Ik wil graag een kamer voor een nacht/drie nachten
ic vil rrRaarr een cámer voor een narrt/dri narrten

Qual o preço por noite?
Hoeveel is het per nacht?
ruvêl is êt per narrt

Ainda não sei quanto tempo vou ficar
Ik weet nog niet hoelang ik blijf
ic vêet norr nit ru lang ic bléif

A que horas é o café da manhã/jantar?
Hoe laat is het ontbijt/middageten?
ru laat is êt ontbéit/midarr-êten

Você poderia carregar minha bagagem?
Wilt u mijn bagage naar boven laten brengen?
vilt ü méin barráge naar bôven láten brenhan

Por favor, acorde-me às ...h
Roep me alstublieft om ... uur
Rup me alst-ü-blift om ... üür

Podem servir o café da manhã no meu quarto?
Kan ik in mijn kamer ontbijten?
kan ic in men cámer ontbéiten

Voltarei às ...h
Ik ben om ... uur terug
ic ben om ... üür tererr

O número do meu quarto é ...
Mijn kamernummer is ...
men cámer nâmer is

Vou embora amanhã
Ik vertrek morgen
ic vertréc morrren

Minha conta, por favor?
Kan ik afrekenen, alstublieft?
can ic af-Reikenen, alst-ü-blift

Pode chamar um táxi?
Kunt u voor mij een taxi bestellen?
künt ü voor méi en táxi bestélen

Expressões que Você Vai Encontrar

bad	banheira
bagage	bagagem
begane grond	andar térreo
diner	jantar
douche	ducha
duwen	empurre
kamer	aposento
kamers vrij	vagas
kinderen	crianças
logies met ontbijt	bed and breakfast
nacht	noite
nooduitgang	saída de emergência
overnachting	pernoite
reservering	reserva
toeslag	suplemento
trekken	puxe
verdieping	andar
vol, volgeboekt	não há vagas

Frases que Você Vai Ouvir

Alle tweepersoonskamers zijn bezet
Todos os quartos duplos estão ocupados

Het spijt me, we zitten vol
Sinto muito, estamos lotados

Verlaat uw kamer alstublieft om ...
Por favor, desocupe o quarto até ...

Wilt u alstublieft vooruit betalen
Por favor, pague adiantado

COMPRAS

Onde fica o departamento de...?
Waar is de … afdeling?
vaar is de ... afdêling

Você tem …?
Hebt u …?
répt ü

Quanto custa isto?
Hoeveel kost dit?
ruvêl cóst dit

Você tem mais desse tipo?
Hebt u er hier nog meer van?
Répt ü ér riir norr meer van

Onde fica o caixa?
Waar moet ik afrekenen?
var mut ic af-reikenen

Tem algo menos caro?
Hebt u iets goedkopers?
répt ü its rutcoopers

Poderia me dar uma nota fiscal?
Hebt u een kassabon voor me?
répt ü an cássa-bon voor mê

Poderia ter o dinheiro de volta?
Kan ik mijn geld terugkrijgen?
can ic méin rreld terurr créi-rren

Estou só olhando
Ik kijk alleen maar wat rond
ic kéic al-leen maar vat Rond

REFEIÇÕES

Há uma grande variedade de restaurantes de boa qualidade na Holanda, para agradar a todos os paladares e bolsos. Os tipos mais comuns são o holandês tradicional, francês, italiano, chinês e da Indonésia.

Você também pode comer numa cafeteria: é uma mistura de bar, café e restaurante com serviço oferecido no balcão ou, pagando-se um extra, na mesa. São muitas vezes procurados pelas fritas e croquetes, mas oferecem ainda cardápio do dia a preço razoável.

Outro estabelecimento, com cardápio um pouco mais completo do que a cafeteria, é o 'café-bar' ou **eet-café**. Nele são vendidos todos os tipos de comida e bebida, inclusive refeições completas, e é uma boa opção se você deseja um lanche rápido.

Palavras e Frases Úteis

açúcar	de suiker	*de saiker*
água	het water	*êt vaater*
bolo	het gebak	*êt rrebác*
café	de koffie	*de cófi*
cardápio	het menu	*êt menü*
cerveja	het bier	*êt bíer*
chá	de thee	*de tee*
chef	de chef-kok	*de chéf-cóc*
colher	de lepel	*de leêpel*
colher de chá	de theelepel	*de tee leêpel*
conta	de rekening	*de Reikening*
copo	het glas	*êt rrlas*
faca	het mes	*êt més*
garçom	de kelner/ober	*de kélner/ôber*
garçonete	de serveerster	*de servêrster*
garfo	de vork	de vórk
gorjeta	de fooi	*de fooi*
guardanapo	het servet	*êt servét*

jarra	de fles	*de flés*
lanche	het hapje	*êt rapiê*
leite	de melk	*de mélk*
mesa	de tafel	*de taáfell*
nota fiscal	het bonnetje	*êt bô-netchê*
prato	het bord	*êt bórd*
receita	het recept	*êt Recépt*
sanduíche	de boterham	*de boter-ram*
sopa	de soep	*de sup*
tigela	de schaal	*de srraal*
vinho	de wijn	*de vein*
xícara	het kopje	*êt copiê*

Uma mesa para um/dois, por favor
Een tafel voor een persoon voor/twee personen, alstublieft
an táfel voor een persôn/tuê personen, aulst-ü-blift

Pode me trazer o cardápio/a carta de vinhos?
kunnen we de kaart/de wijnkaart krijgen?
künen véi de caart/vêin-caart créi-rren

O senhor tem porções especiais para crianças?
Heeft u een kindermenu?
reeft ü an kinder-menü

O que o senhor sugere?
Wat beveelt u aan?
vat bevêelt ü aan

Eu gostaria de …
Ik wil graag …
ic vil rrRaarr

Só uma xícara de café, por favor
Alleen een kopje koffie, alstublieft
al-leen an cópiê cófi, aulst-ü-blift

Garçom!
Ober!
ôber

Pode nos trazer a conta, por favor?
Kunnen we afrekenen, alstublieft?
künen ve af-Reikenen, aulst ü blift

Só quero uma refeição ligeira
Ik wil alleen maar wat kleins eten
ic vil al-leen maar vat kleíns êten

Há um cardápio do dia?
Hebt u een menu van de dag?
répt ü an menu van de dar

O senhor tem cardápio vegetariano?
Heeft u een vegetarisch menu?
hêeft ü an verretaris menü

Sou alérgico a nozes/frutos do mar
Ik ben allergisch voor noten/schaaldieren
ic ben alér-ris voor nôten/srral-diren

Eu não pedi isso
Ik heb dit niet besteld
ic réb dit nit bestéld

Pode nos trazer mais um pouco de ...?
Kunnen we nog wat ... krijgen?
künen ve norr vat ... créi-rren

A comida estava muito boa, obrigado (a)
De maaltijd was erg lekker, dank u
de maltéit vas er-rr léquer, danc ü

MANUAL DO MENU

aardappelen batatas
aardappelpuree purê de batatas
aardbeien morangos
abrikozenjam geleia de damasco
abrikozenvlaai pudim de damasco
amandelen amêndoas
ananas abacaxi
andijvie endívia
ansjovissen anchovas
appelcompote maçã cozida no vapor
appelflap pastel de maçã
appelmoes molho de maçã
appelsap suco de maçã
appeltaart torta de maçã
artisjok alcachofra
asperges aspargos
aubergine abobrinha
augurken pepino em conserva
azijn vinagre
bak-en braadvet gordura para cozinhar
balkenbrij tipo de chouriço
banaan banana
banketletter massa fina recheada com pasta de amêndoas
basilicum manjericão
bearnaise saus molho holandês
bediening serviço
belegen kaas queijo maturado
beschuit tipo de torrada
bessenjenever licor de groselha-preta
biefstuk bife
biefstuk van de haas filé
bier van het vat chope
bijgerecht acompanhamento
bitterballen bolinho de carne frito
bloedworst morcela
bloemkool couve-flor
boerenjongens conhaque com uva-passa
boerenkaas queijo caseiro
boerenkool couve escocesa
boerenmeisjes damasco em conhaque
boerenmetworst molho rústico
boerenomelet omelete com presunto e batatas
bokking (gerookte) arenque defumado
bokking (verse) arenque salgado e defumado
bonensla salada de feijão
bosbessen mirtilo
boterham met ... sanduíche de ...
boterham met kaas sanduíche de queijo
boterhamworst linguiça fatiada
boterletter massa fina recheada com pasta de amêndoas
bouillon caldo de carne
braadschotel ensopado de forno
brandewijn conhaque
brood pão
broodje pãozinho
broodje kaas sanduíche de queijo
bruine bonen feijão marrom seco
bruine bonensoep sopa de feijão
bruine suiker açúcar mascavo
casselerrib costela de porco defumada em conserva
cassis licor de cassis e groselha-preta
champignon cogumelo
champignonsoep sopa de cogumelos
Chinese kool couve chinesa
chocoladepasta pasta de chocolate
chocoladevla pudim de chocolate
chocomel achocolatado em lata ou em garrafa
citroen limão

citroenthee chá de limão
compote compota
croquetje, **kroket** croquete
dame blanche sorvete com calda de chocolate
doorbakken, **doorbraden** bem passado
doperwten ervilhas
droog seco
druiven (blauwe) uvas (pretas)
druiven (witte) uvas (brancas)
Duitse biefstuk carne picada com fatias de cebola servidas em anéis de cebola
Edammer queijo edam
eieren ovos
erwtensoep (met spek/worst) sopa de ervilha (com bacon/linguiça)
fazant faisão
fijngehakt carne picada finamente
forel truta
frambozen framboesa
frikandel bolinho frito de carne
garnalencocktail coquetel de camarão
gebakje bolinho
gebakken frito
gebakken kip frango frito
gebakken mosselen mexilhões fritos
gebakken paling enguia frita
gebonden engrossado
gebraden assado
gebraden eend pato assado
gebraden fazant faisão assado
gebraden gehakt bolo de carne moída assado
gebraden konijn coelho assado
gedistilleerde dranken bebidas alcoólicas
gehakt fatiado
gehaktbal carne fatiada e bolinho de porco frito
gekookt cozido
gekookte kip frango cozido
gekookte mosselen mexilhões cozidos
gekruid temperado com ervas ou condimentos
gemarineerd marinado
gemarineerd rundvlees carne marinada
gember (poeder) gengibre (moído)
gemberkoek pão de gengibre
gepocheerde eieren ovos pochê
gerecht prato, refeição
gerookt defumado
gerookte paling enguia defumada
gerookte zalm salmão defumado
geroosterd grelhado
geroosterd brood torrada
gestoofd cozido
gestoofd konijn coelho cozido
gestoofde paling enguia cozida
gevulde koek doce com recheio de pasta de amêndoa
Goudse kaas queijo Gouda
groene haring arenque levemente salgado, primeiro da estação
groene/rode paprika pimentão verde/vermelho
groenten legumes
groentesoep sopa de legumes
gulasch, **goulash** gulash
haas lebre
hachée carne em pedaços
halfvolle melk leite desnatado
halvarine meio manteiga, meio margarina
ham presunto (defumado ou salgado)
hamlappen barriga de porco
haring arenque
hertevlees carne de veado
hete bliksem purê de batatas e maçãs
hollandse biefstuk pedaço grosso de carne frita
hom ovas de peixe macias
honing mel
honingkoek tipo de pão de gengibre

hutspot (met klapstuk) batatas e cenouras amassadas com cebolas e peito ou costela de boi
huzarensalade salada de batatas com raiz de beterraba, pepinos em conserva, salmão, sardinhas etc.
ijs sorvete
jachtschotel torta de carne com batatas
janhagel tipo de biscoito
jenever gim holandês
jeneverbessen zimbro
jonge kaas novo queijo
kaas queijo
kabeljauw bacalhau
kadetje pãozinho macio
kalfslever fígado de vitela
kalfsniertjes rim de vitela
kalfsoester bife de vitela
kalfsschnitzel filé de vitela à milanesa
kalfstong língua de vitela
kalfsvlees vitela
kalkoen peru
karbonade posta, fatia
karnemelk leite gordo
karper carpa
kasserole assadeira
kastanjes castanhas
kersen cerejas
kersenvlaai pudim de cereja
kikkerbilletjes pernas de rã
kippesoep caldo de galinha
knåckebrod torrada
knakworst cachorro-quente
knoflook alho
koekjes biscoitos
koffie café
koffietafel almoço com bufê frio (em geral pães, embutidos e queijos)
kogelbiefstuk pedaço grosso de alcatra
komijnekaas queijo com sementes de cominho
komkommer pepino
koninginnesoep creme de galinha
kool couve
korst crosta torrada
kotelet posta
kreeft lagosta
kreeftesoep sopa de lagosta
krenten groselha
krentenbrood pão de groselha
kroepoek torradas de camarão grande
kropsla alface
kruiden ervas
kruidenboter manteiga de ervas
kruisbessen groselha espinhosa
kuit ovas de peixe duras
kwark queijo branco macio
kwarktaart torta de queijo cremoso
kwast polpa de limão, doce e quente
lamskotelet cordeiro picado, costeleta de cordeiro
lamsragout ensopado de cordeiro
landwijn vinho simples
laurierblad folhas de louro
leverworst linguiça de fígado
Limburgse vlaai pudim de frutas aberto
limonade limonada
linzen lentilhas
loempia rolinho primavera (indonésio)
magere kaas queijo de leite desnatado
magere melk leite desnatado
makreel cavala
marsepein marzipã
melk leite
mierikswortel rabanete picante
moesappelen maçãs cozidas
mosselen mexilhão
mosselsoep sopa de mexilhão
mosterd mostarda
nagerecht sobremesa
nasi goreng prato indonésio de arroz frito com carnes e vegetais

nieren rins
nootmuskaat noz-moscada
oesters ostras
olijven azeitonas
omelet omelete
ontbijtkoek tipo de pão de gengibre
ontbijtspek bacon (magro, defumado)
ossestaart rabada
ossestaartsoep sopa de rabada
oude kaas queijo maturado
paling enguia
palingworst tipo de linguiça
paneermeel farinha de rosca
pannekoek panqueca
patates frites batatas fritas
patrijs perdiz
peper pimenta
perenmoes purê de pera
perziken pêssegos
peterselie salsinha
piccalilly pepino azedo
pikant picante
pils cerveja
pindakaas pasta de amendoim
pocheren pochê
pommes frites batatas fritas
pompelmoes grapefruit
pompelmoessap suco de grapefruit
pompoen abóbora
prei alho-poró
preisoep sopa de alho-poró
pruimedant tipo de ameixa seca
pruimen ameixa
pruimenjam geleia de ameixa
rabarber ruibarbo
radijs rabanete
rauw malpassado
ree/reebok veado
reebout perna de veado
regenboogforel truta arco-íris
rijst arroz
rijstebrij pudim de arroz
rijstevlaai torta de arroz
rivierkreeft lagostim
riviervis peixe fresco
rode kool couve vermelha
rode wijn vinho tinto
roerei ovos mexidos
roggebrood pão de centeio
rookworst linguiça defumada
room creme
roomboter manteiga
roomijs sorvete
rosbief rosbife
rozijnen uva-passa
rundervlees bife
Russisch ei salada de ovo
sardientjes sardinhas
saucijzenbroodje pão de linguiça
saus molho
savooiekool couve savoy
schartong linguado com molho de limão
schnitzel costeleta de vitela
schol linguado
schuimpje suspiro
selderij aipo
sinaasappel laranja
sinaasappelsap suco de laranja
slaatje salada
slagroom chantilly
slakken caracóis
slaolie óleo para salada
slasaus creme para salada
slavinken picadinho de porco enrolado em bacon
smeerkaas queijo cremoso
snijbonen vagem
snoekbaars perca
soep van de dag sopa do dia
spa water água mineral
specerijen condimento

speculaas biscoito delicioso
spek bacon gorduroso
sperziebonen feijão francês
spiegelei ovos fritos
spijskaart cardápio
spinazie espinafre
spruiten, spruitjes couve-de-bruxelas
stokbrood pão francês
stokvis bacalhau seco e salgado
stoofperen pera cozida no vapor
stroopwafel waffle com calda
taart bolo
tarwebrood pão de trigo
tomatensoep sopa de tomate
tong linguado
tongrolletjes filé de linguado enrolado
tonijn atum
tosti sanduíche tostado
tuinbonen feijão-fava
uien cebolas
uiensoep sopa de cebola
uitgebreide koffietafel almoço tipo bufê
vanillevla pudim de baunilha
varkensbiefstuk bife de porco
varkenshaas filé de porco
varkensoester escalope de porco
varkenspoot perna de porco
varkensrib costela de porco defumada
varkensrollade costela enrolada
varkensvlees porco
venkel erva-doce
vermout vermute
verse haring arenque fresco
verse oesters ostras frescas
verse worst linguiça
vet gordura
vis peixe
vissoep sopa de peixe
vleet arraia
vlierbessen groselha
volkorenbrood pão integral
voorgerecht entradas
voorn carpa
vruchten fruta
vruchtensap suco de fruta
vruchtensla salada de frutas
wafel waffles
walnoot noz
waterkers agrião
wijn vinho
wijting pescada marlonga
witte bonen feijão-branco seco
wittebrood pão branco
wittekool couve branca
witte wijn vinho branco
wortel cenoura
zalm salmão
zeepaling enguia do mar
zilveruitjes cebolas em conserva
zoet doce
zoetwatervis peixe fresco
zoet-zuur agridoce
zout sal
zoute haring arenque salgado
zoutjes almôndegas salgadas/petiscos
zult tipo de geleia de mocotó
zure haring arenque em conserva
zwarte bessen groselha-preta
zwarte bessenjam geleia de groselha
zwarte kersenjam geleia de cereja-preta
zwezerik miolo

HÚNGARO

SUMÁRIO

INTRODUÇÃO

PRONÚNCIA

Ao ler a pronúncia imitada, pronuncie cada sílaba como se fosse de uma palavra em português e você será suficientemente compreendido. A sílaba acentuada nas palavras húngaras é sempre a primeira. As consoantes duplas devem ser pronunciadas com mais força, como em português (deze**ss**eis, tive**ss**e, soube**ss**e etc.).

AS LETRAS DO ALFABETO HÚNGARO

Em húngaro todas as vogais formam uma sílaba e têm de ser pronunciadas individualmente. O acento agudo nas letras i/í, o/ó, ö/ő e ü/ű significa um som mais comprido. Porém, no caso de a/á, e/é, e entre o/ö, u/ü, cada letra tem um som completamente diferente, chegando a mudar o sentido da palavra. Por exemplo: *kar* significa 'braço', mas *kár* quer dizer 'prejuízo'; *kert* é 'jardim' e *kért* é 'pediu'; *kor*, 'idade', e *kör*, 'círculo' etc. Por isso o acento é bastante importante.

a	'o', como em 'av**ó**'
á	'a', como em '**a**dorno'
b	'b', como em '**b**oneca'
c	'tc' ou 'tss', nunca 'k', como em '**c**afé'
cs	'tch', como em '**tc**heco', '**tc**hau'
d	'd', como em '**d**ado'
e	'é' aberto, como em '**e**co'
é	'e' fechado, como em '**e**lefante'
f	'f', como em '**f**aca'
g	'g', como em '**g**ato', nunca 'g', como em '**g**ilete'
gy	'di' ou 'dj', como em '**di**a', '**Dj**anira'
h	'r' ou 'rr', como em '**r**ato', '**r**ádio', nunca mudo
i	'i', como em '**i**dade'

j	'i', como em 'igreja', nunca som de 'j'
k	'qu', como em 'quilômetro'
l	'l', como em 'lata', nunca nasal
ly	'lh', como em 'filho', 'malha'
m	'm', como em 'mato', nunca nasal
n	'n', como em 'nata', nunca nasal
ny	'nh', como em 'companheiro'
o	'ô' fechado, como em 'avô'
ö	'eu', como nas palavras francesas 'Richelieu', 'fleur'
ő	'ö-ö', como o anterior só que mais alongado
p	'p', como em 'pai'
r	'r', como em 'caridade', 'árabe', nunca 'rr'
s	'x' ou 'ch', como em 'chave', 'xícara'
sz	'ss', como em 'missa'
t	't', como em 'tambor'
ty	'ti' ou 'tj', como em 'tchau', um pouco mais leve
ü	'ui', como na palavra alemã 'für'
ű	'ü-ü', como em 'für', mais alongado
v	'v', como em 'vaso'
x	'x', como em 'táxi'
z	'z', como em 'zebra'
zs	'j'(a) ou 'g'(i), como em 'jato', 'girafa'

Formas de Tratamento

Em húngaro há três palavras que significam 'você': **te** *té* (informal), **maga** *mógó* (mais usado) e **ön** *eun* (formal). Usa-se **te** ou **ti** (plural) para crianças, amigos e conhecidos. **Maga** é usada principalmente para motoristas, carregadores, vendedores, ascensoristas etc. **Ön** ou **önök** (plural) é uma forma mais cortês, mais formal. Para não errar, use sempre a mais polida **ön** ou **önök**.

FRASES ÚTEIS

Sim/Não
Igen/nem
iguén/ném

Obrigado (a)/Não, obrigado (a)
Köszönöm/köszönöm nem
queusseuneum/queusseuneum, ném

Por favor *(oferecendo)* *(solicitando)*
Tessék Kérem
téchêk *quêrém*

Não compreendo
Nem értem
ném êrtém

Fala inglês/francês/alemão?
Beszél angolul/franciául/németül?
béssêl óngolul/fróantciaul/nêmétül

Não falo húngaro
Nem beszélek magyarul
ném bésselêc módjórul

Não sei
Nem tudom
ném tudom

Pode falar mais devagar, por favor?
Kérem beszéljen lassabban
quêrém bésseljén lóchóbón

Pode escrever isso para mim, por favor?
Legyen szíves leírni
lédjén sivéch léirni

Meu nome é ...
A nevem ...
Ó névém

Como vai, prazer em conhecê-lo (a)
Örülök hogy megismerhettem
eurüleuk rodj méguichmér- rétém

Bom dia (até 9h)
Jó reggelt kivánok
io réguélt kivanok

Bom dia (das 9h-19h)/Boa noite (das 19h-24h)
Jó napot/jó estét
io nópot/io échtêt

Boa noite (das 24h-6h)
Jó éjszakát
io êjssócat

Até logo/Tchau
Viszontlátásra/Szia
visontlatachró/sió

Como vai? *(formal)*
Hogy van?
rodj vón

(informal)
Hogy vagy?
rodj vódj

Com licença, por favor
Bocsánatot kérek
botshanótot quêréc

Desculpe!
Elnézést!
élnêzêcht

Mil desculpas!
Igazán nagyon sajnálom
igózan nódjon chóinalom

Pode me ajudar?
Kérhetem a segítségét?
quêr-rétém ó chéguitsêgêt

Pode me dizer ...?
Meg tudná mondani, hogy ...?
még tudna mondóni, rodj

Pode me dar ...?
Kaphatnék egy ...?
cóprrótnêc édj

Gostaria de ...
Szeretnék egy ...
sérétnêc édj

Há ... aqui?
Van itt ...?
vón itt

Onde posso conseguir ...?
Hol kaphatok ...-t?
rol cóprrótok ... -t

Quanto custa?
Mennyibe kerül?
ménhibe quérül?

Que horas são?
Hány óra van?
ranh oró vón

Preciso ir agora
Mennem kell
méném quél

Vou me atrasar
Elkések
élquêchéc

Eu me perdi
Eltévedtem
éltêvédtém

Saúde! *(formal-3ª pessoa)*
Egészségére!
éguesschêguêré

(informal-2ª pessoa)
Egészségedre!
éguesschêgédré

Aceitam cartões de crédito?
Elfogadják a hitelkártyákat?
élfogódnóc ritélcartjacót

Onde fica o banheiro?
Hol van a WC?
rol vón ó vêtcê

Onde é o consulado/embaixada brasileira?
Merre van a brazil konzulátus/nagykövetség?
mér-ré vón ó brózíl consulatuch/nódjkeuvétchég

Perdi meu passaporte/dinheiro/chave do meu quarto/cartão de crédito
Elvesztettem az útlevelem/pénzem/szobakulcsom/hitelkártyáim
élvésstétém óz utlévélém/pênzém/sobócultchom/ritélcartiaim

Vá embora!
Hagyjon békén!
ródjon bêquên

Excelente!
Nagyszerű!
nódjsssériu

Palavras que Você Vai Ouvir

bocsánat!	desculpe!
bocsánatot kérek!	peço desculpas!
elnézést (kérek)!	perdão!
helló!	oi!
hogy van?	como vai?
igaza van	tem razão
kezitcsókolom	literalmente: 'beijo a sua mão', usada por crianças, e por homens para cumprimentar mulheres.
kösz	forma curta de obrigado (a); gíria
köszönöm nagyon jól –és ön?	muito bem, obrigado (a) –e o (a) senhor (a)?
nem értem	não compreendo
nem tudom	não sei
pardon	perdão
örvendek	(muito) prazer
szevasz!/szia!	oi!
szívesen	de nada
tényleg?	de verdade?
tessék?	pois não?
tessék (parancsolni)	tenha a bondade, posso ajudar
tessék befáradni	entre, por favor
tessék vigyázni!	tenha cuidado!
úgy van	é isso mesmo
vigyázz/vigyázzon	cuidado!

DIAS, MESES, ESTAÇÕES

domingo	vasárnap	*vócharnóp*
segunda-feira	hétfő	*rêtfeu*
terça-feira	kedd	*quéd*
quarta-feira	szerda	*sérdó*
quinta-feira	csütörtök	*tchüteurteuk*
sexta-feira	péntek	*pêntéc*
sábado	szombat	*sombót*
janeiro	január	*iónuar*
fevereiro	február	*februar*
março	március	*martciuch*
abril	április	*aprilich*
maio	május	*maiuch*
junho	június	*iuniuch*
julho	július	*iuliuch*
agosto	augusztus	*óugusstuch*
setembro	szeptember	*séptémbér*
outubro	október	*octobér*
novembro	november	*novembér*
dezembro	december	*détcémbér*
primavera	tavasz	*tóvóss*
verão	nyár	*nhar*
outono	ősz	*euss*
inverno	tél	*têl*
Natal	karácsony	*córatchonh*
Véspera de Natal	szenteste	*séntéchté*
Sexta da Paixão	nagypéntek	*nódjpentéc*
Páscoa	húsvét	*ruchvêt*
Pentecostes	pünkösd	*pünkeuchd*
Ano-Novo	újév	*uiêv*
Véspera de Ano-Novo	szilvester	*silvésstér*

NÚMEROS

0 nulla *nuló*
1 egy *edj*
2 kettő, két *quéteu*
3 három *rârom*
4 négy *nêdj*
5 öt *eut*
6 hat *rót*
7 hét *rêt*
8 nyolc *nholtc*
9 kilenc *quilentc*

10 tíz *tiz*
11 tizenegy *tizénedj*
12 tizenkettő *tizénquetteu*
13 tizenhárom *tizénrrârom*
14 tizennégy *tizénnédj*
15 tizenöt *tizéneut*
16 tizenhat *tizénrrót*
17 tizenhét *tizénrrêt*
18 tizennyolc *tizénnholtc*
19 tizenkilenc *tizénquiléntc*

20 húsz *russ*
21 huszonegy *russonédj*
22 huszonkettő *russonquéteu*
30 harminc *rórmintc*
40 negyven *nédjvén*
50 ötven *eutvén*
60 hatvan *rótvón*
70 hetven *rétvén*
80 nyolcvan *nholtcvón*
90 kilencven *quiléntcvén*
100 száz *sáz*
110 száztíz *sáztiz*
200 kétszáz *quetssáz*
300 háromszáz *râromssáz*
400 négyszáz *nedjssáz*
500 ötszáz *eutssáz*
600 hatszáz *ratssáz*
700 hétszáz *rêtssáz*
800 nyolcszáz *nholtcsáz*
900 kilencszáz *quiléntcssáz*
1.000 ezer *ézér*
100.000 százezer *sázézér*
1.000.000 millió *milio*

TEMPO

hoje	ma	*mó*
ontem	tegnap	*tégnóp*
amanhã	holnap	*rolnóp*
esta semana	a héten	*ó rêtén*
semana passada	múlt héten	*mult rêtén*
próxima semana	jövő héten	*euveu rêtén*
esta manhã		
(4h-9h)	ma reggel	*mó rréguél*
(9h-12h)	délelőtt	*mó dêléleut*
(21h-4h)	ma éjjel	*mó êiél*
esta tarde	ma délután	*mó dêlutan*
esta noite	ma este	*mó échté*
hoje à noite	ma éjjel	*mó êiél*
dentro de três dias	három nap múlva	*rarom nóp mulvó*
há três dias	három nappal ezelőtt	*rarom nópól ézéleut*
este ano	idén	*idên*
ano passado	tavaly	*tóvói*
próximo ano	jövőre	*ieuveuré*
tarde	késő	*quêcheu*
cedo	korán	*coran*
logo	nemsokára	*némchocaró*
mais tarde	később	*quêcheub*
neste momento	pillanatnyilag	*pilónótnhilóg*
segundo	másodperc	*machodpértc*
minuto	perc	*pértc*
15 minutos	negyedora	*nédjédoró*
meia hora	félóra	*fêloró*
45 minutos	háromnegyedóra	*raromnédjédoró*
hora	óra	*oró*
aquele dia	aznap	*óznóp*
todos os dias	mindennap	*mindénnóp*
o dia todo	másnap	*machnóp*

Como Dizer as Horas

Os minutos depois da hora são ... **perccel múlt** ... (*pértcél mult*). Por exemplo: 'três horas e dez minutos' é **tíz perccel múlt három** (*tiz pértcél mult rarom*). Para os minutos antes da hora, usa-se a expressão ... **perc múlva** ...(*pértc mulvó*). 'Dez para as três', por exemplo, é **tíz perc múlva három** (*tiz pértc mulvó rarom*). Meia hora e um quarto depois de uma hora já estão ligados à próxima hora: 'três e trinta' é **fél négy** (*fel nedj*), literalmente 'meio quatro' e 'três e quinze' é **negyed négy** (*nédjéd nedj*), 'um quarto de quatro'.

Na forma mais simples, porém não tão usada, você diz **óra** *oró* (hora) depois da hora e apenas o número dos minutos. Por exemplo: 'três e dez' fica **három óra tíz** (*rarom oró tiz*), 'três e cinquenta' fica **három óra ötven** (*raróm oró eutvén*), 'três e quinze' fica **három óra tizenöt** (*raróm oró tizéneut*), 'três e trinta' fica **három óra harminc** (*rarom oró rarmintc*), e 'três e quarenta e cinco' fica **három óra negyvenöt** (*rarom oró nédjvéneut*).

da manhã	d.e./délelőtt	*dêléleut*
da tarde	d.u./délután	*dêlutan*
1h	egy óra	*édj oró*
1h10	tíz perccel múlt egy	*tiz pértcél mult édj*
1h15	negyed kettő	*nédjéd quéteu*
1h30	fél kettő	*fêl quéteu*
1h40	húsz perc múlva kettő	*rus pértc mulvó quéteu*
1h45	háromnegyed kettő	*raromnédjed quéteu*
2h	két óra	*quêt oró*
às 5h30	fél hatkor	*fêl rótcor*
às 7h	hét órakor	*rêt orókor*
meio-dia	dél	*dêl*
meia-noite	éjfél	*êifel*

COMUNICAÇÃO

PALAVRAS E FRASES ÚTEIS

cabine telefônica	telefonfülke	*téléfonfülké*
cartão telefônico	telefonkártya	*téléfoncartió*
celular	mobiltelefon, bunkó	*mobil téléfon*
chamada a cobrar	R-beszélgetés	*ér-bésselguétes*
código	körzethívószám	*queurzéthivossam*
e-mail	e-mail cím	*i-mêl tcim*
fax	faxkészülék	*fóxquesseulec*
informações	tudakozó	*tudócozo*
internet	internet	*internet*
número	szám	*sam*
número errado	téves kapcsolás	*têvéch kóptcholach*
operador/telefonista	telefonközpont	*téléfonqueuzpont*
ramal	mellék	*mélêc*
sinal de discagem	tárcsahang	*tartchórróng*
telefone	telefon	*téléfon*
Web site	hálószem	*ralossém*

Onde fica a cabine telefônica mais próxima?
Hol van a legközelebbi telefonfülke?
rol vón ó légqueuzélébi téléfonfülqué

Eu gostaria de obter um número de ...
Egy ...-i telefonszámra lenne szükségem
édj ... i téléfonssamro lene succheguem

Eu gostaria de falar com ...
Szeretnék ...-val beszélni
sérétnec ... vól béssêlni

Meu número é ...
A telefonszámon ...
ó téléfonssamom

Posso deixar um recado para ele/ela?
Hagyhatnék egy üzenetet?
rödjrratnec édj üzénétét

Desculpe, foi engano
Sajnálom, téves kapcsolás
chóinalom, têvéch cóptcholach

Qual o número do seu fax/seu e-mail?
Faxszáma/e-mail címe van?
fóxssamó/i-mêl tcimé vón

Posso enviar um fax/um e-mail daqui?
Küldhetnék innen faxot/e-mailt?
küldrrétéc inén fóxot/i-mêlt

Frases que Você Vai Ouvir

Téves számot hívott
Você ligou para o número errado

Kivel beszélek?
Quem está falando?

Sajnos a vonal foglalt
Infelizmente a linha está ocupada

Sajnálom, nincs benn
Lamento, ela não está

Mi az ön telefonszáma?
Qual o seu número?

Tessék holnap újra hívni
Por favor, ligue novamente amanhã

Megmondom, hogy ön kereste
Direi a ele/ela que o (a) senhor (a) ligou

Tessék talán később újra megpróbálni
Tente talvez ligar mais tarde

Expressões que Você Vai Encontrar

a hívott fél fizet	chamada a cobrar
ár	preço
azonnali beszélgetés	ligação imediata
belföldi távhívás	chamada de longa distância
díj	tarifa
helyi beszélgetés	ligação local
hibaelhárító szolgálat	defeito - solicitação de consertos
hitelkártyával fizetett beszélgetés	ligação com cartão de crédito
igen sürgős beszélgetés	ligação muito urgente
interurbán hívás	chamada de longa distância
kézi kapcsolással	por intermédio de telefonista
körzethívószám	código
közvetlen tárcsázás	discagem direta
nem működik	com defeito
nemzetközi hívás	chamada internacional
R-beszélgetés	ligação/chamada a cobrar
sürgős beszélgetés	ligação/chamada urgente
távbeszélő	telefone (cabine)
távhívás	chamada de longa distância
távolsági beszélgetés	ligação de longa distância
telefonfülke	cabine telefônica
telefonközpont	central telefônica/telefonista
tudakozó	informações
balesetbejelentés	ligação de emergência

HOTÉIS

Palavras e Frases Úteis

almoço	ebéd	*ébêd*
aposento	szoba	*sobó*
banheiro	fürdő	*fürdeu*
cabine de chuveiro	zuhanyozó	*zurranhozo*
café da manhã	reggeli	*régéli*
cama	ágy	*ádj*
chave	kulcs	*cultch*
chuveiro	zuhany	*zurranh*
conta	számla	*sámló*
elevador	lift	*lift*
gerente	igazgató	*igózgóto*
hall de entrada	hall	*ról*
hotel	szálloda	*salodó*
jantar	vacsora	*vótchoró*
meia pensão	fél panzió	*fêl pónzio*
pensão completa	teljes ellátás	*téliéch éllatach*
quarto	hálószoba	*ralossobó*
quarto conjugado	kétágyas szoba	*quetssémelhéch sobó*
quarto duplo	duplaágyas szoba	*duplóadjóch sobó*
quarto simples	egyágyas szoba	*édjadjóch sobó*
recepção	recepció	*rétcéptcio*
recepcionista	recepciós, portás	*rétcéptcioch, portach*
restaurante	étterem	*êttérém*
sacada	erkély	*érkêlh*
saguão	szalon	*salon*
sala de jantar	étterem	*ettérém*
sanitário	WC	*vêtcê*
serviço de quarto	szobaszervíz	*sobósservíz*
suíte	lakosztály	*lócosstalh*
TV	tévé	*têvê*

Vocês têm vagas?
Van kiadó szobájuk?
vón quiódo sobayuk

Fiz uma reserva
Foglaltam egy szobát
foglóltóm édj sobat

Eu gostaria de um quarto simples/quarto duplo
Szeretnék egy egyágyas/duplaágyas szobát kivenni
sérétnêc édj édjadjóch/duplóadjóch sobat quivénni

Eu gostaria de um quarto com banheiro/sacada
Fürdőszobás/erkélyes szobát szeretnék
fürdeussobach, érkêlhéch sobat sérétnêc

Eu gostaria de um quarto para uma noite/três noites
Egy/három éjszakára szeretnék egy szobát kivenni
édj/rarom êissócaró sérétnec édj sobat quivénni

Qual o preço por noite?
Mennyibe kerül a szoba egy éjszakára?
ménhibé quérül ó sobó édj êissócaró

Os quartos possuem TV via satélite/TV a cabo?
A szobákban fogható-e kábel/műholdas tv?
ó sobacbón fogrróto-é cabél/miürroldóch têvê

Tem descontos para crianças?
Adnak engedményt gyerek számára?
ódnóc énguédmênht djéréc samaró

Tem acesso para cadeira de rodas?
Tolószékkel hozzáférhető?
tolossêquél rozafêr-rréteu

Poderia esquentar esta mamadeira/comida do bebê?
Felmelegítené ezt a cuclisüveget/babapempőt?
félméléguiténe ézt ó tssutslichüvéguét/bóbópémpeut

Por favor, acorde-me às ...h
Legyen szíves … órakor felhívni
lédjén sivéch ... orócor félrrivni

Podem servir o café da manhã no meu quarto?
Kérem a reggelit a szobámban felszolgálni
quêrém ó réguélit ó sobambón félssolgalni

O número do meu quarto é ...
Szobaszámom …
sobóssamom

Vou embora amanhã
Holnap elutazom
rolnóp elutózom

Minha conta, por favor?
Legyen szíves elkészíteni a számlát?
lédjén sivéch élquêssiténi ó samlat

Vou pagar com cartão de crédito
Hitelkártyával fizetek
ritélcartivól fizétéc

Vou pagar em dinheiro
Készpénzzel fizetek
quêsspênzél fizétéc

Pode chamar um táxi?
Rendeljen kérem egy taxit?
réndélién quêrém édj tóxit

Expressões que Você Vai Encontrar

ebéd	almoço
étterem	restaurante
felvonó	elevador
fürdőszoba	banheiro
hölgyek	senhoras/damas
húzni	puxe
megtelt	não há vagas
mosdók	lavabos
porta	portaria/recepção
reggeli	café da manhã
számla	conta
tólni	empurre
vacsora	jantar
vészkijárat	saída de emergência

Frases que Você Vai Ouvir

Sajnálom, megtelt
Sinto muito, estamos lotados

Nincs több egyágyas szobánk
Não temos quartos simples

Nincs több duplaágyas szobánk
Não temos quartos duplos

Hány éjszakara?
Por quanto tempo?

Hogyan szándékozik fizetni?
Como o (a) senhor (a) gostaria de pagar?

Előre kell fizetni
Por favor, pague adiantado

COMPRAS

Onde fica o departamento de ...?
Hol találom a … osztályt?
rol tólalom ó ... osstalht

Você tem …?
Kapható önöknél …?
cóp-róto euneucnêl

Quanto custa isto?
Ez mennyibe kerül?
éz ménhibé kérül

Onde fica o caixa?
Hol lehet fizetni?
rol lé-rrét fizétni

Tem algo menos caro?
Ennél olcsóbb nincs?
énnêl oltchob nintch

Poderia embrulhar para mim?
Legyen szíves becsomagolni
lédjén sívéch bétchomógolni

Poderia me dar uma nota fiscal?
Kaphatnék róla számlát?
cóp-rrótnec roló édj samlat

Poderia ter o dinheiro de volta?
Visszakaphatnám a pénzemet?
vissócóp-rrótnam ó pênzémét

Estou só olhando
Csak körülnézek
tchóc keurülnêzék

Voltarei mais tarde
Később visszajövök
quêcheub vissójeuveuc

REFEIÇÕES

Muitas das comidas húngaras são preparadas com banha de porco e temperadas com páprica. Mas nem todos os pratos servidos na Hungria são receitas exclusivamente húngaras. Você vai encontrar nos restaurantes locais especialidades austríacas, eslovacas, sérvias, italianas e também de origem francesa.

É possível achar alguns pratos sem carne –principalmente massas **tészta** (*tésstó*) ou cogumelos **gomba** (*gombó*), mas os vegetarianos terão dificuldades na Hungria. Os húngaros consomem muita carne, sendo a principal a de porco. Aves e carne de boi também são consumidas. Há muitos pratos de peixes de água doce –não deixe de provar um **halászlé** (*rólassle*), ensopado de peixe temperado com páprica.

Os húngaros gostam de sopas e suas refeições geralmente começam com um bom prato de sopa. Algumas são feitas até de frutas. O mundialmente conhecido **gulyás** (*gulhach*), um guisado de carne de vaca com bastante cebola, verduras e temperado com páprica, também era originalmente uma 'sopa'. O que o brasileiro conhece como 'gulyás' é chamado **pörkölt** (*peurkeult*) na Hungria, um dos principais pratos dos cardápios húngaros. **Pörkölt** é um ensopado de carne com muita cebola, verdura e temperado com páprica. Outro prato popular é o **paprikás** (*pópricach*), parecido com o 'pörkölt', mas que em geral vem acompanhado com batata, **paprikás krumpli** (*pópricach krumpli*), ou com frango, **paprikás csirke** (*pópricach tchirké*). O **tokány** é uma espécie de 'estrogonofe' húngaro. A carne é picada em pedaços finos e refogada em seu próprio caldo. As carnes quase sempre são acompanhadas por **tejföl** (*téyfeul*), creme de leite azedo.

Os doces, **sütemények** (*chütémenhék*), são maravilhosos na Hungria. Visite uma **cukrászda** (*tssucrazdó*), confeitaria, que vende doces, bolos e folhados caseiros, preparados diariamente. Os recheios usados nas **palacsinta-s** (*pólótchintó*), panquecas húngaras, são muito gostosos.

Há diversas categorias de restaurantes: o **étterem** (*ettérém*) é um restaurante mais fino, enquanto o **vendéglő** (*véndegleu*) é mais simples. A **csárda** (*tchardó*) é uma taverna na região rural, que também serve especialidades da região. O **sörkert** (*cheurquért*) ou **söröző** (*cheureuzeu*) é um bar-restaurante. Self-service, **önkiszolgáló** (*eunquissolgalo*), e fast-food (**ételbár**, **snack-bár**, **bisztró**, **büfé**) também são comuns. O horário varia, mas em geral estão abertos das 11h30 às 23h ou mais tarde. Alguns têm música cigana ao vivo. A gorjeta dada é de 15%.

Entre as refeições, procure um quiosque nas esquinas que vendem hambúrguer e cachorro-quente. Ao redor do lago Balaton, esses quiosques oferecem comida típica, churrascos (**lacikonyha** *lótciconh-rró*), peixes fritos (**sült hal** *chült ról*) e **lángos** (*langoch*), um biscoito grande de massa de pão, frito na hora e consumido com alho ou creme de leite azedo.

A Hungria é um país produtor de ótimos vinhos. Entre o conhecido **Tokay** (*tocaí*) e o sangue de boi **Bikavér** (*bicóver*), existe uma vasta escala de excelentes vinhos brancos e tintos. Visite um **borkostoló** (*borcochtolo*) ou **borozó** (*borozo*), cantina ou bodega, para degustá-los. Se você prefere cerveja, vá ao **sörözö** (*cheureuzeu*) local.

Palavras e Frases Úteis

açúcar	cukor	*tssucor*
água	víz	*viz*
café	kávé	*cavê*
cardápio	étlap	*êtlóp*
carta de vinhos	itallap	*itól-lóp*
cerveja	sör	*cheur*
chá	tea	*téó*
chef	szakács	*sóquatch*
colher	kanál	*cónal*
colher de chá	kávéskanál	*téachcónal*
conta	számla	*samló*
copo	pohár	*porrar*

doce	sütemény	*chütéménh*
faca	kés	*quéch*
garçom	pincér	*pintcêr*
garçonete	pincérnő	*pintcêrneu*
garfo	villa	*viló*
garrafa	üveg	*üvég*
gorjeta	borravaló	*bor-róvólo*
guardanapos	szalvéta	*sólvetó*
leite	tej	*téi*
mesa	asztal	*ósstól*
pão	kenyér	*quénhêr*
pimenta-do-reino	bors	*borch*
prato	tányér	*tanhêr*
recibo	nyugta	*nhugtó*
sal	só	*cho*
sanduíche	szendvics	*sendvitch*
sopa	leves	*lévéch*
vinho	bor	*bor*
vinho branco	fehérbor	*férrêrbor*
vinho tinto	vörösbor	*veureuchbor*
xícara	csésze	*tchêssé*

Uma mesa para um/dois/três, por favor
Egy asztalt szeretnék egy/két/négy személyre
édj óstólt sérétnec édj/ket/nédj sémêlhré

Pode me trazer o cardápio/carta de vinhos?
Az étlapot/itallapot, legyen szíves
az êtlópót/itól-lópot, lédjén sivéch

O que o senhor sugere?
Mit tud ajánlani?
mit tud óyanlóni

Só uma xícara de café, por favor/só um cafezinho, por favor
Csak egy csésze kávét kérek/csak egy feketekávét legyen szíves
tchóc édj tchêssé cavêt quêréc/tchók édj fékétécavêt lédjén sivéch

Garçom/Garçonete!
Főúr!/Kisasszony! Legyen szíves!
feu-ur/quichóssony lédjén sivéch

Esse é um prato vegetariano?
Vegetáriánus eheti ezt?
veguetarianuch érréti ézt

Tem porção pequena para criança?
Gyerekadag is kapható?
Djérékódóg ich cóp-rróto

Eu não pedi isso
Én nem ezt rendeltem
ên ném quêrtém ézt

Pode nos trazer mais ...?
Kaphatnánk még ...?
cóp-rrótnanc mêg

A comida estava muito boa, obrigado (a)
Nagyon finom volt az étel, köszönöm szépen
nódjon finom volt óz êtél, keusseuneum sêpén

Pode nos trazer a conta, por favor?
Legyen szíves elkészíteni a számlát?
lédjén sivéch élquêssiténi ó samlat

Frases que Você Vai Ouvir

Jó étvágyat (kívánok)!
Bom apetite!

Mit parancsolnak az urak/hölgyek?
O que desejam os senhores/senhoras?

MANUAL DO MENU

alma maçã
almás rétes strudel de maçã
ásványvíz água mineral
bab feijão
banán banana
barack damasco
barackosfánk sonho com geleia de damasco
bárány ovelha
bécsi szelet milanesa
bélszínfilé lombo
besamelmártás molho branco
betyárleves sopa grossa de carne e verduras
birka carneiro
bográcsgulyás sopa de gulyás
bor vinho
borjú(hús) carne de vitela
bors pimenta-do-reino
borsostokány bife de caçarola
buggyantott tojás ovo escaldado
bukta doce de massa levedada e geleia
bundás alma maçã em massa de panqueca
burgonya batata
burgonyapüré purê de batata
cékla beterraba
citrom limão
cukkini abobrinha
cseresznye cereja
csikóstokány bife de caçarola com bacon, cebola, tomate e pimenta-do-reino
csirke frango
csirke becsinált canja sem o arroz
csontleves sopa de osso e verdura
csuka lúcio
daragaluska nhoque de semolina
daragombóc bolinhos de semolina para sopa
datolya tâmara
derelye pacotinhos de massa recheados de geleia, queijo ou carne moída
dió noz
disznóhús carne de porco
disznócsülök káposztával pernil de porco defumado com repolho
édességek doces
előételek entradas
eper morango
erdélyi tokány bife de caçarola de Transilvânia com bacon
erőleves caldo de carne e osso
fácán faisão
fánk sonho
fehérbab feijão-branco
fejes saláta alface
felfújt suflê
felvágott frios, salame etc.
finommetélt talharim fino para sopa
fokhagyma alho
főétel prato principal
főtt cozido
füge figo
fürjtojás ovo de codorna
galuska bolinho de massa
gesztenye castanha
gomba cogumelo
gombóc almôndega de massa
göngyölt felsál bife rolé
görögdinnye melancia
gulyásleves sopa de gulyás
gyömbér gengibre
gyümölcs fruta
gyümölcslé suco de fruta

hab creme batido, musse
habosszilva musse de ameixa
hagyma cebola
hal peixe
halászlé sopa de peixe
harcsa lampreia, peixe-gato
hideg előételek entradas frias
hús carne
húsleves sopa de carne
húspástétom patê de carne
ízestekercs rocambole de geleia
joghurt iogurte
kacsa pato
kapor dil
káposzta repolho
karfiol couve-flor
kávé café
kelbimbó couve-de-bruxelas
keménytojás ovo cozido (de 10 min.)
kenyér pão
képviselőfánk carolina
keszeg brema, goraz (peixe)
kifli pãozinho em forma de meia lua
kókusz coco
kókusztekercs rocambole de coco
kolbász linguiça picante
kolozsvári gulyás gulyás de Kolozsvár com repolho ou chucrute
kovászos uborka picles fermentado com massa azeda
körömpörkölt caçarola de pé de porco
kőrözött patê de ricota
körte pera
krumpli batata
kukorica milho verde
lágy sajt queijo fundido
lágytojás ovo cozido (de 3 min.)
lángos biscoito grande de massa de pão
lé suco
lecsó ensopado de pimentão verde, tomate e cebola, às vezes com ovo
lekvár geleia, marmelada
lencse lentilha
lepény torta salgada
leves leves
liba ganso
libapecsenye ganso assado
limonádé limonada
magyaros hidegtál prato frio húngaro
máj fígado
májgaluska nhoques de fígado
majonézmártás maionese
mák papola
malac leitão
málna framboesa
mandula amêndoa
marha boi
marhapörkölt ensopado de carne de boi
mártás molho
meggy cereja azeda/morelo
meggyes rétes strudel com recheio de morelo
melegszendvics sanduíche quente
metélt talharim
menü cardápio
méz mel
mogyorótorta bolo de aveia
mustár mostarda
napi ajánlatunk prato do dia
narancs laranja
nyúl coelho
olaj óleo comestível
omlett omelete
orjaleves sopa de porco
őszibarack pêssego
őzhúsleves sopa de carne de corça
padlizsán berinjela
padlizsánpástétom patê de berinjela
palacsinta panqueca
palócgulyás gulyás de cordeiro
paprikás carne picada refogada com páprica e creme de leite azedo

paradicsom tomate
paradicsomos tökfőzelék ensopado de abóbora com molho de tomate
paradicsomsaláta salada de tomate
paraj espinafre
párolt guisado, ensopado, refogado
pászkagombóc bolinhos de pão
pirítós torrada
pirított máj fígado frito
pirospaprika páprica
piskóta pão de ló
piskótatekercs rocambole de pão de ló
ponty carpas
pogácsa bolacha grossa salgada
pörkölt pedacinhos de carne quadrados e refogados com bastante cebola, páprica: o que se conhece como **gulyás** no Brasil
puliszka mingau de milho
pulyka peru
puncstorta bolo de ponche
rakott ingredientes deitados em camadas e assados no forno
rántott frito à milanesa
retek rabanete
rétes strudel
ribizli groselha vermelha
ringló ameixa grande, rainha Cláudia
rizibizi arroz com ervilha
rizsfelfújt suflê de arroz-doce
rizsköret acompanhamento de arroz
rostélyos bife refogado
roston/rostonsült grelhado
rozmaring alecrim
sajt queijo
saláta salada
sárgabarack damasco
sárgaborsó ervilhas amarelas secas
sárgadinnye melão
sárgarépa cenoura
savanyú káposzta chucrute
savanyúság picles
sertés suíno
sertéshúspogácsa bolachão de carne de porco moída
só sal
sonka presunto
sós sütemény salgadinhos
sör cerveja
spárga aspargos
specialitások especialidades
spenót espinafre
spenótbomba croquete de espinafre
süllő perca, robalo
sült frito, assado
sült burgonya batata, batatinha frita
sütemények pastel, torta, bolo, doces em geral
svájci sajtfondue fondue suíço de queijo
szalmakrumpli batatinha palha
szalonna bacon, gordura do porco
szamóca morango silvestre
szárazbableves sopa de feijão
szárnyas aves em geral
szárnyaskremleves sopa creme de aves
szarvasgomba trufa
szarvas magyarosan cervo com páprica, em molho de creme de leite azedo
szegedi gulyás gulyás de bife com bacon e chucrute ou repolho
szegfűszeg cravo-da-índia
székelygulyás gulyás de carne de porco, chucrute, creme de leite azedo
szendvicsek sanduíches
szerb gulyás gulyás sérvio com repolho
szerecsendió noz-moscada
szódavíz água mineral
szőlő uva
szörp suco
szűzpecsenye filé de porco assado
tárkony estragão
tartármártás molho tártaro

tavaszi saláta salada primavera: pepino, tomate, nabo, rabanete e alface
tea chá
tej leite
tejberizs arroz-doce
tejeskávé café com leite
tejföl creme de leite azedo
tejfölös bableves feijão com creme azedo
tejszín nata
tejszínhab nata batida (chantilly)
téliszalámi salame húngaro
tengeri hal peixe de água salgada
tészták doces e salgados
tojás ovo
tokány carne picada de panela com cebola
tonhal Orly módra atum frito em ovo batido
torta bolo
tök abóbora
tökfőzelék refogado de abóbora com molho de creme azedo
töltött recheado
töltött fasírozott bolo de carne moída recheado de ovo cozido
töltött paprika pimentão verde recheado com molho de tomate
töpörtyű torresmo
tüdő bofe
túró ricota
túrós metélt talharim ricota, creme azedo e torresmo
túrós palacsinta panqueca com recheio de ricota e uva-passa
túrós pite torta de ricota e uva-passa
túróspogácsa bolachão de ricota
túrós puliszka mingau de fubá de milho com ricota
túrós rétes strudel de ricota
tűzdelt fehérpecsenye bife de filé lardeado
tűzdelt nyúlgerinc lombo de coelho lardeado
tyúkhúsleves canja (sem arroz)
uborka pepino
uborkasaláta salada de pepino
ürü carneiro, cordeiro
ürüborda costela de cordeiro
ürücomb pernil de cordeiro
vadas caça ou carne de boi com molho de suco de limão, mostarda, creme azedo, verduras picadas
vadasan carne refogada com cebolas roxas, verdura picada, condimentos mais o molho de caça anterior
vaddisznó erdész módra coxa de javali com cogumelo, bacon e batata
vadszárnyas aves silvestres
vagdalt libamelle bolo de carne de ganso
vaj manteiga
vanília baunilha
vargabéles bolo de coalho e uva-passa
vegyes saláta salada mista
velő miolo
virsli salsicha
vitaminsaláta repolho, cenoura, rabanete e cebola ralados
vörösbor vinho tinto
vöröshagyma cebola roxa
zabpehely flocos de aveia
zeller aipo
zellerkrémleves sopa de creme de aipo
zöldbab vagem
zöldborsó ervilha
zöldpaprika pimentão verde
zöldségleves sopa de verduras mistas
zsemle pãozinho
zsemlegombóc bolinhos de pão e batata
zserbószelet fatia de bolo com cobertura de chocolate, camadas de geleia, nozes e creme de chocolate
zsiványpecsenye carnes assadas juntas

INGLÊS

SUMÁRIO

INTRODUÇÃO

Pronúncia

Ao ler a pronúncia imitada, acentue as partes sublinhadas. Pronuncie cada sílaba como se fosse de uma palavra em português, e você será suficientemente bem compreendido. Lembre-se dos pontos abaixo para melhorar sua pronúncia.

a pode ter o som de 'ei' (**na**me), 'a' (**a**n), 'á' (b**a**r) ou 'ó' (t**a**ll)
e pode ter o som de 'í' (m**e**), 'é' (b**e**d) ou 'â' (h**e**r)
i pode ter o som de 'ai' (t**i**me) ou 'i' (p**i**n)
o pode ter o som de 'ou' (r**o**pe), 'ó' (n**o**t) ou 'u' (m**o**ve)
u pode ter o som de 'iu' (**u**nion), 'â' (t**u**b) ou 'u' (b**u**ll)
y no início de uma sílaba, tem o som de 'i' (**y**ear); no fim de uma sílaba, tem o som de 'ai' (m**y**) ou 'i' (prett**y**)
ch pronuncia-se como 'tch' (mu**ch**)
g antes de 'e' e 'i' geralmente é pronunciado como 'dj' (dan**g**er)
h o 'h' geralmente é aspirado (**h**elp) –som originado na garganta–; no texto da pronúncia, é indicado pelo 'rr'
j pronuncia-se sempre como 'dj' (**j**ust)
ng terminação é nasal; o 'g' final (bei**ng**) não é pronunciado
qu pronuncia-se como 'ku' (**qu**ick)
r como nas palavras 'red' e 'sorry', tem um som próximo ao do 'r' seguido de consoante, pronunciado em algumas regiões do interior paulista
sch pronuncia-se como 'sk' (**sch**ool)
sh pronuncia-se como 'ch' (**sh**arp)
th pode ter som de 'd' (**th**is) ou som de 'f' (**th**anks), em ambos os casos com a língua entre os dentes frontais
w som de 'u' (**w**ine), mas mudo antes de 'r' (**w**rite) e 'ho' (**w**ho)

Gêneros e Artigos

Os substantivos ingleses podem ser precedidos pelo artigo definido **the** (o, a, os, as) ou pelos indefinidos **a** ('um/uma', antes de consoante ou 'h' aspirado) ou **an** (antes de vogal ou 'h' mudo).

FRASES ÚTEIS

Sim, Não

Sim/Não
Yes/No
iés/nôu

Ótimo!
Excellent!
eks-ce-lent

Está bem
That's fine
déts fai-ne

É verdade/Está certo
That's right
déts ráit

Apresentações, Saudações

Prazer em conhecê-lo (a)
How do you do, pleased to meet you
rrau du iu du, plízd tu mít iu

Bom dia/Boa tarde/Boa noite
Good morning/Good evening/Good night
gud mor-nin/gud í-ve-nin/gud náit

Até logo/Adeus
Goodbye
gud-bái

Como vai?
How are you?
rrau ar iu

Meu nome é ...
My name is ...
mai neim is

Posso apresentar-lhe ...?
May I introduce ...?
mei ai in-tro-dus

Este (a) é ... *(apresentando um homem/uma mulher)*
This is ...
dis is

Olá
Hello
rré-lou

Até mais tarde
See you later
sí iu lei-têr

Obrigado, Por Favor, Desculpe

Obrigado (a)
Thank you
fên-kiu

Não, obrigado (a)
No, thank you
nôu, fên-kiu

Sim, por favor
Yes, please
iés, plíz

Por favor *(oferecendo ou pedindo algo)*
Please
plíz

Desculpe!
Sorry!
só-ri

Sinto muito!
I'm really sorry
aim ri-li só-ri

ONDE, COMO, PEDIDOS SIMPLES

Com licença *(para que alguém dê passagem)*
Excuse me, please
eks-kíuz-mi, plíz

Pode me dizer ...?
Can you tell me ...?
kén iu tél mi

Pode me dar ...?
Can I have ...?
kén ai rrev

Gostaria de ...?
Would you like to ...?
uud iu laik tu

Há ... aqui?
Is there ... here?
is dér ... rri-êr

Onde posso conseguir ...?
Where can I get ...?
uér kén ai guét

Quanto custa?
How much is it?
rrau mâtch iz it

Onde está o (a) ...?
Where is the ...?
uér iz de

Por favor, onde ficam os sanitários?
Where are the toilets, please?
uér ar de tói-léts, plíz

Tem acesso para cadeira de rodas?
Is there wheelchair access?
iz dér uil-chér ak-cés

É permitida a entrada de cães-guia?
Are guide dogs allowed?
ar gaid dógs a-laued

Há um cadeirão/um berço/um fraldário (para bebês)?
Is there a highchair/cotbaby/changing room?
iz dér a rrai-tchér/cot-beibi/tchen-djin rúm

Preferências, Conversas Sociais

Gosto (de) …
I like/I love …
ai laik/ai lóv

Não gosto (de) …
I don't like …
ai don laik

Detesto …
I hate …
ai rreit

Gosta de …?
Do you like …?
du iu laik

É delicioso/horrível!
It's delicious/awful!
its de-li-chi-ous/ó-ful

O que deseja (beber)?
What would you like (to drink)?
uót uud iu laik (tu drink)

Gostaria de um (a) …
I would like a …
ai uud laik a

Não quero nada, obrigado (a)
Nothing for me, thanks
nó-fin fór mi, fênks

Saúde! *(brinde)*
Cheers!
tchírs

Gostaria ...
I would like to ...
ai uud laik tu

Ajuda, Problemas

Poderia me ajudar?
Can you help me?
kén iu rrelp mi

Não compreendo
I don't understand
ai don ân-ders-ténd

O (A) senhor (a) fala português/inglês/francês/alemão?
Do you speak Portuguese/English/French/German?
du iu spík pór-tiu-guiz/in-glich/fréntch/djêr-man

Alguém aqui fala português?
Does anyone here speak Portuguese?
dâs eni-uân rri-êr spík pór-tiu-guiz

Não falo inglês
I can't speak English
ai ként spík in-glich

Não sei
I don't know
ai don nôu

Por favor, fale mais devagar
Please, speak more slowly
plíz, spík mór slôu-li

Por favor, escreva isso para mim
Please write it down for me
plíz rait it daun fór mi

Eu me perdi
I've lost my way
aiv <u>lóst</u> mai <u>uei</u>

Vá embora!
Go away!
<u>gou</u> au-<u>êi</u>

Palavras e Frases que Você Vai Ouvir

bathroom	banheiro
busy	ocupado
closed	fechado
danger	perigo de morte
don't mention it	de nada
entrance	entrada
excuse me	com licença
exit	saída
I don't speak English	não falo inglês
men	homens
opening times	horário de abertura
pleased to meet you!	muito prazer!
push	empurre
never mind	não faz mal
no admittance	proibida a entrada
no smoking	não fumar
one moment, please	um momento, por favor
open	aberto
pull	puxe
push	empurrar
sorry	perdão
thank you	obrigado
toilet	lavabo
tourist information	informações turísticas
women	senhoras

DIAS, MESES, ESTAÇÕES

domingo	Sunday	*sân-dei*
segunda-feira	Monday	*mân-dei*
terça-feira	Tuesday	*túz-dei*
quarta-feira	Wednesday	*uê-niz-dei*
quinta-feira	Thursday	*fêrz-dei*
sexta-feira	Friday	*frái-dei*
sábado	Saturday	*sá-têr-dei*
janeiro	January	*djá-niu-a-ri*
fevereiro	February	*fé bru a ri*
março	March	*maartch*
abril	April	*êi-pril*
maio	May	*mêi*
junho	June	*djun*
julho	July	*dju-lái*
agosto	August	*ó-gust*
setembro	September	*sep-tém-ber*
outubro	October	*oc-tôu-ber*
novembro	November	*no-vém-ber*
dezembro	December	*di-cém-ber*
primavera	Spring	*spring*
verão	Summer	*sâ-mer*
outono	Fall/Autumn (ING)	*fól/ó-tun*
inverno	Winter	*uín-ter*
Ano-Novo	New Year	*níu í-er*
Natal	Christmas	*kríst-mas*
Noite de Natal	Christmas Eve	*kríst-mas ív*
Páscoa	Easter	*ís-ter*
Pentecostes	Whitsun	*uít-sân*
Sexta da Paixão	Good Friday	*gud frái-dei*
Véspera de Ano-Novo	New Year's Eve	*níu í-ers ív*

NÚMEROS

0 zero *zí-rou*
1 one *uán*
2 two *tú*
3 three *frí*
4 four *fór*

5 five *faiv*
6 six *siks*
7 seven *sé-ven*
8 eight *êit*
9 nine *náin*

10 ten *tén*
11 eleven *i-lé-ven*
12 twelve *tuélv*
13 thirteen *fêr-tín*
14 fourteen *fór-tín*
15 fifteen *fêf-tín*
16 sixteen *siks-tín*
17 seventeen *sé-ven-tín*
18 eighteen *êi-tín*
19 nineteen *náin-tín*

20 twenty *tu-én-ti*
21 twenty-one *tu-én-ti uán*
22 twenty-two *tu-én-ti tú*
30 thirty *fâr-ti*
31 thirty-one *fâr-ti uán*
32 thirty-two *fâr-ti tú*
40 forty *fór-ti*
50 fifty *fif-ti*
60 sixty *siks-ti*
70 seventy *sé-ven-ti*
80 eighty *êi-ti*
90 ninety *náin-ti*
100 one hundred *uán rrân-drêd*
110 one hundred and ten *uán rrân-dred end ten*
200 two hundred *tú rrân-dred*
1.000 one thousand *uán fáu-zand*
1.000.000 one million *uán mí-li-en*

TEMPO

hoje	today	*tú-dei*
ontem	yesterday	*i-és-têr-dei*
amanhã	tomorrow	*tú-mó-rou*
esta semana	this week	*dis uík*
semana passada	last week	*lést uík*
semana que vem	next week	*nékst uík*
esta manhã	this morning	*dis mór-nin*
esta tarde	this afternoon	*dis ef-ter-nún*
esta noite	this evening	*dis í-vi-nin*
hoje à noite	tonight	*tu-náit*
daqui a três dias	in three days	*in frí deis*
há três dias	three days ago	*frí deis a-gôu*
tarde	late	*leit*
cedo	early	*êr-li*
logo	soon	*sun*
um segundo	a second	*a sé-kond*
um minuto	a minute	*a mí-nât*
dois minutos	two minutes	*tú mí-nâts*
15 minutos	a quarter of one hour	*a kuar-têr óv uân áu-êr*
meia hora	half an hour	*rréf an áu-êr*
uma hora	one hour	*uân áu-êr*
um dia	a day	*a dei*
uma semana	a week	*a uík*
15 dias, duas semanas	fortnight, two weeks	*fórt náit, tú uíks*
um mês	a month	*a mânf*
um ano	a year	*a í-er*
aquele dia	that day	*dét dei*
todos os dias	every day	*é-vri dei*
o dia todo	all day long	*ól dei lon*
no dia seguinte	the next day	*de nékst dei*

Como Dizer as Horas

Tanto na Inglaterra como nos Estados Unidos é comum o sistema de indicação de tempo que divide o dia em dois períodos, definidos pelas siglas **a.m.** (*ante meridiem*, 'antes do meio-dia') e **p.m.** (*post meridiem*, 'depois do meio-dia até a meia-noite'). Para dizer '5h da tarde' fala-se **five p.m.**; '2h da madrugada', **two a.m.**

Pergunta-se 'Que horas são?' da seguinte maneira: **What time is it?** Para se referir a horas inteiras, usa-se a expressão **o'clock**; a resposta é dada habitualmente desse modo: **It is nine o'clock** ('São 9h'), **It is five o'clock** ('São 5h').

Para expressar os minutos que faltam para a hora de referência, usa-se **to** ('para'): desse modo, **ten to four** significa '3h50'.

A palavra **past** (que quer dizer 'passado') é empregada para expressar os minutos decorridos após a hora de referência; assim, diz-se **twenty minutes past nine** ('9h20'). O uso da palavra **minutes** ('minutos') é opcional, como em português: **five minutes past two** ('duas e cinco minutos') ou **five past two** ('duas e cinco').

Para indicar a meia hora emprega-se a palavra **half** ('meio, meia'): **half past nine** corresponde a '9h30'. A expressão usada para 'quinze minutos' é **a quarter**; assim, tem-se por exemplo **a quarter past nine** ('9h15') e **a quarter to nine** ('8h45').

é 1h	it's one o'clock	*its uân ou-klók*
1h10	ten past one	*tén pést uân*
1h15	quarter past one	*kuar-têr pést uân*
1h30	half past one	*rréf pést uân*
1h40	twenty to two	*tu-én-ti tu tú*
1h45	quarter to two	*kuar-têr tu tú*
2h	two o'clock	*tú ou-klók*
13h	one p.m.	*uân pi ém*
16h30	half past four p.m.	*rréf pést fór pi-ém*
às 7h	at seven o'clock	*ét sé-ven ou-klók*
meio-dia	noon	*nun*
meia-noite	midnight	*mid-náit*

COMUNICAÇÃO

Palavras e Frases Úteis

cabine telefônica	telephone booth	*té-le-foun búf*
cartão de telefone	phonecard	*foun-kard*
chamada a cobrar	collect call, reverse charge call	*ko-lékt kól, ri-vêrs tchardj kól*
chamada internacional	international call	*in-têr-né-tchio-nal kól*
e-mail	email address	*i-meil a-drés*
emergência	emergency	*i-mâr-djen-si*
extensão	extension	*eks-ten-tchân*
lista telefônica	telephone directory	*té-le-foun di-rék-tâ-ri*
número	number	*nâm-bêr*
prefixo	code	*koud*
sinal de discagem	dialling tone	*dai-lin tou-ne*
telefone	telephone	*té-le-foun*
telefone com uso de cartão	cardphone	*kard-foun*
telefone público	payphone	*pei-foun*
telefonista	operator	*ó-pê-rei-târ*

Onde fica a cabine telefônica mais próxima?
Where is the nearest phone booth?
uér iz de ni-êr-est foun búf

Quero um número em ...
I would like a number in ...
ai uud laik a nâm-bêr in

Há uma lista telefônica?
Is there a telephone directory?
iz dér a té-le-foun di-rék-tâ-ri

Eu gostaria de falar com ...
I would like to speak to ...
ai uud laik tu spik tu

Meu número é ...
My number is ...
mai nâm-bêr is

Alô, aqui quem fala é ...
Hello, this is ... speaking
rré-lou, dis is ... spi-kin

É o ... ?
Is that ... ?
is dét

Posso ligar daqui para o exterior?
Can I call abroad from here?
kén ai kól a-bród from rri-êr

Posso deixar um recado para ele/ela?
Could you leave him/her a message?
kuud iu liv rrim/rrêr a mé-sâdj

Desculpe, foi engano
Sorry, I've got the wrong number
só-ri, aiv gót de rong nâm-bêr

Voltarei a ligar mais tarde
I'll call back later
au kól bék lei-têr

Qual o número do seu fax/do seu e-mail?
What's your fax number/email address?
uóts iór fács nâm-ber/ i-meil a-drés

Posso enviar um e-mail/um fax daqui?
Can I send an email/fax from here?
kén ai send an i-meil/fács from rri-êr

Frases que Você Vai Ouvir

Who would you like to speak to?
Com quem deseja falar?

Who's calling?
Quem fala?

What is your number?
Qual é o seu número?

I'm sorry, he/she's not in
Sinto muito, ele/ela não está

Please, call again tomorrow
Ligue de novo amanhã, por favor

I'll tell him/her you called
Direi a ele/ela que o (a) senhor (a) ligou

Expressões que Você Vai Encontrar

charges	tarifas
e-mail	e-mail
email address	endereço de e-mail
enquiries	informações
international call	chamada internacional
international calls	serviço internacional
local call	chamada local
fax machine	fax
mobile phone	celular
out of order	não funciona
phonecard	cartão telefônico
telephone box	cabine telefônica
telephone	telefone
Web site	página na internet

HOTÉIS

Palavras e Frases Úteis

almoço	lunch	*lântch*
banheiro	bathroom	*béf-rúm*
café da manhã	breakfast	*brék-fest*
cama	bed	*béd*
chave	key	*ki*
chuveiro	shower	*chau-er*
conta	bill	*bil*
elevador	lift, elevator	*lift, e-le-vêi-târ*
estacionamento	car park, parking lot	*kar park, par-kin lót*
fatura, recibo	receipt	*re-sipt*
gerente	manager	*mé-nâ-ger*
hall de entrada	lobby/foyer (ING)	*ló-bi/fói-er*
hotel	hotel	*rrou-tel*
jantar	dinner	*di-ner*
meia pensão	half board	*rref bórd*
pensão	guesthouse	*guést rraus*
pensão completa	full board	*fúl bórd*
quarto	bedroom	*béd-rúm*
quarto duplo	double room	*dâ-bou rúm*
quarto com duas camas	twin room	*tuên rúm*
quarto simples	single room	*sin-gou rúm*
recepção	reception	*re-sé-pchân*
recepcionista	receptionist	*re-sé-pchio-nist*
restaurante	restaurant	*rést-rânt*
sacada	balcony	*bal-ko-ni*
saguão	lounge	*laundj*
sala de jantar	dining room	*dai nin rúm*
sanitário	toilet	*toi-let*
serviço de quarto	room service	*rúm sêr-vis*

Vocês têm vagas?
Do you have any vacancies?
du iu rrev eni vei-kân-sis

Fiz uma reserva
I have a reservation
ai rrev a re-zer-vei-chiân

Eu gostaria de um quarto para uma pessoa/de casal
I'd like a single room/double room
aid laik a sin-gou rúm/dâ-bou rúm

Eu gostaria de um quarto com duas camas
I'd like a twin room
aid laik a tuên rúm

Eu gostaria de um quarto com banheiro/sacada
I'd like a room with a bathroom/balcony
aid laik a rúm uiv a béf-rúm/bal-ko-ni

Eu gostaria de um quarto para uma/três noites
I'd like a room for one night/three nights
aid laik a rúm fór uân náit/frí náits

Os quartos têm TV via satélite/TV a cabo?
Is there satelite/cable TV in the rooms?
iz dér sa-te-lait/keibou ti-vi in de rúms

Qual o preço por noite?
What is the charge per night?
uót iz di tchardj pãr náit

A que horas devo desocupar o quarto?
When do I have to liberate the room?
uen du ai rrev tu li-be-reit de rúm

Ainda não sei quanto tempo vou ficar
I don't know yet how long I'll stay
ai don nou iét rrau long au stei

A que horas é o café da manhã/jantar?
When is breakfast/dinner?
uen iz brék-fest/di-ner

Poderia levar minha bagagem, por favor?
Would you have my luggage brought up, please?
uud iu rrev mai lâ-gue-dje bró-tap, pliz

Por favor, acorde-me às ...
Please wake me at ...
plíz ueik mi ét

Podem servir o café da manhã em meu quarto?
Can I have breakfast in my room?
kén ai rrev brék-fest in mai rúm

O número do meu quarto é ...
My room number is ...
mai rúm nâm-ber is

Vou embora amanhã
I'm leaving tomorrow
aim li-vin tu-mó-rou

Minha conta, por favor?
Can I have the bill, please?
kén ai rrev de bil, plíz

Pode chamar um táxi, por favor?
Can you get me a taxi, please?
kén iu guét mi a té-ksi, plíz

Eu gostaria de usar o serviço de lavanderia
I'd like to have some laundry done
aid laik tu rrev sãm laun-dri dân

Pode me recomendar outro hotel?
Can you recommend another hotel?
kén iu ri-ko-mend a-nó-der rrou-tél

Expressões que Você Vai Encontrar

bathroom, toilet	banheiro
bathtub	banheira
bill	conta
breakfast	café da manhã
cold water	água fria
dinner	jantar
emergency exit	saída de emergência
guesthouse	pensão
hot water	água quente
lift	elevador
lunch	almoço
reception	recepção
reservation	reserva
restaurant	restaurante
shower	chuveiro
switchboard operator	telefonista
stairs	escadas

Frases que Você Vai Ouvir

I'm sorry, we're full
Sinto muito, (o estabelecimento) está lotado

There are no single/double rooms left
Não temos mais quartos para uma pessoa/duplos

No vacancies
Não há vagas

Please pay in advance
Por favor, pague adiantado

You must vacate the room by midday
O senhor deve liberar o quarto antes do meio-dia

COMPRAS

Onde fica a seção de ...?
Where is the … department?
uér iz de ... di-part-ment

Vocês têm ...?
Do you have …?
du iu rrev

Quanto é isto?
How much is this?
rrau mâtch is dis

Onde se paga?
Where do I pay?
uér du ai pei

Vocês aceitam cartão de crédito?
Do you take credit cards?
du iu teik kré-dit kards

Pode me dar um recibo/uma sacola, por favor?
Can I have a receipt/a bag, please?
kén ai rrev a ri-sit/a bég, plíz

Pode me devolver o dinheiro?
Can I have a refund?
kén ai rrev a ri-fând

Está bem
That's fine
déts fain

Eu gostaria de trocar isto, porque tem um defeito
I'd like to exchange this, it's faulty
aid laik tu eks-tcheindj dis, its fóu-ti

REFEIÇÕES

As opções para uma refeição na Inglaterra parecem intermináveis nas grandes cidades e principalmente em Londres. A culinária de todo o mundo está representada. Fora das grandes cidades, o panorama culinário é mais limitado, mas é sempre possível encontrar restaurantes italianos, indianos ou chineses.

Um café da manhã tradicional inglês começa com cereal e leite, seguidos por bacon, ovos e tomates. No norte e na Escócia há também o **black pudding** frito (espécie de chouriço, feito de sangue de porco). A refeição acaba com torradas e geleia de frutas cítricas, acompanhadas por uma xícara de chá. Pode-se ainda tomar apenas café preto e suco de frutas com croissants.

Muitos restaurantes oferecem almoço leve a preço fixo, às vezes com apenas dois pratos (o cliente escolhe a entrada ou a sobremesa). Na hora do almoço são procurados sanduíches, saladas, batatas assadas com recheio e o **ploughman's lunch** ('almoço de lavrador', com queijo, picles e pão), servido principalmente em pubs. No domingo, alguns pubs e restaurantes servem frango, carneiro ou carne de boi assada.

Não perca a oportunidade de tomar um chá da tarde inglês, que disputa com o café da manhã a condição de refeição mais saborosa do dia. Alguns dos chás mais suntuosos são oferecidos nas **country-houses** e nos melhores hotéis de Londres.

No jantar, os hotéis e restaurantes mais sofisticados oferecem refeições elaboradas, que podem ser cobradas como sendo de cinco ou seis pratos. Após a sobremesa geralmente é servida uma variedade de queijos com bolachas salgadas. No norte da Inglaterra e na Escócia o 'almoço' pode ser chamado de 'jantar' e o 'jantar' de 'chá', confundindo o turista.

Há vários lugares para comer, como brasseries, bistrôs, bares de vinho, salões de chá, bares de *tapas* (petiscos espanhóis) e cafés, além dos restaurantes convencionais.

Além das pequenas e tradicionais **fish and chips**, há muitas redes de fast-food na Grã-Bretanha. Bares de sanduíches também são populares e normalmente baratos.

Palavras e Frases Úteis

açúcar	sugar	*chu-gâr*
água	water	*uó-ter*
café	coffee	*kó-fi*
cardápio	menu	*mé-niu*
carta de vinhos	wine list	*uáin list*
cerveja	beer	*bi-êr*
chá	tea	*ti*
colher	spoon	*spun*
colher de chá	teaspoon	*ti-spun*
conta	bill	*bil*
copo	glass	*glés*
faca	knife	*náif*
galão	gallon	*gué-lon*
garçom	waiter	*uei-ter*
garçonete	waitress	*uei-tres*
garfo	fork	*fórk*
garrafa	bottle	*bó-tou*
gorjeta	tip	*tip*
guardanapo	napkin	*nép-kin*
leite	milk	*milk*
mesa	table	*tei-bou*
prato	plate, dish	*pleit, dich*
recibo	receipt	*ri-sit*
refeição ligeira, lanche	snack	*snék*
restaurante	restaurant	*rést-rânt*
sanduíche	sandwich	*send-uich*
sopa	soup	*sup*
tigela	bowl	*boul*
torta, bolo	cake	*keik*
vinho	wine	*uáin*
xícara	cup	*kâp*

Uma mesa para uma pessoa, por favor
A table for one, please
a tei-bou fór uâni, plíz

Uma mesa para duas/três pessoas, por favor
A table for two/three, please
a tei-bou fór tú/fri, plíz

Posso ver o cardápio?
Can I see the menu?
kén ai si de mé-niu

Posso ver a carta de vinhos?
Can I see the wine list?
kén ai si de uáin list

Há um cardápio para crianças?
Is there a children's menu?
is dér a tchil-drens mé-niu

O que o senhor sugere?
What would you recommend?
uót uud iu re-ko-mend

O senhor tem algum prato vegetariano?
Do you have any vegetarian dishes?
du iu rrev eni ve-dje-té-ri-ân di-ches

Eu gostaria de ...
I'd like ...
aid laik

Poderíamos experimentar uma especialidade?
Can we try a local speciality?
kén uí trai a lou-kal spe-chi-a-li-ti

Pode trazer outra faca/colher?
Can I have another knife/spoon?
kén ai rrev a-nó-der náif/spun

Só um café, por favor
Just a cup of coffee, please
djâst a kâp of kó-fi, pliz

Garçom/garçonete!
Waiter/Waitress!
uei-ter/uei-tres

Pode nos trazer a conta, por favor?
Can we have the bill, please?
kén uí rrev de bil, plíz

Só quero uma refeição ligeira
I only want a snack
ai on-li uânt a snék

Há um cardápio do dia?
Is there a set menu?
is dér a sét mé-niu

Não pedimos isto!
We didn't order this!
uí di-dânt ór-dêr dis

Poderia nos trazer mais ...
May we have some more ...?
mei uí rrev sâm mór

Estava ótimo, obrigado (a)
That was very good, thank you
dét uós vé-ri gud, fênk iu

Podemos pagar separadamente?
Can we pay separately?
kén uí pei sé-pâ-râ-tli

Poderia me dar um recibo, por favor?
Could I have a receipt, please?
kuud ai rrev a ri-sit, plíz

MANUAL DO MENU

almond amêndoa
american cheese queijo tipo prato
angel's food cake bolo branco com baunilha
aperitif aperitivo
apfelstrudel torta de maçã de massa folhada
appetizers entradas
apple maçã
apple chutney (ING) molho picante agridoce, feito à base de maçã e especiarias diversas
apple crisps doce à base de maçã com açúcar, canela e farinha, casca crocante, servido com chantilly ou sorvete
apple juice suco de maçã
apple pie torta de maçã, em geral servida quente com sorvete
apricot damasco
artichoke alcachofra
assorted indicação de sortido, variado
aubergine, eggplant berinjela
avocado abacate
baked potato batata assada inteira, em geral com recheios diversos e manteiga
banana banana
barbecue churrasco
beans feijão
beef carne bovina
beef entrecôte costeleta de boi
beef roll (ING) bife rolê de carne
beef stock caldo de carne em cubinhos
beer cerveja
beet beterraba
blue cheese queijo semelhante ao gorgonzola brasileiro
blueberry fruta silvestre de coloração azulada
boiled eggs ovos cozidos
bread pão
broccoli brócolis
broiled steak bife grelhado
brownies bolos de chocolate sem fermento, feitos com nozes, castanhas ou pedaços de chocolate
Brussels sprouts couve-de-bruxelas
burger and fries "to go" hambúrguer e fritas para viagem, servido com salada e cebola frita
butter manteiga
butter cookies biscoitos amanteigados
caesar salad salada de alface com torradinhas de pão, aliche, queijo ralado e molho de mostarda com alho, às vezes servida com frango fatiado
café latte café com leite
cakes bolos
candies doces, balas
canella, cinnamon canela
caper alcaparra
cappuccino café expresso com espuma de leite e chocolate em pó
carpaccio fatias muito finas de carne com azeite, limão e queijo parmesão ralado
cheddar cheese queijo tipo cheddar
cheese cake sobremesa à base de queijo cremoso, servida com calda de fruta
cheese fondue foundue de queijo
cheese pie torta de queijo
cheese soufflé suflê de queijo
cherry cereja
chicken frango
chicken breast peito de frango
chicken broth, chicken soup caldo de galinha
chilli pepper pimenta picante moída
chips batatas fritas

chocolate chocolate
chocolate milkshake milkshake de chocolate
chocolate mousse musse de chocolate
chocolate tart torta de chocolate
cinnamon canela
clams amêijoas (tipo de molusco)
clear fish soup caldo de peixe
coconut coco
cod, cod fish bacalhau
coffee café
cold meats frios
cooked ham presunto cozido
cookies biscoitos amanteigados
corn milho
corned beef espécie de carne-seca
cottage cheese queijo cremoso tipo ricota
crab caranguejo
cream creme de leite, nata, chantilly
cream cheese queijo cremoso tipo requeijão
cream sauce, white sauce molho branco (bechamel)
crouton quadradinho de pão torrado usado em sopas, saladas etc.
cumberland sausage (ING) linguiça regional
dark beer cerveja escura
desserts sobremesas
digestive liqueur licor digestivo
dip molho grosso para servir com salgados
donut bolinho doce que pode ter recheios diversos de geleias ou cremes
drawn butter molho de manteiga derretida
dressings recheios ou molhos, em especial para saladas
drinks bebidas
dry seco
duck pato
eel enguia
egg ovo
eggplant berinjela
entrée, main dish prato principal
espresso café forte de máquina
fat free comida sem gordura
fennel erva-doce
fig figo
fish peixe
flan flã, pudim
flour farinha
frappuccino café gelado
fried chicken frango frito
fried eggs and bacon ovos fritos com bacon
fruit fruta
fruit-flavoured ice cream sorvete de fruta
game carne de caça
garlic alho
ginger gengibre
goose ganso
grape uva
grapefruit toronja (grapefruit)
green salad salada verde
ground beef carne moída
hamburger hambúrguer
hard-boiled eggs ovos duros (cozidos)
hazelnuts avelãs
hot chocolate, hot coco chocolate quente
ice cream sorvete
iced coffee sorbet de café
iced tea chá gelado
jam, jelly geleia
jelly-O gelatina
king prawns lagostins
lamb carneiro
lamb chop costeleta de cordeiro
large beer cerveja grande (meio litro aproximadamente)

leek alho-poró
lemon limão
lentil lentilha
lettuce alface
light beer, lager cerveja clara
lobster lagosta
lobster and vegetables lagosta cozida, servida com legumes
low fat indicação de alimento com baixo teor de gordura
mandarin tangerina
mango manga
marzipan marzipã
mashed potatoes purê de batata
mayonnaise maionese
meat carne (qualquer tipo)
medium carne ao ponto
milk leite
mineral water água mineral
mint menta, hortelã
mixed salad salada mista
muffin bolinho feito à base de farinha, com vários sabores doces ou salgados
mullet tainha (peixe)
mushroom cogumelo
mussels mexilhões
mustard mostarda
noodles macarrão
nutmeg noz-moscada
oat meal alimento à base de aveia
octopus polvo
oil óleo
olive azeitona
olive oil azeite
omelet, omellete omelete
onion cebola
onion rings rodelas de cebola empanadas e fritas
orange laranja
oregano orégano
oyster ostra
pancake panqueca grossa geralmente doce, servida no café da manhã
parmesan cheese queijo parmesão
passion fruit maracujá
pasta massas
pastrami carne defumada e condimentada
pâté patê
peach pêssego
peanut amendoim
pear pera
pepper pimenta
pheasant faisão
pineapple abacaxi
pitta bread pão sírio
plums ameixas
poached eggs ovos escaldados
pop corn pipoca
pork porco
pork chop costeleta de porco
potato batata
potato chips batata chips
pretzel massa assada, em forma de laço, que pode ser doce ou salgada
prune ameixa seca
puddings tortas doces ou salgadas
pulses legumes
pumpkin abóbora
quail codorna
rabbit coelho
raisin uva-passa
rare carne malpassada
raspberry framboesa
red wine vinho tinto
ribs costelas de porco na brasa, em geral servidas com molho picante agridoce
rice arroz
roast-beef rosbife
roast meats assados (carnes assadas)
rosé wine vinho rosé

salad salada
salami salame
salmon salmão
salt sal
sandwich sanduíche
sauce molho
sausage linguiça
savoury flan torta salgada
scrambled eggs ovos mexidos
seafood frutos do mar
shrimp camarão
side dishes acompanhamentos
sirloin steak bife de filé mignon
skate arraia
skim milk leite desnatado
small beer cerveja pequena (250ml aproximadamente)
smoked fish peixe defumado
soda refrigerante
sole linguado
soufflé suflê
soup sopa
soy sauce molho de soja
spaghetti espaguete
sparkling mineral water água mineral com gás
sparkling wine vinho espumante
spice tempero, condimento
spinach espinafre
spreads patês
squid lula
starters entradas, antepastos
still mineral water água mineral sem gás
strawberry morango
strong espresso coffee café expresso forte (curto)
sugar açúcar
sweet pepper pimentão
sweets doces
swiss roll rocambole
swordfish peixe-espada
takeaway indicação de comida para viagem
tart torta
tartar sauce molho tártaro
T-bone steak bisteca de boi
tea chá
tea and milk chá com leite
tenderloin lombo
toast torrada
tomato tomate
tongue língua
tripe tripa, dobradinha
trout truta
truffles trufas
tuna, tuna fish atum
turkey peru
vanilla baunilha
veal vitela
vegetables verduras ou legumes
veggie indicação de comida vegetariana
vinegar vinagre
waffle massa doce assada, servida com sorvete, caldas diversas, frutas ou chantilly
walnut noz
water água
watermelon melancia
well done carne bem passada
white coffee café com leite
white sauce molho bechamel
white wine vinho branco
whole milk leite integral
whole wheat bread pão integral
wine vinho
yogurt iogurte
yolk gema do ovo
Yorkshire pudding bolinho de massa, em geral acompanha o rosbife ou outras carnes

ITALIANO

SUMÁRIO

INTRODUÇÃO

PRONÚNCIA

Ao ler a pronúncia imitada, acentue as partes sublinhadas. Pronuncie cada sílaba como se fosse de uma palavra em português e você será suficientemente bem compreendido. Lembre-se dos pontos abaixo, para melhorar sua pronúncia.

a	'a' sempre aberto, como em 'c**a**sa'
i/u	sempre fechados, como em 'v**i**la'
e/o	podem ter som aberto, como em '**e**la' ou 'h**o**ra', ou fechado, como em 'b**e**m' ou 's**o**m'
ce, ci	como 'tche' e 'tchi' em português
che, chi	como 'ke' e 'ki' em português
ge, gi	como 'dje' e 'dji' em português
ghe, ghi	como 'gue' e 'gui' em português
gli	'lh', como em 'co**lh**er'
gn	'nh,' como em 'compa**nh**eiro'
qu	o 'u' é pronunciado, como em '**qu**ase'
s	como 'ss' quando, no início da palavra, vier antes de vogal ou de consoante e quando for dupla
s	como 'z' em português quando estiver no meio de duas vogais
sce, sci	'ch', como em '**ch**ave'
sche, schi	como 'ske', 'ski' em português
sghe, sghi	como 'sgue', 'sgui' em português

GÊNEROS E ARTIGOS

Os substantivos têm dois gêneros em italiano. Neste livro, eles são precedidos de artigos definidos (**il/lo/l'** no masculino singular e **la/l'** no feminino singular; **i/gli/gl'** e **le** nos respectivos plurais) ou indefinidos (**un/uno, una/un'** no singular).

FRASES ÚTEIS

Sim/Não
Si/No
si/no

Ótimo!
Ottimo!
o-ti-mo

Está bem
Va bene
va be-ne

É verdade/Está certo
È vero
é ve-ro

Apresentações, Saudações

Prazer em conhecê-lo/conhecê-la
Piacere di conoscerla
pi-a-tche-re di ko no cher-la

Bom dia/Boa tarde/Boa noite
Buon giorno/Buona sera/Buona notte
buon djor-no/bu-o-na se-ra/bu-o-na no-te

Até logo/Adeus
Arrivederci
ar-ri-ve-der-tchi

Como vai?
Come sta?
ko-me stá

(informal)
Come stai?
ko-me stái

Meu nome é …
Mi chiamo …
mi ki-a-mo

Qual o seu nome?
Come si chiama?
ko-me si ki-a-ma

(informal)
Come ti chiami?
ko-me ti ki-a-mi

Este é .../Esta é ... *(apresentando um homem/uma mulher)*
Questo è .../Questa è ...
kues-to é/kues-ta é

Olá/Oi!
Ciao/Salve!
tchau/sal-ve

Obrigado, Por Favor, Desculpe

Obrigado (a)
Grazie
gra-tzi-e

Não, obrigado (a)
No, grazie
no, gra-tzi-e

Por favor *(oferecendo)*
Prego
pre-go

(pedindo algo)
Per favore/per piacere
per fa-vo-re/per pi-a- tche-re

Desculpe!
Scusi!
sku-zi

(informal)
Scusa!
sku-za

Onde, Como, Pedidos Simples

Com licença *(para que alguém dê passagem)*
Permesso
per-mes-so

Pode me dizer ...?
Potrebbe dirmi ...?
po-tre-be dir-mi

Posso ...?
Potrei avere ...?
potrei avere

Deseja um/uma ...?
Vorrebbe un/una ...?
vor-re-be un/u-na

Gostaria de ...?
Le piacerebbe ...?
le pi-a-tche-re-be

Há ... aqui?
C'è ...?
tché

O que é isso?
Che cos'è?
ke ko-zé

Quanto custa?
Quanto costa?
kuan-to ko-sta

Onde está o/a ...?
Dov'è il/la/lo ...?
do-ve il/la/lo

Há acesso para cadeira de rodas?
È possibile l'accesso con la sedia a rotelle?
é pos-si-bi-le la-kes-so kon la sé-di-a ro-té-le

É permitida a entrada de cão-guia?
È permesso portare i cani guida?
é per-mes-so por-ta-re i ka-ni gui-da

Sobre Você Mesmo

Sou de ...
Sono di ...
so-no di

Tenho ... anos
Ho ... anni
ó ... a-ni

Sou … *(profissão)*
Faccio il/la/lo …
fa-tcho il/la/lo

Sou casado (a)/solteiro (a)/divorciado (a) *(dito por um homem)*
Sono sposato/celibe/divorziato
so-no spo-dza-to/tche-li-be/di-vor-tzi-a-to

(dito por uma mulher)
Sono sposata/nubile/divorziata
so-no spo-dza-ta/nu-bi-le/di-vor-tzi-a-ta

Tenho … irmãs/irmãos/filhos/filhas
Ho … sorelle/fratelli/bambini/bambine
ó … so-re-le/fra-te-li/bam-bi-ni/bam-bi-ne

Ajuda, Problemas

Poderia me ajudar?
Potrebbe aiutarmi?
po-tre-be a-iu-tar-mi

Não compreendo
Non capisco
non ka-pis-ko

Alguém aqui fala português?
C'è qualcuno che parla portoghese?
tché kual-ku-no ke par-la por-to-gue-se

Não falo italiano
Non parlo italiano
non par-lo i-ta-li-a-no

Não sei
Non lo so
non lo so

Por favor, fale mais devagar
Per favore, parli più lentamente
per fa-vo-re par-li piu len-ta-men-te

Por favor, escreva isso para mim
Me lo scriva, per favore
me lo skri-va per fa-vo-re

Eu me perdi *(dito por um homem/uma mulher)*
Mi sono perso/persa
mi so-no per-so/per-sa

Vá embora!
Se ne vada!
se ne va-da

(informal)
Vattene!
va-te-ne

Preferências, Conversas Sociais

Gosto (de) ...
Mi piace ...
mi pi-a-tche

Não gosto (de) ...
Non mi piace ...
non mi pi-a-tche

Gosta de ...?
Le piace ...?
le pi-a-tche

É delicioso/horrível!
È buonissimo/terribile!
é buo-nis-si-mo/ter-ri-bi-le

Não bebo/fumo
Non bevo/fumo
non be-vo/fu-mo

Importa-se se eu fumar?
Le dispiace se fumo?
le dis-pi-a-tche se fu-mo

O que deseja (beber)?
Cosa desidera (bere)?
ko-za de-zi-de-ra bê-re

Gostaria de um/uma ...
Vorrei un/una/uno ...
vor-rei un/u-na/u-no

Não quero nada, obrigado (a)
Non voglio niente, grazie
non vo-lho ni-en-te gra-tzi-e

Saúde! *(brinde)*
Alla salute!/Cin cin!
a-la sa-lu-te/tchin tchin

Palavras e Frases que Você Vai Ouvir

a più tardi	até mais tarde
arrivederci	até logo
attenzione!	cuidado! atenção!
avanti!	entre!
bene	bem, bom
buon viaggio!	boa viagem!
cosa hai/ha detto?	o que disse?
ecco-ti qua!	aqui está!
mi dispiace tanto!	sinto muito!
mi scusi	desculpe-me
molte grazie	muito obrigado (a)
non capisco	não compreendo
prego	de nada, não por isso
prego?	por favor?
serviti/si serva/servitevi	sirva-se o (a) senhor (a) mesmo (a)
scusi?, come?	como?
va bene	está bem

DIAS, MESES, ESTAÇÕES

domingo	domenica	*do-me-ni-ka*
segunda-feira	lunedì	*lu-ne-di*
terça-feira	martedì	*mar-te-di*
quarta-feira	mercoledì	*mer-ko-le-di*
quinta-feira	giovedì	*djo-ve-di*
sexta-feira	venerdì	*ve-ner-di*
sábado	sabato	*sa-ba-to*
janeiro	gennaio	*dje-na-io*
fevereiro	febbraio	*fe-bra-io*
março	marzo	*mar-tzo*
abril	aprile	*a-pri-le*
maio	maggio	*ma-djo*
junho	giugno	*dju-nho*
julho	luglio	*lu-lho*
agosto	agosto	*a-gos-to*
setembro	settembre	*se-tem-bre*
outubro	ottobre	*o-to-bre*
novembro	novembre	*no-vem-bre*
dezembro	dicembre	*di-tchem-bre*
primavera	primavera	*pri-ma-ve-ra*
verão	estate	*es-ta-te*
outono	autunno	*au-tu-nno*
inverno	inverno	*in-ver-no*
Natal	Natale	*na-ta-le*
Noite de Natal	la Vigilia di Natale	*la vi-dji-lia di na-ta-le*
Sexta da Paixão	Venerdì Santo	*ve-ner-di san-to*
Páscoa	Pasqua	*pas-kua*
Ano-Novo	Capodanno	*ka-po-da-no*
Véspera de Ano-Novo	San Silvestro	*san sil-ves-tro*
Pentecostes	Pentecoste	*pen-te-kos-te*

NÚMEROS

0 zero *tze-ro*
1 uno *u-no*
2 due *du-e*
3 tre *tre*
4 quattro *kua-tro*
5 cinque *tchin-kue*
6 sei *sei*
7 sette *se-te*
8 otto *o-to*
9 nove *no-ve*
10 dieci *di-e-tchi*
11 undici *un-di-tchi*
12 dodici *do-di-tchi*
13 tredici *tre-di-tchi*
14 quattordici *kua-tor-di-tchi*
15 quindici *kuin-di-tchi*
16 sedici *se-di-tchi*
17 diciassette *di-tchas-se-te*
18 diciotto *di-tcho-to*
19 diciannove *di-tcha-no-ve*

20 venti *ven-ti*
21 ventuno *ven-tu-no*
22 ventidue *ven-ti-du-e*
30 trenta *tren-ta*
31 trentuno *tren-tu-no*
32 trentadue *tren-ta-du-e*
40 quaranta *kua-ran-ta*
50 cinquanta *tchin-kuan-ta*
60 sessanta *ses-san-ta*
70 settanta *se-tan-ta*
80 ottanta *o-tan-ta*
90 novanta *no-van-ta*
100 cento *tchen-to*
110 centodieci *tchen-to-di-e-tchi*
200 duecento *du-e-tchen-to*
1.000 mille *mi-le*
10.000 diecimila *di-e-tchi-mi-la*
20.000 ventimila *ven-ti-mi-la*
50.000 cinquantamila *tchin-kuan-ta-mi-la*
100.000 centomila *tchen-to-mi-la*
1.000.000 un milione *un mi-li-o-ne*

TEMPO

hoje	oggi	*o-dji*
ontem	ieri	*i-e-ri*
amanhã	domani	*do-ma-ni*
esta semana	questa settimana	*kues-ta se-ti-ma-na*
semana passada	la settimana scorsa	*se-ti-ma-na skor-sa*
semana que vem	la settimana prossima	*se-ti-ma-na pros-si-ma*
esta manhã	stamattina	*sta-ma-ti-na*
esta tarde	questo pomeriggio	*kues-to po-me-ri-djo*
esta noite	stasera	*sta-se-ra*
hoje à noite	stanotte	*sta-no-te*
há três dias	tre giorni fa	*tre djor-ni fa*
tarde	tardi	*tar-di*
cedo	presto	*pres-to*
logo	presto	*pres-to*
mais tarde	più tardi	*piu tar-di*
neste momento	in questo momento	*in kues-to mo-men-to*
um segundo	un secondo	*se-kon-do*
um minuto	un minuto	*mi-nu-to*
dois minutos	due minuti	*du-e mi-nu-ti*
um quarto de hora	un quarto d'ora	*kuar-to do-ra*
meia hora	mezz'ora	*me-dzo-ra*
45 minutos	tre quarti d'ora	*tre kuar-ti do-ra*
uma hora	un'ora	*o-ra*
um dia	un giorno	*djor-no*
uma semana	una settimana	*se-ti-ma-na*
15 dias, duas semanas	quindici giorni	*kuin-di-tchi djor-ni*
um mês	un mese	*me-ze*
um ano	un anno	*a-no*
aquele dia	quel giorno	*kuel djor-no*
todo dia	ogni giorno	*o-nhi djor-no*
no dia seguinte	il giorno dopo	*djor-no do-po*

Como Dizer as Horas

Em italiano, a hora é expressa somente pelo número ordinal: **sono le due ore** significa 'são duas horas', embora seja comum suprimir a palavra **ora** e dizer somente **sono le due**; 'às duas horas' é **alle due**. Para expressar minutos decorridos após a hora de referência, a construção é como a costumeira no Brasil, salvo pelo uso do artigo: por exemplo, **sono le sette e quaranta** ('são 7h40'). Para expressar minutos que faltam para a hora de referência, contudo, a construção usual é diferente: 'vinte para as oito' é **sono le otto meno venti**.

A palavra para 'quinze minutos' é **quarto**; assim, **le otto meno un quarto** (ou **le sette e tre quarti** 'sete e quarenta e cinco') indica 'quinze para as oito' e **le tre e un quarto** expressa '3h15'. A metade da hora é como no Brasil: acrescenta-se **e mezza** (e meia) depois da hora de referência. Assim, **le due e mezza** é '2h30'.

As expressões 'da manhã', 'da tarde' e 'da noite' têm perfeita equivalência no idioma italiano –**di mattina/del mattino, di/del pomeriggio, di sera, di notte**– são formas empregadas correntemente sempre que não se está utilizando o sistema de indicação baseado nas 24 horas.

que horas são?	che ore sono?	*ke o-re so-no?*
1h	l'una	*lu-na*
são 2h/3h	sono le due/tre	*so-no le du-e/tre*
1h10	l'una e dieci	*lu-na e di-e-tchi*
1h15	l'una e un quarto	*lu-na e un kuar-to*
1h30	l'una e mezza	*lu-na e me-dza*
1h40	le due meno venti	*le du-e* venti *me-no ven-ti*
1h45	le due meno un quarto	*le du-e me-no un kuar-to*
às 5h30	alle cinque e mezza	*a-le tchin-kue e me-dza*
às 7h	alle sette	*a-le se-te*
meio-dia	mezzogiorno	*me-dzo-djor-no*
meia-noite	è mezzanotte	*me-dza-no-te*

COMUNICAÇÃO

PALAVRAS E FRASES ÚTEIS

cabine telefônica	la cabina telefonica	*ka-bi-na te-le-fo-ni-ka*
cartão de telefone	la scheda telefonica	*ske-da te-le-fo-ni-ka*
celular	il telefonino	*te-le-fo-ni-no*
chamada a cobrar	la chiamata a carico del destinatario	*kia-ma-ta a ka-ri-ko del des-ti-na-ta-ri-o*
e-mail	la posta elettronica	*pos-ta e-le-tro-ni-ka*
emergência	l'emergenza	*e-mer-djen-tza*
fax	il fax	*'fax'*
internet	l'internet	*'internet'*
número	il numero	*nu-me-ro*
número errado	il numero sbagliato	*nu-me-ro zba-lha-to*
prefixo	il prefisso	*pre-fis-so*
ramal	l'interno	*in-ter-no*
sinal de discagem	il segnale di libero	*se-nha-le di li-be-ro*
telefone	il telefono	*te-le-fo-no*
telefone público	il telefono a gettoni	*te-le-fo-no a dje-to-ni*
telefonista	l'operatore	*o-pe-ra-to-re*
Web site	il sito internet	*si-to 'internet'*

Onde fica a cabine telefônica mais próxima?
Dov'è la cabina telefonica più vicina?
do-ve la ka-bi-na te-le-fo-ni-ka piu vi-tchi-na

Quero o número de um assinante de ...
Ho bisogno del numero di un abbonato di ...
ó bi-zo-nho del nu-me-ro di un a-bo-na-to di

Eu gostaria de falar com ...
Vorrei parlare con ...
vor-rei par-la-re kon

Meu número é ...
Il mio numero è ...
il mi-o nu-me-ro é

Posso deixar um recado para ele/ela?
Potrebbe lasciargli/lasciarle un messaggio?
po-tre-be la-chiar-lhi/la-chiar-le un mes-sa-djo

Voltarei a ligar mais tarde
Ritelefonerò più tardi
ri-te-le-fo-ne-ro piu tar-di

Qual o número do seu fax/seu e-mail?
Qual'è il suo numero di fax/posta elettronica?
kual é il su-o nu-me-ro di fax/pos-ta e-le-tro-ni-ka

Posso enviar um e-mail/um fax daqui?
Posso inviare della posta elettronica/un fax da qui?
pos-so in-vi-a-re de-la pos-ta e-le-tro-ni-ka/un fax da kui

Frases que Você Vai Ouvir

Pronto
Alô

Sono io/pronto
Sou eu

Con chi vuole parlare?
Com quem deseja falar?

Ha sbagliato numero
O (A) senhor (a) errou o número

Chi parla?
Quem fala?

Attenda in linea, prego
Espere um momento, por favor

Mi dispiace, non c'è
Sinto muito, ele (a) não está

Gli dirò che ha chiamato
Direi a ele (a) que o (a) senhor (a) ligou

EMERGÊNCIAS

Palavras e Frases Úteis

acidente	l'incidente	*in-tchi-den-te*
ambulância	l'ambulanza	*am-bu-lan-tza*
avaria, defeito	il guasto	*guas-to*
batida	l'incidente	*in-tchi-den-te*
corpo de bombeiros	i vigili del fuoco	*vi-dji-li del fu-o-ko*
delegacia de polícia	il commissariato di polizia	*ko-mis-sa-ri-a-to di po-li-tzi-a*
emergência	l'emergenza	*e-mer-djen-tza*
fogo	il fuoco	*fu-o-ko*
polícia	la polizia	*po-li-tzi-a*
roubo	il furto	*fur-to*

Socorro!
Aiuto!
ai-u-to

Pare!
Si fermi!
si fer-mi

Chame uma ambulância!
Chiami un'ambulanza!
ki-a-mi un am-bu-lan-tza

Depressa!
Presto!
pres-to

Meu endereço é ...
Il mio indirizzo è ...
il mi-o in-di-ri-tzo é

Roubaram meu passaporte/meu carro
Mi hanno rubato il passaporto/la macchina
mi a-no ru-ba-to il pas-sa-por-to/la ma-ki-na

HOTÉIS

Palavras e Frases Úteis

apartamento	la camera, la stanza	*ka-me-ra, stan-tza*
banheiro	il bagno	*ba-nho*
bed and breakfast	camera con colazione	*ka-me-ra kon ko-la-tzio-ne*
café da manhã	la prima colazione	*pri-ma ko-la-tzio-ne*
cama	il letto	*le-to*
cama de casal	il letto matrimoniale	*le-to ma-tri-mo-ni-a-le*
cama de solteiro	il letto singolo	*le-to sin-go-lo*
camareira	la cameriera	*ka-me-ri-e-ra*
chave	la chiave	*kia-ve*
chuveiro	la doccia	*do-tchia*
conta	il conto	*kon-to*
elevador	l'ascensore	*a-chen-so-re*
estacionamento	il parcheggio	*par-ke-djo*
fatura	la ricevuta	*ri-tche-vu-ta*
gerente	il direttore	*di-re-to-re*
hotel	l'albergo, l'hotel	*al-ber-go, o-tel*
jantar	la cena	*tche-na*
meia pensão	la mezza pensione	*me-dza pen-sio-ne*
pensão	la pensione, la locanda	*pen-zio-ne lo-kan-da*
pensão completa	la pensione completa	*pen-sio-ne kom-ple-ta*
pensão familiar	la pensione familiare	*pen-zio-ne fa-mi-li-a-re*
quarto	la camera da letto	*ka-me-ra da le-to*
quarto duplo	la stanza doppia	*stan-tza do-pi-a*
quarto simples	la stanza singola	*stan-tza sin-go-la*
recepção	la reception	*'reception'*
recepcionista	il/la receptionist	*'receptionist'*
sacada	il balcone	*bal-ko-ne*
sala de jantar	la sala da pranzo	*sa-la da pran-tzo*
sanitário	la toilette	*tu-a-let*
serviço de quarto	il servizio in camera	*ser-vi-tzio in ka-me-ra*

Vocês têm vagas?
Avete una stanza libera?
a-ve-te u-na stan-tza li-be-ra

Fiz uma reserva
Ho prenotato una stanza
ó pre-no-ta-to u-na stan-tza

Eu gostaria de um quarto para uma pessoa
Vorrei una stanza singola
vor-rei u-na stan-tza sin-go-la

Eu gostaria de um quarto com banheiro/sacada
Vorrei una stanza con bagno/con il balcone
vor-rei u-na stan-tza kon ba-nho/kon il bal-ko-ne

Os quartos possuem TV via satélite/TV a cabo?
C'è la TV satellite/cavo in queste stanze?
tche la ti-vi sa-te-li-te/ka-vo in kues-te stan-tze

Eu gostaria de um quarto para uma/três noites
Vorrei una stanza per una notte/tre notti
vor-rei u-na stan-tza per u-na no-te/tre no-ti

Qual o preço por noite?
Quanto si paga per notte?
kuan-to si pa-ga per no-te

A que horas é o café da manhã/jantar?
A che ora viene servita la colazione/la cena?
a ke o-ra vie-ne ser-vi-ta la ko-la-tzio-ne/la tche-na

Por favor, acorde-me às ...
Mi svegli, per favore, alle ...
mi zve-lhi per fa-vo-re a-le

Podem servir o café da manhã em meu quarto?
Potrei avere la colazione in camera?
po-trei a-ve-re la ko-la-tzio-ne in ka-me-ra

O número do meu quarto é ...
Il mio numero della stanza è ...
il mi-o nu-me-ro de-la stan-tza é

Não há papel higiênico no banheiro
Non c'è carta igienica in bagno
non tche kar-ta i-dji-e-ni-ka in ba-nho

A janela não abre
La finestra non si apre
la fi-nes-tra non si a-pre

Não há água quente
Non c'è acqua calda
non tche a-kua kal-da

Vou embora amanhã
Parto domani
par-to do-ma-ni

A que horas devo desocupar o quarto?
Entro che ora devo liberare la camera?
en-tro ke o-ra de-vo li-be-ra-re la ka-me-ra

Minha conta, por favor?
Mi da il conto, per favore?
mi da il kon-to per fa-vo-re

Vou pagar com cartão de crédito
Pago con la carta di credito
pa-go kon la kar-ta di kre-di-to

Vou pagar em dinheiro
Pago in contanti
pa-go in kon-tan-ti

Pode chamar um táxi, por favor?
Potrebbe chiamarmi un taxi, per favore?
po-tre-be kia-mar-mi un 'taxi' per fa-vo-re

Expressões que Você Vai Encontrar

ascensore	elevador
bagno	banheiro
cena	jantar
colazione	café da manhã
completo	não há vagas, lotado
conto	conta
entrata	entrada
parcheggio	estacionamento
pranzo	almoço
prenotazione	reserva
scale	escadas
spingere	empurrar
tirare	puxar
uscita d'emergenza	saída de emergência

Frases que Você Vai Ouvir

Mi spiace, siamo al completo
Sinto muito, está lotado

Non ci sono più camere singole/doppie
Não temos mais quartos para uma pessoa/duplos

Per quante notti?
Para quantas noites?

Come vuole pagare?
Como deseja pagar?

Pagamento anticipato, per favore
Por favor, pague adiantado

Dovete liberare la stanza entro mezzogiorno
O senhor deve liberar o quarto antes do meio-dia

COMPRAS

Por favor, onde fica/ficam ...?
Mi scusi, dov'è/dove sono ...?
mi sku-zi do-ve/do-ve so-no

Vocês têm ...?
Avete ...?
a-ve-te

Quanto é isto?
Quanto costa questo?
kuan-to kos-ta kues-to

Onde se paga?
Dove si paga?
do-ve si pa-ga

Vocês aceitam cartão de crédito?
Accettate carte di credito?
a-tche-ta-te kar-te di kre-di-to

Pode me dar um recibo/uma sacola, por favor?
Potrebbe darmi lo scontrino/un sacchetto?
po-tre-be dar-mi lo skon-tri-no/un sa-ke-to

Não há algo mais barato?
Non ha niente di più economico?
non a ni-en-te di piu e-ko-no-mi-ko

Pode me devolver o dinheiro?
Posso riavere indietro i soldi?
pos-so ri-a-ve-re in-di-e-tro i sol-di

Está bem. Vou levar!
Va bene. Lo prendo!
va be-ne. lo pren-do

Não é o que eu queria
Non è quello che volevo
non é kue-lo ke vo-le-vo

REFEIÇÕES

Há diversos tipos de local onde você pode fazer refeições. Abertos o dia inteiro, desde de manhã cedo até as 22h, os bares são ideais para lanches rápidos. Estão autorizados a vender bebidas alcoólicas e geralmente oferecem boa variedade de sanduíches, salgadinhos, tortas e bebidas quentes e frias. Na maioria deles você deve primeiro ir ao caixa, fazer o pedido, pagar e pegar o tíquete (**scontrino**), que você entrega ao garçom e repete o pedido. Observe que a maior parte dos italianos fica de pé nos bares –sentar custa mais caro. O aviso **tavola calda** indica que também são servidos pratos quentes.

Para refeições completas, há **osteria**, **pizzeria**, **trattoria**, **taverna** e **ristorante**. Sempre que puder, escolha o **menu turistico** (cardápio turístico) ou o **menu fisso** (cardápio do dia). Embora a variedade seja mais restrita, a comida tem o mesmo padrão de qualidade, e você poderá economizar uma boa quantia de dinheiro, sem levar nenhum susto com alguma taxa de serviço no final da refeição. Peça sempre as especialidades da culinária local e o vinho da região, que em geral são excelentes; no local de origem, o vinho é bem mais barato e de qualidade superior.

Na Itália, há os seguintes tipos de café: **espresso** (café preto forte); **caffè macchiato** (expresso com um pouco de leite); **cappuccino** (espumante, café com leite e chocolate em pó); **caffelatte** (café com leite). Mas há também o **caffè corretto** (expresso com licor); **caffè decaffeinato** (café descafeinado); **caffè lungo** (expresso fraco); **caffè ristretto** (expresso forte). Se você pedir **Un caffè, per favore**, irão lhe trazer um expresso

PALAVRAS E FRASES ÚTEIS

açúcar	lo zucchero	*dzu-ke-ro*
água	l'acqua	*a-kua*
bar	il bar	*bar*
café	il caffè	*ka-fe*
cardápio	il menù	*me-nu*
carta de vinhos	la lista dei vini	*lis-ta dei vi-ni*

cerveja	la birra	*bir-ra*
chá	il tè	*te*
colher	il cucchiaio	*ku-ki-a-io*
colher de chá	il cucchiaino	*ku-ki-a-i-no*
conta	il conto	*kon-to*
copo	il bicchiere	*bi-ki-e-re*
entrada, antepasto	l'antipasto	*an-ti-pas-to*
faca	il coltello	*kol-te-lo*
garçom	il cameriere	*ka-me-ri-e-re*
garçonete	la cameriera	*ka-me-ri-e-ra*
garfo	la forchetta	*for-ke-ta*
garrafa	la bottiglia	*bo-ti-lha*
gorjeta	la mancia	*man-tchia*
guardanapo	il tovagliolo	*to-va-lhi-o-lo*
leite	il latte	*la-te*
litro	un litro	*li-tro*
manteiga	il burro	*bur-ro*
meio litro	da mezzo litro	*da me-tzo li-tro*
mesa	il tavolo	*ta-vo-lo*
pão	il pane	*pa-ne*
pimenta	il pepe	*pe-pe*
porção especial para crianças	una porzione per bambini	*por-tzi-o-ne per bam-bi-ni*
prato	il piatto	*pi-a-to*
prato principal	il piatto principale	*pi-a-to prin-ci-pa-le*
recibo	la ricevuta	*ri-tche-vu-ta*
refeição ligeira, lanche	lo spuntino	*spun-ti-no*
restaurante	il ristorante	*ris-to-ran-te*
sal	il sale	*sa-le*
sanduíche	il panino	*pa-ni-no*
sobremesa	il dessert	*des-ser*
sopa	la minestra	*mi-nes-tra*
torta	la torta	*tor-ta*
vinho	il vino	*vi-no*
xícara	la tazza	*ta-tza*

Uma mesa para uma/duas/três pessoa (s), por favor
Un tavolo per una persona/per due/per tre persone, per favore
un ta-vo-lo per u-na per-so-na/per du-e/per tre per-so-ne per fa-vo-re

Vocês têm cadeirão?
Si può avere un seggiolone?
si puo a-ve-re un se-djio-lo-ne

Posso ver o cardápio/a carta de vinhos?
Potrei vedere il menu/la lista dei vini?
po-trei ve-de-re il me-nu/la lis-ta dei vi-ni

O que o senhor sugere?
Cosa ci consiglia?
ko-za tchi kon-si-lha

Eu gostaria de ...
Vorrei ...
vor-rei

Só um expresso/cappuccino/café com leite, por favor
Solo un caffè/un cappuccino/un caffelatte, per favore
so-lo un ka-fe/un ka-pu-tchi-no/un ka-fe-la-te per fa-vo-re

Só quero uma refeição ligeira
Vorrei solo uno spuntino
vor-rei so-lo u-no spun-ti-no

Há um cardápio do dia?
C'è un menu fisso?
tche un me-nu fis-so

Um litro de vinho tinto da casa, por favor
Un litro di vino rosso della casa, per favore
un li-tro di vi-no ros-so de-la ka-za per fa-vo-re

O senhor tem algum prato vegetariano?
Avete piatti vegetariani?
a-ve-te pi-a-ti ve-dje-ta-ri-a-ni

Sou alérgico a nozes/frutos do mar
Sono allergico a alle noci/ai frutti di mare
sono a-ler-gi-ko a a-le no-tchi/ai fru-ti di ma-re

Poderia nos trazer água, por favor?
Potremmo avere un po' d'acqua?
po-tre-mo a-ve-re un po da-kua

Há um cardápio para crianças?
C'è un menù per bambini?
tche un me-nu per bam-bi-ni

É possível esquentar este pote/a comida do bebê para mim?
Mi può riscaldare il biberon/il pasto del bambino?
mi puo ris-kal-da-re il bi-be-ron/il paz-to del bam-bi-no

Garçom/garçonete!
Cameriere/cameriera!
ka-me-ri-e-re/ka-me-ri-e-ra

Não pedimos isto!
Non lo abbiamo ordinato!
non lo a-bi-a-mo or-di-na-to

Poderia nos trazer mais ...
Potremmo avere ancora un po' di ...?
po-tre-mo a-ve-re an-ko-ra un po di

Pode trazer outra faca/colher?
Potrei avere un altro coltello/cucchiaio?
po-trei a-ve-re un al-tro kol-te-lo/ku-ki-a-io

Pode nos trazer a conta, por favor?
Può portarci il conto, per favore?
puo por-tar-tchi il kon-to per fa-vo-re

Poderia me dar um recibo, por favor?
Potrei avere la ricevuta/lo scontrino, per favore?
po-trei a-ve-re la ri-tche-vu-ta/lo skon-tri-no per fa-vo-re

MANUAL DO MENU

acqua água
acqua minerale gassata água mineral com gás
acqua minerale non gassata água mineral sem gás
aglio alho
agnello carneiro
albicocche damasco
anatra pato
anguria melancia
antipasti entradas, antepastos
antipasti misti antepastos mistos
aragosta lagosta
arancia laranja
aranciata laranjada
aringa arenque
arrosto di ... assado ...
baccalà bacalhau salgado
bavarese bolo de sorvete com creme
besciamella molho bechamel
bistecca (di manzo) bisteca (de boi)
braciola di maiale costeleta de porco
branzino al forno perca-do-mar (peixe) cozida no forno
brasato carne de boi cozida com ervas
bresaola carne de novilho salgada e seca, fatiada e comida fria com azeite e limão
brodo caldo, sopa
brodo di pollo caldo de galinha
brodo vegetale sopa de legumes
budino pudim
burro manteiga
caffè café
caffè corretto café expresso com licor
caffè lungo café expresso fraco (diluído)
caffè macchiato café expresso com um pouco de leite
caffè ristretto café expresso forte (curto)
caffelatte café com leite, em partes iguais
calamaro lula
calzone pizza dobrada recheada com tomate e mussarela ou ricota
cannella canela
capretto al forno cabrito ao forno
carciofi alcachofras
carne carne
carote cenouras
cassata siciliana bolo de sorvete siciliano coberto com frutas, chocolate e ricota
castagne castanhas
cavoletti di Bruxelles couve-de-bruxelas
cavolfiore couve-flor
cavolo couve
cefalo tainha (peixe)
cicoria chicória
ciliege cerejas
cioccolata chocolate
cipolle cebolas
coniglio coelho
contorni acompanhamentos (verduras ou legumes)
cotechino salpicão cozido
cotoletta costeleta de vitela, porco ou cordeiro
cozze mariscos
crema musse (sobremesa feita com ovos e leite)
crema di funghi sopa creme de cogumelos
crema di piselli sopa creme de ervilhas
crespelle tipo de panqueca salgada, com molho branco e outros recheios
dolci doces, sobremesas, bolos
fagiano faisão
fagioli feijões
fagiolini vagem, feijão verde
fegato fígado
fettuccine massa em forma de fita
fichi figos

filetti di pesce persico filés de perca (peixe)
filetti di sogliola filés de linguado (peixe)
filetto (di manzo) lombo (de boi)
finocchio erva-doce
formaggi misti variedades de queijo
fragole morangos
frappé bebida à base de leite e frutas com gelo picado
frittata omelete
fritto misto fritura de frutos do mar
frittura di pesce fritura de peixes diversos
frutta fruta
frutti di mare frutos do mar
funghi cogumelos
gamberetti camarões
gamberi pitus
gamberoni lagostim
gelatina gelatina (espécie de 'esfriamento' para manter carnes)
gelato sorvete
gnocchi nhoque (massa feita à base de batata, cortada em pedaços pequenos)
granchio caranguejo
granita sorbet (bebida com gelo picado)
grigliata di pesce peixe grelhado
grigliata mista grelhado misto (carne ou peixe)
grissini bastões de pão crocante
indivia endívia, escarola
insalata salada
insalata di mare salada de frutos do mar
insalata di pomodori salada de tomate
insalata mista salada mista
insalata verde salada verde
lamponi framboesas
latte leite
lattuga alface
legumi legumes
lenticchie lentilhas
limone limão
macedonia di frutta salada de frutas
maiale porco
maionese maionese
mandorla amêndoa
manzo carne de boi
marroni castanhas
medaglioni di vitello medalhões de vitela
mela maçã
melanzane berinjelas
melone melão
menta menta, hortelã
menu turistico menu turístico
meringata torta de merengue
merluzzo bacalhau
millefoglie massa folhada
minestra in brodo sopa de legumes
more amoras ou amoras-pretas
nasello badejo (peixe)
nocciole avelãs
noci nozes
nodino costeleta de vitela
olio azeite, óleo
origano orégano
ossobuco carne de vitela cozida
ostriche ostras
pane pão
panino sanduíche
panna creme de leite, nata, chantilly
parmigiano queijo parmesão
pasta e piselli massa com ervilhas
pasticcio di maccheroni macarrões cozidos
pastina in brodo sopa com massa pequena
patate batatas
patate fritte batatas fritas
pecorino queijo forte, de leite de ovelha
pepe pimenta
peperoni pimentão
pera pera
pesca pêssego
pesce peixe

pesce in carpione peixe marinado
piselli ervilhas
pollo frango
pollo al forno/arrosto frango assado
polpette almôndegas
polpettone rolo de carne
pomodori tomates
pomodori ripieni tomates recheados
pompelmo toronja (grapefruit)
porri alho-poró
primi piatti primeiro prato
prosciutto cotto presunto cozido
prosciutto e fichi presunto defumado com figos
prugne ameixas
purè di patate purê de batata
quaglie codorna
radicchio chicória
rapanelli rabanetes
risi e bisi risoto com ervilhas e pequenos pedaços de presunto
riso arroz
risotto ai funghi risoto com cogumelos
risotto alla castellana risoto com cogumelos, presunto, creme e molho de queijo
risotto alla milanese risoto com açafrão
salame salame
sale sal
salmone affumicato salmão defumado
salsa di pomodoro molho de tomate
salsa tartara molho tártaro
salsiccia salame
saltimbocca alla romana fatias de vitela enroladas com presunto, sálvia e fritas
salvia sálvia
sarde ai ferri sardinhas grelhadas
scaloppine escalopes de vitela
scamorza alla griglia queijo suave grelhado
scampi alla griglia lagostins grelhados
secondi piatti segundo prato
sedano aipo de Verona
senape mostarda
sogliola linguado (peixe)
sorbetto sorbet, espécie de sorvete, à base de xaropes ou sucos de frutas
spaghetti aglio, olio e peperoncino espaguete com alho, azeite e pimenta picante moída
spaghetti al pesto espaguete com molho de manjericão, alho, azeite, parmesão e 'pinoli'
spaghetti al pomodoro espaguete com molho de tomate
spaghetti al ragù espaguete com carne e molho de tomate
spaghetti alla carbonara espaguete com ovos, bacon picado e molho de queijo
spaghetti alla puttanesca espaguete com anchovas, alcaparras e azeitonas pretas em molho de tomate
spaghetti alle vongole espaguete com mariscos
spaghetti all'amatriciana espaguete com carne de porco moída e molho de tomate típico de Roma
spezzatino di vitello cozido de vitela
spinaci espinafres
stracciatella sopa de ovos batidos com queijo parmesão e semolina
strudel di mele torta de maçã de massa folhada
succo suco
tacchino ripieno peru recheado
tagliata filé de carne finamente fatiado cozido no forno
tagliolini macarrões pequenos para sopa
tartine canapês
tartufo bola de sorvete coberta com chocolate ou cacau
tè chá

tè con latte chá com leite
tè con limone chá com limão
tiramisù sobremesa feita com massa à base de café, ovos, cacau e mascarpone
tonno atum
torta torta
torta salata torta salgada
torta al cioccolato torta de chocolate
torta al formaggio torta de queijo
torta di mele torta de maçã
torta di noci torta de nozes
torta di ricotta torta de ricota
torta di zucchine torta de abobrinha
torta gelato bolo de sorvete
tortellini massa pequena recheada com carne moída de porco, presunto, parmesão e noz-moscada
tortellini alla panna tortellini com creme
tortellini al pomodoro tortellini com molho de tomate
tortellini al ragù tortellini com molho de tomate e carne
tortellini in brodo sopa de tortellini
tortelloni di magro/di ricotta massa recheada com queijo/ricota, salsa, legumes picados
trenette col pesto tipo de espaguete chato com manjericão e alho picados, azeite e molho de queijo
triglie tainha (peixe)
trippa tripa, dobradinha
trota truta
trota affumicata truta defumada
trota al burro truta na manteiga
trota alle mandorle truta com amêndoas
trota bollita truta cozida
uova ovos
uova al tegamino con pancetta ovos fritos com bacon
uova alla coque ovos mexidos
uova farcite ovos com recheio de atum, alcaparras e maionese
uova sode ovos duros
uva uva
uva bianca uva branca
uva nera uva preta
vellutata di asparagi creme de aspargos com gema de ovo
vellutata di piselli creme de ervilhas com gema de ovo
verdura legumes, hortaliças
vermicelli massa comprida para sopa, mais fina que o espaguete
vino vinho
vino bianco vinho branco
vino da dessert vinho para sobremesa
vino da pasto vinho para refeições
vino da tavola vinho de mesa
vino rosso vinho tinto
vitello vitela
vitello tonnato vitela fatiada em molho de atum, anchovas, azeite e limão
vongole mariscos
würstel salsicha tipo Frankfurt
zabaione sobremesa cremosa feita de ovos batidos, açúcar e Marsala
zafferano açafrão
zucca abóbora
zucchine abobrinhas
zucchine al pomodoro abobrinhas em molho de tomate, alho e salsa
zucchine ripiene abobrinhas recheadas
zuccotto torta de sorvete com chantilly e chocolate
zuppa sopa
zuppa di cipolle sopa de cebolas
zuppa di cozze sopa de mexilhões
zuppa di lenticchie sopa de lentilhas
zuppa di pesce sopa de peixe
zuppa di verdura sopa de legumes

NORUEGUÊS

SUMÁRIO

INTRODUÇÃO

PRONÚNCIA

No guia de pronúncia, o trecho sublinhado corresponde à sílaba tônica. Pronuncie cada sílaba como se fosse parte de uma palavra conhecida do português para garantir que seja compreendido. Siga as indicações abaixo para obter uma pronúncia próxima à do norueguês padrão.

ï pronuncie o 'i' com os lábios arredondados

ë pronuncie o 'e' com os lábios arredondados

ü pronuncie o 'u' empurrando a língua um pouco para a frente (como o 'u' do francês)

Em norueguês, como em várias outras línguas germânicas, as vogais podem ser longas ou curtas: **vinn** (*vinn*) significa ganhar, vencer, e **vin** (*viin*) significa vinho. No guia de pronúncia, as vogais longas aparecem duplicadas: *ii*, *ee*, *aa* etc.

Outras convenções:

x som de 'ch' e de 'x', como em '**ch**uva' e '**x**ícara'

j som de 'g' e de 'j', como em '**g**elo' e '**j**anela'

r sempre como o som de 'r' em 'pa**r**a' ou 'p**r**ato', nunca com som de 'rr' como em '**r**ua', mesmo em início de palavra

g som de 'g', como em '**g**osto'.

ng som nasal velar, como o '-ng' do inglês

As consoantes nasais após a vogal são sempre pronunciadas como tais e não como vogais anasaladas. Diga sempre **kom** (venha) como *kómm*, isto é, com o 'm' bem articulado, nunca *kõ*. Em norueguês não existe o som de 'z'. Assim, **snakke** (falar) deve ser pronunciado como *snakke*, nunca *znakke*.

Ordem Alfabética do Norueguês

Em algumas seções e no *Manual do Menu* adotou-se a ordem alfabética norueguesa. Após a letra 'z', seguem-se as seguintes letras suplementares: **æ**, **ø**, **å**.

Formas de Tratamento

No tratamento direto, utilizam-se os pronomes **du** (singular) e **dere** (plural), equivalentes a você (s) e a o (s) senhor (a). O pronome de tratamento formal, **De**, está caindo em desuso.

Gênero, Número e Artigos

O norueguês tem três gêneros –masculino, feminino e neutro. Visto que a maioria das palavras femininas têm seu correspondente masculino, utilizamos aqui normalmente o masculino e o neutro, indicando apenas os femininos essenciais.

O artigo definido aparece em norueguês como um sufixo e indica também o gênero e o número do substantivo: **-en** (masculino singular), **-et** (neutro singular). Em alguns casos, o sufixo **-a** indica o feminino. Assim, quando o vocabulário indica a forma **gutt(en)** ou **hus(et)**, significa que gutten é 'o menino' e **huset**, 'a casa'. Observe que a consoante **-t** do artigo definido neutro é sempre muda: **huset** (*hüüse*). O artigo indefinido é igual ao definido, mas colocado antes do substantivo, como palavra separada: **en** ou **et**. Assim, por exemplo, 'um menino' é **en gutt** e 'uma casa' é **et hus**.

Verbos

Os verbos vêm indicados no infinitivo: 'falar' (**å**) **snakke**. A partícula 'å' tem a mesma função da partícula de infinitivo 'to' em inglês. Para formar o presente, basta adicionar **-r** ao infinitivo: **jeg snakker**, 'eu falo', **du snakker**, 'você fala', e assim por diante.

FRASES ÚTEIS

Sim/Não
Ja/nei
iaa/néi

Obrigado (a)
Takk
takk

Não, obrigado (a)
Nei takk
néi takk

Por favor *(oferecendo algo)*
Vær så god
vé xo gu

Não compreendo
Jeg forstår ikke
iéi foxtoo ikke

Você fala inglês/francês/alemão?
Snakker du engelsk/fransk/tysk?
snakker düü engelsk/fransk/spansk

Não falo norueguês
Jeg snakker ikke norsk
iéi snakker ikke norsk

Não sei
Jeg vet ikke
iéi veet ikke

Por favor, fale mais devagar
Kan du snakke langsommere
kan düü snakke langsómmere

Por favor, escreva isso para mim
Kan du skrive det opp for meg?
kan düü skriive de óp fór méi

Meu nome é …
Jeg heter …
iéi heeter

Prazer em conhecê-lo (a)
God dag, hyggelig å hilse på deg
guu daag, hïggeli oo hilse poo déi

Bom dia/Boa tarde/Boa noite
God mor'n/god dag/god kveld
guu moorn,/guu daag/guu kvell

Boa noite *(na despedida)*
God natt
guu nat

Até logo/Tchau
Morn'a/ha det
moona/haa-de

Com licença *(para que alguém dê passagem)*
Unnskyld
ünnxïll

Desculpe!
Om forlatelse!
óm forlaadelse

Sinto muito!
Jeg er virkelig lei meg!
iéi ér virkeli léi méi

Pode me ajudar?
Kan du hjelpe meg?
kann düü ielpe méi

Pode me dizer ...?
Kan du si meg ...?
kann düü sii méi

Pode me dar ...?
Kan jeg få ...?
kann iéi foo

Gostaria de ter/obter ...
Jeg vil gjerne ha en/et ...
iéi vil iérne haa

Gostaria de ...
Jeg vil gjerne ...
iéi vil iérne

Você gostaria de ...?
Vil du ha en/et ...?
vill düü haa

Há ... aqui?
Er det ... her?
eér de ... hér

Onde posso conseguir ...?
Hvor kan jeg få ...?
vuur kann iéi fóó

Quanto custa?
Hvor mye koster det?
vuur mïe koster de

Que horas são?
Hvor mange er klokken?
vuur mange ér klókken

Preciso ir agora
Jeg må gå nå
iéi móó góó nóó

Estou perdido (a pé)
Jeg har gått meg bort
iéi haar gót méi burt

Saúde! *(brinde)*
Skål!
skóól

Vocês aceitam cartão de crédito?
Tar du kredittkort?
taar deere kredittkórt

Onde fica a Embaixada do Brasil?
Hvor er den brasilianske ambassade?
vuur ér den brasilianske ambassaade

Por favor, onde ficam os sanitários?
Hvor er toalettet?
vuur ér tualette

Ótimo!
Fint!
fiint

Perdi meu passaporte/dinheiro/chave do apartamento/ traveller's cheques, cartões de crédito
Jeg har mistet mitt pass/mine penger/nøkkelen til rommet mitt/mine reisesjekker/mine kredittkort
iéi haar mistet mitt pass/miine penger/nökkelen til rummet mitt/miine réissexekker/miine kredittkórt

Palavras e Frases que Você Vai Ouvir

bare hyggelig!	de nada!
bra	bom
det er riktig	está certo
fint	bem
god tur	boa viagem!
hils ...!	dê lembranças a ...
hva?	o quê?
hva sa du?	desculpe, o que disse?
hvordan går det?	como vai?
hvordan har du det?	como vai?
ja	sim
jasă?	não diga?
jeg forstår ikke	não entendi
jeg vet ikke	não sei
kom inn	entre
morn'a	tchau
nei	não
om forlatelse!	sinto muito!
pass deg!	cuidado!
takk	obrigado
tusen takk	muito obrigado (a)
unnskyld	com licença
velkommen	bem-vindo
vi ses	vejo vocês mais tarde
vær så god	fique à vontade, sirva-se

DIAS, MESES, ESTAÇÕES

domingo	søndag	*söondaag*
segunda-feira	mandag	*mandaag*
terça-feira	tirsdag	*tiixdaag*
quarta-feira	onsdag	*uunsdaag*
quinta-feira	torsdag	*tooxdaag*
sexta-feira	fredag	*freedaag*
sábado	lørdag	*löördaag*
janeiro	januar	*ianüaar*
fevereiro	februar	*februaar*
março	mars	*max*
abril	april	*apriil*
maio	mai	*mai*
junho	juni	*jüüni*
julho	juli	*jüüli*
agosto	august	*éugüst*
setembro	september	*september*
outubro	oktober	*óktoober*
novembro	november	*november*
dezembro	desember	*dessember*
primavera	vår	*voor*
verão	sommer	*sómmer*
outono	høst	*höst*
inverno	vinter	*vinter*
Natal	Jul	*iüül*
Noite de Natal	Julaften	*iüülaften*
Ano-Novo	Nyttår	*nïtoor*
Véspera de Ano-Novo	Nyttårsaften	*nïtooxaften*
Páscoa	Påske	*pooske*
Sexta da Paixão	Langfredag	*langfreedag*
Pentecostes	Pinse	*pinse*
Solstício de verão	Sankthans	*sankthans*

NÚMEROS

Os números são utilizados de duas formas em norueguês. A forma moderna coloca a dezena antes da unidade, como em português. Assim, **tjueen** é 'vinte e um'. Na forma mais tradicional a unidade vem antes da dezena, como em alemão, por exemplo **enogtyve**, ao pé da letra 'um e vinte'. O sistema antigo ainda é muito utilizado.

0 null *nüll*
1 en (ett*)
2 to *tuu*
3 tre *tree*
4 fire *fiire*
5 fem *fém*
6 seks *séks*
7 sju/syv *xüü/siiv*
8 åtte *ótte*
9 ni *nii*

10 ti *tii*
11 elleve *élve*
12 tolv *tóll*
13 tretten *trétten*
14 fjorten *fiurten*
15 femten *fémten*
16 seksten *séisten*
17 sytten *sötten*
18 atten *atten*
19 nitten *nitten*

20 tjue/tyve *tiüüe/tiive*
21 tjueen/enogtyve *tiüüeen/eenótiive*
22 tjueto/toogtyve *tiüütuu/tuuótiive*
30 tretti/tredve *tretti/trédve*
40 førti/førr *föörti/förr*
50 femti *femti*
60 seksti *seksti*
70 sytti *sötti*
80 åtti *ótti*
90 nitti *nitti*
100 (ett) hundre *hündre*
110 hundre og ti *hündreóti*
200 to hundre *tuu hündre*
300 tre hundre *tree hundre*
1.000 (ett) tusen *tüüssen*
10.000 ti tusen *tii tüüssen*
100.000 hundre tusen *hündre tüüssen*
1.000.000 (en) million *een milliuun*

*__ett__ é o neutro de **en**

TEMPO

hoje	i dag	*idaag*
ontem	i går	*igóór*
amanhã	i morgen	*imooen*
esta semana	denne uken	*dene üüken*
semana passada	i forrige uke	*ii fórrie üüke*
semana que vem	neste uke	*neste üük*
esta manhã	i morges	*ii mórres*
esta tarde	i ettermiddag	*ii ettermiddag*
esta noite	i kveld	*ii kvel*
daqui a três dias	om tre dager	*óm tree daager*
há três dias	for tre dager siden	*fór tree daager siiden*
tarde	sent	*seent*
cedo	tidlig	*tiili*
logo	snart	*snaart*
mais tarde	senere	*seenere*
neste momento	for øyeblikket	*fór öieblikke*
segundo	sekund(et)	*sekünd*
minuto	minutt(et)	*minütt*
um minuto	et minutt	*ett minütt*
dois minutos	to minutter	*tuu minütter*
15 minutos	et kvarter	*ett kvarteer*
meia hora	en halv time	*halltiime*
45 minutos	tre kvarter	*tre kvarteer*
hora	time(n)	*tiime*
aquele dia	den dagen	*den daagen*
todos os dias	hver dag	*vér daag*
o dia todo	hele dagen	*heele daagen*
o dia seguinte	dagen etter	*daagen etter*
semana	uke(n)	*üüke*
mês	måned(en)	*mooned*
ano	år(et)	*oor*

Como Dizer as Horas

A Noruega integra a Zona Horária Centro-Europeia, quatro horas à frente do Brasil. De fins de março a fins de setembro, é adotado o horário de verão.

Ao dizer as horas, observe que no lugar de 'tantas horas e meia', os noruegueses referem-se à hora seguinte. Assim, por exemplo, 'uma e meia' em norueguês se diz 'meia para as duas'. Da mesma forma, após os primeiros quinze minutos da hora inteira e antes dos quinze minutos para a hora inteira seguinte, a referência se faz à meia hora. Assim, 'três e vinte' fica 'dez minutos para a meia quatro' e 'vinte e cinco para a uma' se diz 'meia uma e cinco'. O sistema de 24 horas é comumente utilizado em tabelas de horários, no rádio e na televisão, e para marcar compromissos.

1h	klokka ett	*klókka ett*
1h10	ti over ett	*tii oover ett*
1h15	kvart over ett	*kvart oover ett*
1h20	ti på halv to	*tii poo hall tuu*
1h25	fem på halv to	*fém poo hall tuu*
1h30	halv to	*hall tuu*
1h35	fem over halv to	*fém oover hall tuu*
1h40	ti over halv to	*tii oover hall tuu*
1h45	kvart på to	*kvart poo tuu*
1h50	ti på to	*tii poo tuu*
2h	klokka to	*klókka tuu*
13h	klokka tretten	*klókka tretten*
14h30	seksten tretti	*seisten tretti*
às 5h30	klokken halv seks	*klókka hall seks*
às 7h	klokken sju	*klókka xüu*
meio-dia	klokken tolv	*klókka tóll*
meia-noite	midnatt	*midnatt*

COMUNICAÇÃO

PALAVRAS E FRASES ÚTEIS

cartão telefônico	telefonkort(et)	*telefuunkórt*
celular	mobiltelefon(en)	*mubiil*
chamada	telefonsamtale(n)	*telefuunsamtaale*
chamada a cobrar	noteringsoverføring(en)	*nuteeingsoverfööring*
informações da lista	opplysningen	*óplïisningen*
informações	opplysninger	*opliisninger*
internet	internett(et)	*internett*
lista telefônica	telefonkatalog(en)	*telefuunkataloog*
número	nummer(et)	*nummer*
número errado	feil nummer	*féil nummer*
ocupado	opptatt	*ópptatt*
ramal	linje(n)	*linie*
sinal de discagem	summetone(n)	*sümmetone*
telefone	telefon(en)	*telefuun*
telefone público	telefon-automat(en)	*telefuunéutumaat*
Web site	web side(n)	*siide*

Onde fica a cabine telefônica mais próxima?
Hvor er nærmeste telefonkiosk?
vuur éér nérmeste telefuunhiósk

Eu gostaria de falar com ...
Kan jeg få snakke med ...?
kann iéi foo snakke mee

Meu número é ...
Mitt nummer er ...
mitt nummer éér

Quero um número em ...
Må jeg bede om et nummer i …
móó iéi bede om ee nummer i

Alô, aqui quem fala é ...
Hallo, det er …
haluu, de éér

Sou eu/pode falar
Det er (+ *nome)*
de éér

Posso deixar um recado para ele/ela?
Kan du gi ham/henne en beskjed?
kan düü yii ham/henne een bexee

Voltarei a ligar mais tarde
Jeg ringer igjen senere
iéi ringer iyenn seenere

Qual o número do seu fax/seu e-mail?
Hva er ditt fax nummer/epost adresse?
vaa éér ditt faksnummer/epost adresse

Posso enviar um e-mail/fax daqui?
Kan jeg sende epost/en fax herfra?
kan iéi senne epost/een faks hérfra

Frases que Você Vai Ouvir

Hvem skal du snakke med?
Com quem deseja falar?

Hvem er det som snakker?
Quem fala?

Hva er ditt nummer?
Qual é o seu número?

Han/hun er dessverre ikke inne
Sinto muito, ele/ela não está

Han/hun kommer tilbake klokken ett
Ele/ela volta à uma

Kan du ringe igjen i morgen?
Ligue de novo amanhã, por favor

Jeg skal si fra at du har ringt
Direi a ele/ela que o (a) senhor (a) ligou

Expressões que Você Vai Encontrar

feilmelding	falha técnica
fjerntakst	tarifa interurbana
fjernvalg	discagem direta
gebyr	taxa
innenlands	nacional
i ustand	fora de operação
lokalsamtale	chamada local
retningsnummer	código de área
takst	taxas
utlandet	exterior

HOTÉIS

PALAVRAS E FRASES ÚTEIS

almoço	lunsj(en)	*lönx*
banheiro	bad(et)	*baad*
café da manhã	frokost(en)	*fruukost*
cama	seng(en)	*seng*
cama de casal	dobbeltseng(en)	*dobbeltseng*
chave	nøkkel(en)	*nökkel*
chuveiro	dusj(en)	*düx*
conta	regning(en)	*reining*
elevador	heis(en)	*héis*
gerente	hotellsjef(en)	*hutellxeef*
hall de entrada	foyer(en)	*fuaiee*
hotel	hotell(et)	*hutell*
jantar	middag(en)	*middaag*
maître	hovmester(en)	*hoovmester*
meia pensão	halv pensjon	*hall pangxuun*
pensão completa	full pensjon	*füll pangxuun*
quarto/apartamento	rom(met)	*rumm*
quarto	soverom(met)	*sooverum*
quarto com duas camas	tomannsrom	*toomanssrum*
quarto duplo	dobbeltrom(met)	*dobbeltrum*
quarto simples	enkeltrom(met)	*enkeltrumm*
recepção	resepsjon(en)	*ressepxuun*
recepcionista	resepsjonist(en)	*ressepxuunist*
restaurante	restaurant(en)	*restorang*
sacada	balkong(en)	*balkong*
saguão	salong(en)	*salóng*
sala de jantar	spisesal(en)	*spiissessaal*
sanitário	toalett(et)	*tualett*
serviço de quarto	romservice(n)	*rummsérviss*

Vocês têm vagas?
Har dere ledige rom?
haar deere leedie rumm

Fiz uma reserva
Jeg har reservert rom
iéi haar resserveert rumm

Eu gostaria de um quarto simples/quarto duplo
Kan jeg få et enkeltrom/tomannsrom?
kan iéi foo et enkeltrumm/tuumannsrum

Eu gostaria de um quarto com banheiro/sacada
Kan jeg få et rom med bad/balkong?
kan iéi foo et rum me baad/balkóng

Os quartos possuem TV via satélite/TV a cabo?
Finnes det satelitt/kabel-TV på rommene?
finnes det satelitt/kaabelteve poo rummene

Eu gostaria de um quarto para uma noite/três noites/ uma semana
Kan jeg få et rom for en natt/tre netter/en uke?
kan iéi foo et rumm fór een natt/tree netter/een üüke

Qual o preço por noite?
Hva koster det pr. natt?
vaa kóster de pér natt

Há recursos para deficientes físicos?
Er det tilrettelagt for funksjonshemmede?
éer de tilrettelakt for funkxuunshemmede

A que horas é o café da manhã/almoço/jantar?
Når er frokost/lunsj/middag?
nór éér fruukost/lönx/middag

Por favor, acorde-me às 7
Kan du vekke meg klokka sju
kan dü vekke méi klokka xüü

Podem servir o café da manhã no meu quarto?
Kan jeg få frokost på rommet?
kan iéi foo fruukost poo rummet

Voltarei às 10h
Jeg vil være tilbake klokka ti
iéi vill véére tilbaake klokka tii

O número do meu quarto é 205
Jeg har rom nummer to hundre og fem
iéi haar rumm nummer tuu hundre oo fem

Vou embora amanhã
Jeg reiser i morgen
iéi réiser imooen

Minha conta, por favor?
Kan jeg få regningen, takk?
kan iéi foo reiningen takk

Vou pagar com cartão de crédito
Jeg betaler med kredittkort
iéi betaaler mee kredittkórt

Vou pagar em dinheiro
Jeg betaler kontant
iéi betaaler kontant

Pode chamar um táxi?
Kan du få tak i en taxi?
kan düü foo taak i een téksi

Expressões que Você Vai Encontrar

bad	banheiro
dusj	chuveiro
frokost	café da manhã
fullt	não há vagas
heis	elevador
inngang	entrada
ledig	vagas
nødutgang	saída de emergência
regning	conta
rom	quarto
røyking forbudt	proibido fumar
skyv	empurre
trekk	puxe
utgang	saída

Frases que Você Vai Ouvir

Det er dessverre fullt
Sinto muito, (o estabelecimento) está lotado

Vi har ingen enkeltrom igjen
Não temos quartos simples

Hvor mange netter er det for?
Por quanto tempo?

Kan du skrive navnet ditt her?
Pode escrever seu nome aqui?

Hvordan vil du betale?
Como o (a) senhor (a) gostaria de pagar?

Kan du være så snill å betale på forhånd
Por favor, pague adiantado

COMPRAS

Eu gostaria de...
Jeg skal ha ...
iéi skall haa

Vocês têm ...?
Har du ...?
haar düü

Quanto custa?
Hvor mye koster denne (dette)?
vuur mïe kóster denne (dette)

Você tem mais destes?
Har du flere av disse?
haar düü fleere av disse

Onde fica o caixa?
Hvor skal jeg betale?
vuur skall iéi betaale

Tem algo menos caro?
Har du noe som er billigere?
haar düü nuue sóm éér billiere

Poderia me dar uma nota fiscal?
Kan jeg få en kvittering?
kan iéi faa een kviteering

Poderia ter o dinheiro de volta?
Kan jeg få pengene igjen?
kan iéi foo pengene iyenn

Estou só olhando
Jeg bare ser
iéi baare seer

REFEIÇÕES

Na Noruega, o expediente normal de trabalho estende-se das 7h às 15h ou 16h e, por isso, as refeições são feitas cedo. O almoço é um pouco antes do meio-dia e o jantar por volta das 16h ou 17h. Nos hotéis e restaurantes, porém, o almoço é normalmente servido entre o meio-dia e as 14h30, e o jantar até as 21h ou 22h. Fazer as refeições em hotéis e restaurantes pode pesar bastante no bolso. Há, no entanto, refeições mais em conta e de boa qualidade em lanchonetes com o prato do dia (**dagens rett** *daagens rett*). Entre os pratos mais comuns incluem-se almôndegas (**kjøttkaker** *hiöttkaaker*), picadinho de carne no molho (**brun lapskaus** *brüün lapskéus*) e costeletas de porco com chucrute (**svinekoteletter med surkål** *sviinekoteletter med süürkool*). O serviço vem normalmente incluído na conta, e qualquer gorjeta fica a critério do freguês.

Os noruegueses fazem uma refeição farta no café da manhã (**frokost** *fruukost*), em geral incluindo pães, frios, defumados, geleias e queijos como o de cabra (**brunost** *brüünust*), que na consistência e na cor, mas não no sabor, lembra o doce de leite.

A cozinha tradicional norueguesa é simples, preparada com alimentos facilmente armazenados (salgados, defumados e secos). No passado o mingau de creme de leite azedo (**rømmegrøt** *römegrööt*), servido com açúcar e canela em pó, era prato tradicional em dias de festa. Hoje o visitante encontra **spekemat** (*speekemaat*), seleção de frios salgados e defumados. Estes, além de arenque salgado e temperado (**sursild** *süürsill*), arenque defumado (**spekesild** *speekesill*), truta fermentada (**rakørret** *raakörret*) e salmão defumado (**gravlaks** *graavlaks*), são encontrados no bufê norueguês (**koldtbord** *kóltbuur*). Na maioria dos locais servem-se sanduíches abertos. Waffles (**vafler** *vafler*) com creme de leite azedo e geleia são outro prato favorito.

As restrições ao consumo de bebida alcoólica são severas, o preço da bebida é elevado e o Estado mantém um monopólio sobre a venda, exceto da cerveja, encontrada em supermercados.

Palavras e Frases Úteis

açúcar	sukker(et)	*sükker*
água	vann(et)	*vann*
aguardente	akevitt(en)	*akkevitt*
bolo	kake(n)	*kaake*
bufê	koldtbord(et)	*kóltbuur*
café	kaffe(n)	*kaffe*
cardápio	meny(en)	*menii*
carta de vinhos	vinkart(et)	*viinkart*
cerveja	øl(et)	*öll*
chá	te(en)	*tee*
chef	kokk(en)	*kókk*
colher	skje(en)	*xee*
colher de chá	teskje(en)	*teexee*
conta	regning(en)	*réining*
copo	glass(et)	*glass*
faca	kniv(en)	*kniiv*
garçom	kelner(en)	*kelner*
garçonete	serveringsdame(n)	*serveeringsdame*
garfo	gaffel(en)	*gaffel*
gorjeta	tips(et)	*tips*
guardanapo	serviett(en)	*serviett*
jarra	flaske(n)	*flaske*
lanche	småretț(en)	*smoorett*
leite	melk(en)	*melk*
mesa	bord(et)	*buur*
nota fiscal	kvittering(en)	*kvitteering*
porção especial para crianças	barneporsjon(en)	*baarneporxuun*
prato	tallerken(en)	*talérken*
sanduíche aberto	smørbrød(et)	*smörbröö*
sopa	suppe(n)	*süppe*
vinho	vin(en)	*viin*
xícara	kopp(en)	*kópp*

Uma mesa para um/dois, por favor
Kan jeg få et bord til en/to, takk?
kan iéi foo et buur til een/tuu, takk

Pode me trazer o cardápio?
Kan jeg få se menyen?
kan iéi foo see meniien

Pode me trazer a carta de vinhos?
Kan jeg få se vinkartet?
kan iéi foo see vinkartet

O que o senhor sugere?
Hva vil du anbefale?
vaa vil düü anbefalle

Sou alérgico a nozes/frutos do mar
Jeg er allergisk mot nøtter/skalldyr
iéi éér alérgisk muut nötter/skalldiir

Eu sou vegetariano
Jeg er vegetarianer
iéi éér vegetariaaner

Vocês têm pratos vegetarianos?
Har dere vegetarretter?
haar deere vegetaarretter

Eu gostaria de …
Kan jeg få …
kan iéi foo

Só uma xícara de café, por favor
Bare en kopp kaffe, takk
baare een kopp kaffe, takk

Garçom!
Hallo!
halluu

Pode nos trazer a conta, por favor?
Kan vi få regningen, takk?
kan iéi foo réiningen, takk

Só quero uma refeição ligeira
Jeg vil bare ha en smårett
iéi vill baare haa een smoorett

Há um cardápio do dia?
Er det en dagens rett?
éér de en daagens rett

Nós não pedimos isso
Jeg har ikke bestilt dette
iéi haar ikke bestilt dette

Pode me dar uma outra faca/um outro garfo?
Kan jeg få en kniv/gaffel til?
kan iéi foo en kniiv/gaffel til

Pode nos trazer mais um pouco de ...?
Kan vi få litt mer ...?
kan iéi foo litt meer

A comida estava muito boa, obrigado (a)
Maten smakte deilig, takk!
maaten smakte déili, takk

Podemos pagar separadamente?
Kan vi betale hver for oss?
kan vii betaale vér for óss

PATRONATO DEL ALCÁZAR DE SEGOVIA

PATRONATO DEL ALCÁZAR DE SEGOVIA

www.alcazardesegovia.com

C.I.F: Q-4078001-G

COMPLETA
18-12-2013
17:00:14
Precio. 6,50 Euros

El importe de esta entrada no es reembolsable.

La introducción y uso de esta entrada conlleva la aceptación y el compromiso de observar las normas del funcionamiento y seguridad.

Conserve esta entrada hasta el final de la visita.

Se deberá abandonar el Alcázar, como máximo, 30 minutos después de la hora de cierre.

MANUAL DO MENU

agurk(er) pepino
ananas abacaxi
and pato
ansjos anchova
appelsin laranja
appelsinsaft suco de laranja
aprikos damasco
avkokt potet batata cozida
bakt assado
betasuppe sopa de ervilhas amarelas, presunto e legumes
biff med løk filé acebolado
bjørnebær amora
blandet kjøttrett prato misto de carnes
blomkål couve-flor
bløtkake bolo de pão de ló recheado com geleia e cobertura de chantilly e/ou marzipan
bløtkokt egg ovo mole
blåbær mirtilo
blåskjell mexilhão
bolle pão doce
bringebær framboesa
brokkoli brócolis
brus refrigerante
bryst peito
brød pão
buljong consomê, caldo
bønner feijão
chips batata frita
dampet ao vapor
drikkevarer bebidas
druer uvas
druesaft suco de uva
dyrestek rena assada
eggeplomme gema de ovo
eggerøre ovos mexidos
eple maçã
eplemos purê de maçã
eplesaft suco de maçã
erter ervilhas
fasan faisão
fenalår pernil de carneiro curado
fersken pêssego
filet filé
fisk(e) peixe
fiskeboller bolinhos de peixe (cozido)
flaske garrafa
flesk toicinho
flyndre linguado
fløte creme de leite
franskbrød pão de trigo com sementes de papoula
frisk fresco
frityrstekt frito
frokost café da manhã
frokostblanding cereal matinal
fromasj musse
frukt fruta
fylt recheado
får carne de carneiro
gaffelbiter tiras de arenque marinado
grapefrukt grapefruit
grateng suflê
gravlaks salmão defumado e curado
gressløk cebolinha francesa
griljert empanado
grovbrød pão integral
gryte panela
grønnsaker verduras e legumes

grøt mingau
gulrot cenoura
gulost queijo comum ("amarelo"), queijo prato
går ganso
hasselnøtt avelã
havre aveia
hellefisk alabote (peixe)
helmelk leite integral
helstekt assado por inteiro
hjemmelaget caseiro
honning mel
hovedrett prato principal
hummer lagosta
hvalbiff filé de baleia
hveteboller pão doce de trigo
hvitløk alho
hvit saus molho branco
hvitvin vinho branco
høns galinha
hårdkokt egg ovo duro
is sorvete, gelo
jordbær morango
juice suco de frutas
kaffe café
kake bolo
kald frio
kalkun peru
kalv vitela
kanel canela
karbonade bolinho de carne
kildevann água mineral
kirsebær cereja
kjeks biscoito, bolacha
kjøtt carne
kjøttkaker almôndegas
knekkebrød pão sueco
kokt cozido, fervido
koldtbord bufê de pratos frios
konfekt bombom
kotelett costeleta
krabbe siri
kreps pitu
kringle rosca doce trançada
kulturmelk leite azedo
kylling frango
kål repolho
kålrabi, kålrot couve-rábano
laks salmão
lam cabrito
leskedrikk refresco
lever fígado
loff pão de trigo branco
lumpe panqueca fina de batata
lunsj almoço
løk cebola
mais milho verde
majones maionese
makaroni macarrão
mandarin tangerina
mandel avelã
marengs merengue
marinert marinado
medisterkaker almôndegas fritas de carne de porco
medisterpølse salsicha de carne de porco
mel farinha de trigo
melk leite
meny menu, cardápio
middag jantar
mjølk leite
moreller cerejas
multer amora polar
nygrodde poteter batatas novas, cozidas na casca
nypesuppe sopa de botão de rosa
nyrer rim
nøtter noz

okse carne de vaca
oksehale rabo, rabada
oksestek filé mignon assado
ost queijo
panert empanado
pannekaker panqueca
pepperrot raiz-forte
persille salsa
pisket krem chantilly
postei patê
poteter batata
purre alho-poró
pytt i panne picadinho de carne com batatas e ovo frito
pære pera
pølse salsicha
pålegg qualquer alimento acrescido a uma fatia de pão para formar sanduíche
rakørret truta fermentada
reddiker rabanete
reinsdyr rena
reke camarão
remulade molho de maionese com especiarias e pepino em conservas
rett prato (refeição)
reven ralado(a)
rips groselha
ris arroz
risgrøt arroz-doce (servido quente)
ristet grelhado, torrado
rogn ovas (de peixe)
rosenkål couve-de-bruxelas
rosin uva-passa
rugbrød pão de centeio
rullekake rocambole
rundstykke pãozinho
rødbeter beterraba
rødgrøt med fløte mingau de frutas vermelhas com creme de leite
rødkål repolho-roxo
rødspette solha (peixe)
rødvin vinho tinto
røkelaks salmão defumado
røkt defumado
rømme creme de leite azedo
rå cru
råkostsalat salada crua
saft suco
salat alface, salada
saltpølse salame
sardiner sardinha
saus molho
sei pescada
selleri salsão
sennep mostarda
sild arenque
sitron limão
sitronbrus soda limonada
sitronsaft limonada
sjokolade chocolate
skalldyr marisco
skinke presunto
smør manteiga
smørbrød sanduíche aberto
smultring rosquinha
snittebønner vagens
solbær groselha-preta, cassis
sopp cogumelo
speilegg ovo estrelado
spekemat prato de frios e peixes variados
spekepølse salame
spekesild arenque curado
spinat espinafre
spisekart cardápio
stappe purê
stek assado
stekt frito, assado
sukker açúcar

sukkererter ervilha do padre
suppe sopa
surkål chucrute
sursild arenque curado e marinado
svin carne de porco
svinekam lombo de porco
svinestek lombo assado
svor torresmo
syltet em conserva
syltetøy geleia
søt doce
te chá
terninger picado
terte tortinha
tilslørte bondepiker purê de maçã com farofa doce e creme de leite
tomat tomate
torsk bacalhau fresco
trollkrem creme chantilly batido com clara de ovo e molho doce
trøfler trufas
tunge língua
tyttebær murtinho (um tipo de amora)
tørr seco
urter erva
urtete chá de ervas
vafler waffles
valnøtter nozes
vanilje baunilha
vaniljeis sorvete de creme
vann água
varm quente
varm retter pratos quentes
varme pølser cachorro-quente
vegetarretter prato vegetariano
vestkystsalat salada de marisco
vilt carne de caça
vindruer uvas
wienerpølser salsicha tipo Frankfurt
øl cerveja
ørret truta
østers ostras
ål enguia

POLONÊS

SUMÁRIO

INTRODUÇÃO

Pronúncia

Ao ler a pronúncia imitada, acentue as partes sublinhadas (normalmente a penúltima sílaba). Pronuncie sílaba por sílaba e você será bem compreendido. Preste atenção especial para estes pontos:

a	como em 'p**á**', 'g**a**to'
e	como em 'p**é**', 'f**e**rro'
o	como em 'p**ó**', 'av**ó**'
c	'zz', como em 'pi**zz**a'
g	como em 'a**g**ora', 'fran**g**o'
h	som de 'r', como em '**r**oupa', '**r**ádio'
j	som de 'i', como em 'pa**i**'
r	como 'r', como em 'da**r**', 'a**r**te'
s	'ss', como em 'po**ss**o', '**s**ala'
y	como 'ê' em 'voc**ê**'

Formas de Tratamento

Formas educadas e formais de se dirigir às pessoas são muito usadas na Polônia. Nas frases, as alternativas mostradas (para um homem) e (para uma mulher) indicam a forma que deve ser usada. Para um homem, nos dirigimos como **pan** e para uma mulher como **pani**. As formas **ty** (você) e **wy** (vocês) devem ser usadas somente entre amigos e quando se fala com pessoas mais jovens.

Letras Especiais do Alfabeto Polonês

ą (om)	como 'o', só que mais aberto do que em '**som**'
ę (eum)	como 'e', só que mais aberto do que em '**tenso**'
ó	som de 'u', como em '**sul**'
ć (tch)	como 't', só que mais brando do que em '**tio**'
ń (ni)	som de 'nh', como em 'cami**nh**o'
ś (ch)	como 's' de 'e**s**perto' com sotaque carioca, só que mais brando
ź (ji)	'gi', só que mais brando que em '**gi**ro'
ł	som de 'u', como em 'ma**u**'
w (v)	som de 'v', como em '**v**inho'
ż e **rz**	som de 'j' ou 'g', como em '**j**á', '**g**ênero'
ch	mesma pronúncia do 'h'
dz (dz)	som de 'dz', como em 'a**dz**e'
dź (dji)	som de 'j', como em '**j**eans'
dż	como 'j' em '**J**ohn'
cz (tch)	som de 'tch', como em '**tch**eco'
sz (ch)	'ch', como em '**ch**ave', ou 'x', como em '**x**arope'

Quando o 'i' aparece no meio ou no final da palavra, depois de 'c', 'dz', 'n' ou 's', ele abranda o som:

ci	fica 'ti', como em '**ti**a', ou 'te', como em 'Margare**te**'
dzi	fica 'j', como em '**j**eans'
si	fica 'xi', como em '**xí**cara', ou 'xe', como em 'rela**xe**'
zi	fica 'zi', como em **zi**nco', ou 'je', como em 'via**je**'

FRASES ÚTEIS

Sim, Não
Tak/nie
tak/nie

Obrigado (a)
Dziękuję
Djencuieum

Não, obrigado (a)
Nie, dziękuję
nie djencuieum

Por favor
Proszę
procheum

Não compreendo
Nie rozumiem
nie rozumiem

Você fala inglês/francês/alemão?
Czy mówi pan (*homem*)/pani (*mulher*) po angielsku/francusku/niemiecku?
Tchi muvi pan/pani pô anguielscu/frantsuscu/niemietscu

Não falo polonês
Nie mówię po polsku
nie muvieum po polscu

Não sei
Nie wiem
nie viem

Por favor, fale mais devagar
Proszę mówić wolniej
proche muvitch volniei

Por favor, escreva isso para mim
Proszę mi to napisać
proche mi to napissatch

Meu nome é ...
Nazywam się ...
nazivam chieum

Como vai, prazer em conhecê-lo (a)
Bardzo mi miło pana (*homem*)/panią (*mulher*) poznać
bardzo mi miuo pana/paniom posnatch

Bom dia/Boa tarde
Dzień dobry
djien dobri

Boa noite
Dobry wieczór
dobri vietchur

Boa noite (ao sair)
Dobranoc
dobránotz

Até logo
Do widzenia
do vidzenia

Como vai?
Jak się pan (*homem*)/pani (*mulher*) miewa?
iac chieum pan/pani mieva

Bem, obrigado (a)
Dziękuję, dobrze
djencuieum dobje

Com licença
Przepraszam
pchepracham

Desculpe!
Przepraszam!
pchepracham

Sinto muito
Bardzo mi przykro
bardzo mi pchicro

Pode me ajudar?
Czy mógłby pan (*homem*)/pani (*mulher*) mi pomóc?
tchi mugulbi pan/pani mi pomutz

Pode me dizer ...?
Czy mógłby pan (*homem*)/pani (*mulher*) mi powiedzieć ...?
tchi mugulbi pan/pani mi poviedjetch

Pode me dar ...?
Poproszę ...?
poprocheum

Eu gostaria de um/uma ...
Chciałbym (*homem*)/Chciałabym (*mulher*) ...
r-tchaubim/r-tchauabim

Há ... aqui?
Czy jest tu ...?
tchi tu iest

Onde está o/a ...?
Gdzie mogę dostać ...?
gdje mogeum dostatch

Quanto custa isso?
Ile kosztuje?
ile to cochtuie

Que horas são?
Która jest godzina?
ctura iest godjina

Preciso ir agora
Muszę już iść
mucheum iuch ichtch

Eu me perdi
Zgubiłem (*homem*)/zgubiłam się (*mulher*)
zgubiuem chie/zgubiuam chieum

Saúde!
Na zdrowie!
na zdrovie

Vocês aceitam cartão de crédito?
Czy przyjmuje pan (*homem*)/pani (*mulher*) karty kredytowe?
tchi pchiimuie pan/pani carti creditove

Onde é o banheiro?
Gdzie jest toaleta?
gdje iest toaleta

Vá embora!
Proszę odejść!
procheum odeichtch

Eu perdi meu passaporte/dinheiro/traveller's cheques/cartões de crédito
Zgubiłem paszport/pieniądze/czeki podróżne/karty kredytowe
zgubiuem pachport/pieniondze/tcheki podrujne/carti creditove

Onde é a embaixada brasileira?
Gdzie jest brazylijska ambasada?
gdje iest braziliisca ambassada

Há acesso para cadeira de rodas?
Czy jest tam dostęp dla wózków inwalidzkich?
tchi iest tam dostemp dla vuzcuv invalidzkirr

É permitida a entrada de cão-guia?
Czy psy przewodnicy są dozwolone?
tchi psi pjevodnici som dozvolone

Palavras e Frases que Você Vai Ouvir

Chwileczkę	Um momento
Co słychać?	Como vai?
Wszystko w porządku, dziękuję–a co u pana/pani?	Tudo bem, obrigado (a) –e você?
Do zobaczenia	Te vejo mais tarde/Até logo
Naprawdę?	É mesmo?
Nie ma	Não tem
Nie rozumiem	Não compreendo
Proszę	Por favor
Proszę bardzo	Aqui está, por favor
Słucham?	Perdão/não entendi?
Tak jest	Está certo/É isso mesmo
Uwaga!	Cuidado!
Wspaniale!	Excelente!

DIAS, MESES, ESTAÇÕES

domingo	niedziela	*niedjela*
segunda-feira	poniedziałek	*poniedjiauec*
terça-feira	wtorek	*vtorec*
quarta-feira	środa	*chiroda*
quinta-feira	czwartek	*tchvartec*
sexta-feira	piątek	*piontec*
sábado	sobota	*sobota*
janeiro	styczeń	*stitchen*
fevereiro	luty	*luti*
março	marzec	*majets*
abril	kwiecień	*kvietchien*
maio	maj	*mai*
junho	czerwiec	*tcherviets*
julho	lipiec	*lipiets*
agosto	sierpień	*chierpien*
setembro	wrzesień	*vjechien*
outubro	październik	*pajdjernic*
novembro	listopad	*listopad*
dezembro	grudzień	*grudjien*
primavera	wiosna	*viosna*
verão	lato	*lato*
outono	jesień	*iechen*
inverno	zima	*jima*
Natal	Boże Narodzenie	*boje narodjenie*
Noite de Natal	Wigilia	*viguilia*
Ano-Novo	Nowy Rok	*novi rok*
Véspera de Ano-Novo	Sylwester	*silvester*
Páscoa	Wielkanoc	*vielcanots*

NÚMEROS

0 zero *zero*
1 jeden *ieden*
2 dwa *dva*
3 trzy *tchi*
4 cztery *tchteri*
5 pięć *pien-tch*
6 sześć *chech-tch*
7 siedem *che-dem*
8 osiem *o-chem*
9 dziewięć *dje-vientch*

10 dziesięć *dje-chientch*
11 jedenaście *iedenach-tche*
12 dwanaście *dvanach-tche*
13 trzynaście *tchinach-tche*
14 czternaście *tchternach-tche*
15 piętnaście *pientnach-tche*
16 szesnaście *ches-nach-tche*
17 siedemnaście *chedem-nach-tche*
18 osiemnaście *ochem-nach-tche*
19 dziewiętnaście *dje-vient-nach-tche*

20 dwadzieścia *dva-djech-tcha*
21 dwadzieścia jeden *dva-djech-tcha yeden*
22 dwadzieścia dwa *dva-djech-tcha dva*
30 trzydzieści *tchi-djech-tchi*
40 czterdzieści *chter-djech-tchi*
50 pięćdziesiąt *pien-dje-chont*
60 sześćdziesiąt *chech-dje-chont*
70 siedemdziesiąt *chedem-dje-chont*
80 osiemdziesiąt *ochem-dje-chont*
90 dziewięćdziesiąt *dje-viench-dje-chont*
100 sto *stó*
110 sto dziesięć *stó dje-chientch*
200 dwieście *dviech-tche*
300 trzysta *tchista*
400 czterysta *tchte-ri-sta*
500 pięćset *pientch-set*
600 sześćset *chechtch-set*
700 siedemset *che-dem-set*
800 osiemset *o-chem-set*
900 dziewięćset *djie-viench-set*
1.000 tysiąc *ti-tchiontz*
100.000 sto tysięcy *stó ti-tchien-tsi*
1.000.000 milion *mi-lion*

TEMPO

hoje	dzisiaj	*djichai*
ontem	wczoraj	*vtchorai*
amanhã	jutro	*iutro*
esta semana	w tym tygodniu	*v tim tigódniu*
semana passada	w zeszłym tygodniu	*v zechuim tigódniu*
semana que vem	w przyszłym tygodniu	*v pchichuim tigódniu*
esta manhã	dzisiaj rano	*djichai rano*
esta tarde	dzisiaj popołudniu	*djichai popouudniu*
esta noite	dzisiaj wieczorem	*djichai vietchorem*
hoje à noite	dzisiejszej nocy	*jeeshayshay notsi*
tarde	późno	*pujno*
cedo	wcześnie	*vtchechnie*
logo	nie długo	*nie za duugo*
minuto	minuta	*minuta*
15 minutos	kwadrans	*cvadrans*
meia hora	pół godziny	*pul godjini*
45 minutos	trzy kwadranse	*tchi cvadranse*
hora	godzina	*godjina*
todos os dias	codziennie	*tsodjenie*

Como Dizer as Horas

Há várias formas de dizer a hora em polonês. Para a hora exata, use 'primeira', 'segunda', 'terceira', no lugar de 'uma', 'duas', três' etc. Assim '1h' é **pierwsza** (*pier-vcha*) e '2h' é **druga** (*druga*). Os poloneses não utilizam as palavras 'hora' e 'minuto' para dizer as horas.

Para expressar minutos que faltam ou passados de uma determinada hora, diz-se a hora seguida pelos minutos: '10h10' é **dziesiąta dziesięć** (*djechionta djechentch*) e '10h40' é **dziesiąta czterdzieści** (*djechionta tchterdjechtchi*). Minutos passados depois da hora podem ainda ser expressos com **po**, que significa 'depois'. Por exemplo, '10h10' pode ser **dziesięć po dziesiątej** (*djechentch po djechontei*).

Outra maneira de dizer os minutos que faltam para determinada hora é usando a palavra **za**, 'antes', seguida pelos minutos e a hora seguinte. '10h40', por exemplo, é **za dwadzieścia jedenasta** (*za dvadjechtcha iedenasta*).

Para meia hora use a hora seguida por trinta, ou seja, '10h30' fica **dziesiąta trzydzieści** (*djechionta tchidjechtchi*). Outra opção é dizer 'meia hora para a hora seguinte' –**w pół do jedenastej** (*v pul do iedenastei*).

Kwadrans (um quarto) é usado às vezes para expressar 15 minutos. Assim '10h15' pode ser dito **kwadrans po dziesiątej** (*cvadrans po djechiontei*).

1h	pierwsza	*pierv-cha*
2h	druga	*dru-ga*
3h	trzecia	*tche-tchia*
4h	czwarta	*tchvar-ta*
5h	piąta	*pionta*
6h	szósta	*chusta*
7h	siódma	*chiudma*
8h	ósma	*usma*
9h	dziewiąta	*djevionta*
10h	dziesiąta	*djechonta*
11h	jedenasta	*iedenasta*
12h	dwunasta	*dvunasta*
1h10	dziesięć po pierwszej	*djechentch po piervchei*
1h15	kwadrans po pierwszej	*cvadrans po piervchei*
1h30	w pół do drugiej	*v pul do piervchei*
1h40	za dwadzieścia druga	*za dvadjechtcha druga*
1h45	za kwadrans druga, za piętnaście druga	*za cvadrans druga za pieuntnachtche druga*
às sete horas	o siódmej	*o chudmei*
meio-dia	południe	*pouudnie*
meia-noite	północ	*puunotz*

COMUNICAÇÃO

Palavras e Frases Úteis

cabine telefônica	budka telefoniczna	*butca telefonitchna*
cartão telefônico	karta telefoniczna	*carta telefonitchna*
celular	telefon komórkowy	*telefon comurkovi*
chamada a cobrar	rozmowa R	*rozmova er*
código	kod	*cod*
e-mail	adres email	*adres imeil*
extensão	wewnętrzny	*vevneuntchni*
ficha telefônica	żeton	*djeton*
informações	informacja	*informatsia*
número	numer	*numer*
número errado	pomyłka	*pomilca*
operador	centrala	*tzentrala*
sinal de discagem	sygnał	*signau*
telefone público	automat telefoniczny	*automat telefonitchni*
telefone	telefon	*telefon*
Web site	strona internetowa	*strona internetova*

Onde fica a cabine telefônica mais próxima?
Gdzie jest najbliższa budka telefoniczna?
gdje iest naiblichcha budca telefonitchna

Quero um número de ...
Poproszę number w ...
poprocheum numer v

Posso falar com ..., por favor
Chciałbym (*homem*)/chciałabym (*mulher*) rozmawiać z ...
rtchaubim/rtchiauabim rozmaviatch z

Meu número é ...
Mój numer jest ...
mui numer iest

Eu gostaria de fazer uma ligação a cobrar
Poproszę rozmowę R
poprocheum rozmoveum er

Posso deixar um recado para ele/ela?
Czy można zostawić wiadomość?
tchi modjna zostavitch viadomochtch

Voltarei a ligar mais tarde
Zadzwonię poźniej
zadzvonieum pujniei

Desculpe, foi engano
Przepraszam, pomyłka
pchepracham pomiuca

Por favor, diga a ele/ela que ... ligou
Proszę powiedzieć mu(*homem*)/jej(*mulher*), że … dzwonił (*homem*)/dzwoniła (*mulher*)
proche poviedjetch mu/iei dje ... dzvoniu/dzvoniua

Peça a ele/ela que me ligue de volta, por favor (*homem/mulher*)
Proszę, poprosić go żeby oddzwonił /oddzwoniła
procheum poprochitch go/jom djebi oddzvoniu/ oddzvoniua

FRASES QUE VOCÊ VAI OUVIR

Z kim chce pan/pani mówić?
Com quem gostaria de falar?

Pomyłka
Você ligou o número errado

Kto mówi?
Quem está falando?

→

Jaki jest pana/pani numer?
Qual é seu número de telefone?

Przepraszam, ale nie ma go/jej
Sinto muito, ele/ela não está

Wróci o ...
Vai voltar às ...

Proszę zadwonić jutro
Por favor, ligue amanhã

Przekażę mu, że pan dzwonił/pani dzwoniła
Eu digo a ele/ela que você ligou

PALAVRAS QUE VOCÊ VAI ENCONTRAR

adres email	e-mail
automatyczne połączenie	ligação automática
budka telefoniczna	cabine telefônica
centrala	operador
fotokopiarka	fotocopiadora
informacja	informações
karta telefoniczna	cartão telefônico
kod	código
międzynarodowa	internacional
nieczynny	com defeito, quebrado
opłata	taxa
pogotowie	ambulância
rozmowa miejscowa	ligação local
rozmowa międzymiastowa	ligação de longa distância
rozmowa zagraniczna	ligação internacional
strona internetowa	Web site
żeton	ficha telefônica

HOTÉIS

Palavras e Frases Úteis

albergue da juventude	schronisko młodzieżowe	*scronisco muodjejove*
almoço	obiad	*obiad*
banheiro	łazienka	*uajienca*
café da manhã	śniadanie	*chiniadanie*
cama	łóżko	*u-uchco*
chave	klucz	*clutch*
conta	rachunek	*rarrunec*
ducha	prysznic	*prichnits*
elevador	winda	*vinda*
gerente	kierownik	*kierovnic*
hall de entrada	foyer	*foier*
hospedaria	zajazd	*zaiazd*
hotel	hotel	*rotel*
jantar	kolacja	*colatsia*
pensão completa	pełne utrzymanie	*peune utchimanie*
pousada	gospoda	*gospoda*
quarto	sypialnia	*sipialnia*
quarto com duas camas	pokój z dwoma łóżkami	*pocui v dvoma u-ujcami*
quarto duplo	pokój dwuosobowy	*pocui dvuossobovi*
quarto simples	pokój jednoosobowy	*pocui iednoosobovi*
quarto/apartamento	pokój	*pocui*
recepção	recepcja	*recepcia*
recepcionista	recepcjonista recepcjonistka	*recepcionista (homem)* *recepcionistca (mulher)*
restaurante	restauracja	*restauratsia*
sacada	balkon	*balcon*
saguão	hall	*ral*
sala de jantar	jadalnia	*iadalnia*
sanitário	toaleta	*toaleta*

Vocês têm vagas?
Czy ma pan (*homem*)/pani (*mulher*) wolne pokoje?
tchi ma pan/pani volne pocoie

Fiz uma reserva
Mam rezerwację
mam rezervatsieum

Eu gostaria de um quarto simples/duplo
Poproszę pokój jednoosobowy/dwuosobowy
poproche pocui iednoosobovi/dvuosobovi

Eu gostaria de um quarto com duas camas
Poproszę pokój z dwoma łóżkami
poproche pocui z dvoma uchcami

Os quartos possuem TV via satélite/TV a cabo?
Czy jest w pokojach telewizja satelitarna/kablowa?
tchi iest v pocoiarr televizia satelitarna/cablova

Eu gostaria de um quarto com banheiro/sacada
Poproszę pokój z łazienką/balkonem
poproche pocui z uajiencom/balconem

Eu gostaria de um quarto para uma noite/três noites
Poproszę pokój na jedną dobę/dwie/trzy doby
poproche pocui na iednom, dvie, tchi dobi

Qual o preço por noite?
Ile kosztuje za dobę?
Ile cochtuie za dobeum

Não há água quente/papel higiênico/sabonete
Nie ma ciepłej wody/papieru toaletowego/mydła
nie ma tchepuei vodi/papieru toaletovego/midua

A que horas é o café da manhã/jantar?
O której jest śniadanie/kolacja?
o cturei iest chniadanie/colatsia

Por favor, me acorde às ...h
Proszę mnie obudzić o … godzinie
proche mnie obudjitch o ... godjinie

Podem servir o café da manhã no meu quarto?
Czy można zjeść śniadanie w pokoju?
tchi mojna ziechtch chniadanie v pocoiu

Vou embora amanhã
Wyjeżdżam jutro
viiejdjam iutro

A que horas devo desocupar o quarto?
O której trzeba opuścić pokój?
o cturei tjeba opuchtchitch pocui

Minha conta, por favor?
Proszę o rachunek
proche o rarrunec

Vou pagar com cartão de crédito
Zapłacę kartą kredytową
zapuatseum cartom creditowom

Vou pagar em dinheiro
Zapłacę gotówką
zapuatseum gotuvkom

Pode chamar um táxi?
Czy może pan (*homem*)/pani (*mulher*) sprowadzić mi taksówkę?
tchi moje pan/pani sprovadjitch mi tacsuvkeum

EXPRESSÕES QUE VOCÊ VAI ENCONTRAR

ciągnąć	puxe
łazienka	banheiro
obiad	almoço
pchnąć	empurre
prysznic	ducha
rachunek	conta
recepcja	recepção
restauracja	restaurante
rezerwacja	reserva
śniadanie	café da manhã
toaleta, W.C.	sanitários
winda	elevador
wyjście	saída

FRASES QUE VOCÊ VAI OUVIR

Przepraszam, nie mamy wolnych pokoi
Sinto muito, estamos lotados

Nie ma żadnych jednoosobowych pokoi
Não há mais quartos simples disponíveis

Nie ma żadnych dwuosobowych pokoi
Não há mais quartos duplos disponíveis

Ile dób?
Por quanto tempo?

Proszę zapłacić z góry
Por favor, pague adiantado

Proszę wypełnić formularz
Por favor, preencha o formulário

COMPRAS

Onde fica o departamento ...?
Gdzie jest dział z …?
gdje iest djau z

Você tem …?
Czy ma pan (*para homem*)/pani (*para mulher*) …?
tchi ma pan/ pani

Quanto custa isto?
Ile to kosztuje?
Ile to cochtuie

Onde fica o caixa?
Gdzie się płaci?
gdje chieum puatchi

Tem algo menos caro?
Czy jest coś tańszego?
tchi iest coch tanchego

Poderia me dar uma nota fiscal?
Czy mogę otrzymać paragon?
tchi mogueum otjimatch paragon

Poderia ter o dinheiro de volta?
Proszę o zwrot
procheum o zwrot

Estou só olhando
Chcę tylko popatrzyć
rtseum tilco popadjetch

REFEIÇÕES

Os poloneses fazem a principal refeição do dia relativamente cedo, entre 15h e 17h. Os restaurantes dividem-se em quatro categorias: **S** (padrão muito alto), categoria **I**, categoria **II** e categoria **III**. Nos melhores restaurantes você paga mais, mas encontra maior variedade de comida. A maioria dos hotéis grandes tem restaurantes de categoria **S** ou **I**. Os pequenos, de categorias mais baixas, em geral oferecem comida de qualidade, e os de categoria **S** são conhecidos pela vagarosidade no atendimento. Há outros lugares onde você pode comer e beber:

Bar –serve refrigerantes, bebidas alcoólicas e salgadinhos.

Mleczny bar (*mletchni bar*) –literalmente 'bar de leite', fica aberto durante o dia. Servem pratos baseados em derivados de leite, cereais, vegetais e legumes, mas encontram-se também carne ou peixe. Bebidas alcoólicas não são servidas. No bar **mleczny** você vai direto ao caixa, faz o pedido, paga e pega um recibo que deve ser entregue na janela da cozinha. Você então é chamado para pegar seu pedido. Os preços do bar **mleczny** são ótimos. Vale a pena experimentar **naleśniki z serem** (*nalechniki z serem*), panqueca com queijo branco e coalhada.

Cocktail bar –surpreendentemente lá não se vendem bebidas alcoólicas, mas somente milk shakes, bolos e sorvetes.

Kawiarnia (*caviarnia*) –basicamente uma cafeteria que serve café, chá, refrigerantes, bebidas alcoólicas, tortas, bolos e também café da manhã e salgados.

Winiarnia (*viniarnia*) –uma adega. Não serve comida.

Piwiarnia (*piviarnia*) –bar que serve principalmente cerveja. Quase nunca serve comida. Tome cuidado com a companhia.

Redes de lanchonetes estrangeiras também podem ser encontradas nas cidades maiores.

Os restaurantes e a maioria das cafeterias têm serviços de chapelaria e se espera que você dê gorjeta tanto para o funcionário da chapelaria quanto para o do banheiro. (Não fique surpreso se alguém cobrar pelo uso do papel higiênico ou do sabonete.)

PALAVRAS E FRASES ÚTEIS

açúcar	cukier	*tsukier*
água	woda	*voda*
bolo	ciasto	*tchiasto*
café	kawa	*cava*
cardápio	menu, jadłospis	*menu, iaduospis*
carta de vinhos	karta win	*carta vin*
cerveja	piwo	*pivo*
chá	herbata	*rerbata*
chef	szef kuchni	*chef currni*
colher	łyżka	*uijka*
colher de chá	łyżeczka	*uidjetchca*
conta	rachunek	*rarrunec*
copo	szklanka	*chclanca*
faca	nóż	*nuj*
garçom	kelner	*kelner*
garçonete	kelnerka	*kelnerca*
garfo	widelec	*videlets*
garrafa	butelka	*butelca*
gorjeta	napiwek	*napivec*
guardanapo	serwetka	*servetca*
lanche	przekąska	*pjeconsca*
leite	mleko	*mleco*
mesa	stolik	*stolic*
prato	talerz	*talej*
prato do dia	obiad firmowy	*obiad firmovi*
receita	przepis	*pjepis*
sanduíche	kanapka	*canapca*
sopa	zupa	*zupa*
tigela	miska	*misca*
vinho	wino	*vino*
vodca	wódka	*vudca*
xícara	filiżanka	*filidjanka*

Uma mesa para um/dois/três, por favor
Stolik dla jednej osoby/dwóch osób, proszę
stolic dla iednei osobi/dvurr osub, proche

Pode me trazer o cardápio?
Czy mogé poprosić o jadłospis?
tchi mogeum poprochitch o iaduospis

Pode me trazer a carta de vinhos?
Czy mogę poprosić o kartę win?
tchi mogeum poprochitch o carteum vin

O que o senhor sugere?
Co pan (*homem*)/pani (*mulher*) poleca?
tso pan/pani poletsa

O senhor tem cardápio vegetariano?
Czy to się nadaje dla wegetarianinów?
tchi to che nadaie dla vegetarianinuv

Sou alérgico a castanhas/frutos do mar
Jestem uczulony (*homem*)/uczulona (*mulher*) na orzechy/małże
iestem utchuloni na ojerri/mauje

Tem porção pequena para criança?
Czy ma Pan (*homem*)/Pani (*mulher*) porcje dla dzieci?
tchi ma pan/pani porcie dla djetchi

Só uma xícara de café, por favor
Tylko kawę proszę
tilco cave procheum

Garçom/garçonete!
Proszę pana/panią!
proche pana/paniom

Só quero uma refeição ligeira
Tylko przekąskę proszę
tilco pjeconskeum procheum

Tem prato da casa?
Czy jest obiad firmowy?
tchi iest obiad firmovi

Isto não é o que pedimos
Tego nie zamawiałem (*homem*)/zamawiałam (*mulher*)
tego nie zamaviauem/zamaviauam

Pode nos servir mais ...?
Możemy/mogę poprosić o więcej ...?
mojemi/mogeum poprochitch o vieumtzei

Pode nos trazer a conta, por favor?
Poproszę o rachunek
poprocheum o rarrunec

A comida estava muito boa, obrigado (a)
Bardzo było smaczne, dziękuję
bardzo biuo smachne, djencuieum

Expressões que Você Vai Ouvir

restauracja	restaurante
samoobsługa	self-service
smacznego	bom apetite
szatnia	chapelaria
szatnia obowiązkowa	chapelaria obrigatória
toaleta płatna 200 zt.	chapelaria paga
toalety	sanitários

MANUAL DO MENU

agrest uva-espim
babka mãe-benta
bakalie frutas secas
baranina carne de carneiro
barszcz czerwony sopa de beterraba
bawarka chá com leite
bażant faisão
befsztyk bife de carne de boi
bezy suspiro, merengues
biała kiełbasa linguiça branca
biały ser queijo branco
bita śmietana chantilly
bitki wołowe bife
bliny tipo de panquecas grossas
boczek toucinho
bób fava
brukiew couve-nabo
brukselki couve-de-bruxelas
brzoskwinia pêssego
budyń pudim
bułka pão branco
bułeczka pãozinho francês
buraki beterraba
bryzol bife grelhado de boi
cebula cebola
chleb pão
chleb żytni pão de centeio
chrzan raiz-forte
ciasto bolo
cielęcina carne de vitela
comber costela
cukier açúcar
cynaderki rins
cytryna limão
czarna porzeczka groselha-preta
czekolada chocolate
czereśnia cereja
czosnek alho
dania mięsne prato de carne
dania rybne prato de peixe
dania z drobiu prato de carne de aves
dania z jaj prato de ovos
deser sobremesa
dorsz bacalhau
drób aves domésticas
dynia abóbora
dziczyzna carne de animal selvagem
drożdżówka brioche
dżem geleia
faszerowany recheado
fasola feijão
fasola szparagowa vagem
filet cielęcy bife de vitela
flądra linguado
frytki batata frita
galaretka geleia
gęś ganso
gofry favo holandês, waffle
gołąbki charutinhos
golonka pernil de porco
gotowany cozido
grochówka sopa de ervilha
groch włoski grão-de-bico
groszek ervilha
gruszka pera
grzanki torrada
gulasz gulache (prato húngaro)
herbata chá
herbatniki bolachas
homar lagosta
indyk peru
jabłko maçã
jagody mirtilo, bago
jagnię cordeiro
jajecznica ovos mexidos
jajka przepiórcze ovos de codorna

jajka sadzone ovos fritos
jajko ovo
jajko na miękko ovo cozido
jajko na twardo ovo duro
jarski vegetariano
jarzyny legumes, verduras
jeżyny amoras-pretas
jogurt iogurte
kabanos espécie de salame de porco
kaczka pato
kakao chocolate em pó
kalafior couve-flor
kalarepa couve-rábano
kanapka sanduíche
kapuśniak sopa de repolho
kapusta repolho
kapusta czerwona repolho-vermelho
kapusta kiszona chucrute
karczochy alcachofra
karmazyn haddock
karp carpa
kartofelki sauté batata sauté
kartoflanka sopa de batata
kartofle batatas
kartofle w mundurkach batatas cozidas
kasza cevadinha
kasza gryczana trigo-sarraceno
kasza jęczmienna mingau de cevada
kasza manna sêmola
kasza perłowa cevada
kaszanka chouriço de cevadinha e sangue
kasztany castanhas
kawa café
kawa po staropolsku tradicional café polonês com temperos
kawior caviar
kefir iogurte para beber
kiełbasa linguiça
kisiel um tipo de geleia endurecida
klopsiki almôndegas
kluski nhoque de batata
kminek alcaravia
knedle bolinhos de massa cozida com ameixa
kołacz bolo (camponês)
kołduny almôndegas cozidas de carne de cordeiro
konfitury doce de frutas
koper erva-doce
kopytka nhoque de batata
kotlet costela
kotlet mielony almôndega
kotlet siekany hambúrguer
kotlet wieprzowy costela de porco
kotlet wołowy costela de boi
krem z czekoladą creme de chocolate
kremówka creme de leite
krewetki camarões
krokiety croquetes
kromka chleba fatia de pão
królik coelho
krupnik sopa de cevada
kukurydza milho
kulebiak torta de carne, peixe ou repolho
kura frango
kurczę po polsku frango assado recheado com fígado e pão
kurczak pieczony frango assado
kuropatwa perdiz
kwaśne mleko leite coalhado
leniwe pierogi bolinhos de massa parecidos com ravióli e recheados com queijo branco
leszcz brema (peixe)
lody sorvetes
łazanki lasanha
łosoś salmão
łosoś wędzony salmão defumado
majeranek manjerona
majonez maionese
makaron macarrão

makowiec bolo de papoula
makrela cavala
maliny framboesas
mandarynki tangerinas
marchew cenoura
margaryna margarina
marynowany em conserva
masło manteiga
masło roślinne margarina
maślaki coleto (cogumelo)
mazurek espécie de bolo
mielonka carne moída
mielony moído
mięso carne
migdały amêndoas
miód mel
mizeria salada de pepino com creme de leite
mleko leite
mocno wysmażony bem passado
morele damasco
mostek cielęcy peito de vitela
murzynek bolo de chocolate
mus jabłeczny musse de maçã
mus owocowy musse de frutas
musztarda mostarda
nadzienie recheio
naleśniki panqueca
napoleonka mil-folhas
nerki rins
ocet vinagre
ogórek pepino
ogórek kiszony pepino em conserva
ogórek konserwowy pepino fermentado em conserva
olej óleo
oliwa azeite
oliwki azeitonas
omlet omelete
oszczypek queijo defumado de ovelha
orzechy włoskie nozes
orzeszki laskowe avelã
owoce frutas
ozorki cielęce língua de vitela
ozór língua
panierowany em farinha de rosca
papryka pimentão
papryka zielona pimentão verde
parówki salsicha
paszteciki empadinhas salgadas
pasztet patê de carne
pasztetówka salsicha de fígado
pączki sonhos
pieczarki cogumelos
pieczeń carne assada
pieprz pimenta-do-reino
piernik pãozinho de mel
pierogi bolinho de massa parecido com ravióli
pietruszka salsinha
pikantny picante
piwo cerveja
placek bolo, doce
płatki owsiane mingau de aveia
po angielsku malpassado
polędwica lombo
polędwica sopocka lombinho canadense
pomarańcza laranja
pomidor tomate
pory alho-poró
porter cerveja escura e forte
porzeczka czarna groselha-preta
porzeczka czerwona groselha
przecier polpa
przekładaniec bolo em camadas
przepiórki codorna
przystawki entrada
pstrąg truta
ptyś doce com creme
pyzy espécie de bolinho
rabarbar ruibarbo

racuszki tipo de panqueca com maçã
rak caranguejo
renklody rainha-cláudia (tipo de ameixa)
rodzynki uva-passa
rolmopsy fatias enroladas de arenque na salmoura
rosół canja
rozbef rosbife
rozmaryn alecrim
rumsztyk filé de alcatra
ryba peixe
ryż arroz
rzodkiewki rabanete
salceson queijo de porco
sałatka salada
sałatka owocowa salada de frutas
sandacz perca
sardynki sardinha
sarnina carne de veado
schab pernil (de porco)
ser queijo
sernik bolo de queijo
sezamki gergelim
sękacz bolo de camadas
seler aipo
serdelki espécie de salsicha
słodki doce
smażony frito
sok suco
solony salgado
sos molho
sól sal
stek bife
surówka salada de verduras e legumes crus
surowy cru
suszone śliwki ameixas secas
szaszłyk espetinho
szczupak lúcio
sznycel escalope
szparagi aspargos
szpinak espinafre
sztuka mięsa carne cozida
szynka presunto
śledź arenque
śliwki ameixas
śmietana creme de leite
śmietanka creme de leite
truskawki morangos
tuńczyk atum
twarożek requeijão
tymianek timo
uszka raviói com repolho ou cogumelo
wafle wafer
wątroba fígado
wędzony defumado
węgorz enguia
wieprzowina carne de porco
winogrona uvas
wiśnie cerejas
woda água
woda mineralna água mineral
wołowina carne de boi
zając lebre
zakąski salgadinhos
zalewajka sopa de centeio e batata
ziemniaki batatas
zioła ervas
zrazy naturalne bife
zsiadłe mleko leite coalhado
zupa sopa
z rusztu grelhado
z wody cozido
żeberka costelas
żurawina oxicoco
żurek sopa de farinha azedada

SUECO

SUMÁRIO

INTRODUÇÃO

Pronúncia

Ao ler a pronúncia imitada, pronuncie cada sílaba e utilize o acento como se fosse de uma palavra em português e você será suficientemente bem compreendido. Lembre-se dos pontos abaixo para melhorar sua pronúncia.

h	som de 'r', como em inglês ('**h**ouse')
l	como em '**l**ivro'
m	como em '**m**esa'
r	como em 'e**rr**o'
uu	como o 'u' em francês

Alfabeto Sueco

Em algumas seções e no *Manual do Menu* adotou-se a ordem alfabética sueca. Após a letra 'z', seguem-se estas letras suplementares: **å**, **ä**, **ö**.

Formas de Tratamento

Há duas maneiras de dizer 'você': **du** e **ni**. **Ni** é a forma educada e **du** é a forma familiar. Porém, ao contrário de alguns outros países europeus, não é necessariamente indelicado direcionar-se a um desconhecido com a forma familiar. Muitos suecos consideram a forma educada fora de moda. Em alguns casos deste livro você poderá escolher qual tratamento usar.

Artigo Definido e Indefinido

A forma mais comum de artigo definido ('o', 'a', 'os', 'as') em sueco é um sufixo (**en**, **et**) adicionado ao fim da palavra. Quando você encontrar traduções na forma **hus(et)** ou **bil(en)**, a forma **huset** significa 'a casa' e **bilen**, 'o carro'. 'Uma casa' é **ett hus** e 'um carro' é **en bil**.

FRASES ÚTEIS

Sim/Não
Ja/nej
ióó/nêi

Obrigado (a)
Tack
tac

Não, obrigado (a)
Nej tack
nêi tac

Por favor *(oferecendo)*
Varsågod
vachegúd

(pedindo algo)
Tack
tac

Não compreendo
Jag förstår inte
ió fãchtôr ín-té

Fala inglês/francês/espanhol?
Talar du engelska/franska/tyska?
tó-lár duu ein-elska/frans-cá/tíss-cá

Não falo sueco
Jag talar inte svenska
ió tó-lár ín-té svens-cá

Não sei
Jag vet inte
ió víet ín-té

Pode falar mais devagar, por favor?
Kan du/ni tala långsammare, tack
cán duu/ni tó-lá long-sámare tac

Pode escrever isso para mim?
Var snäll och skriv upp det för mig
vór snel oc scriv ôp díet fãr mei

Meu nome é …
Jag heter …
ió híe-ter

Muito prazer [em conhecê-lo (a)]
Hej, trevligt att träffas
hei, tríavlit at trê-fás

Bom dia/Boa tarde/Boa noite
God morgon/goddag/god afton
gu moron/gudóg/gu afton

Boa noite *(ao deitar-se)*
Godnatt
gunat

Até logo
Adjö; *(informal)* hejdå
aiô; hei-dô

Como vai?
Hur mår du?
huur mor duu

Com licença, por favor
Ursäkta
uuchécta

Desculpe!
Förlåt!
fãr-lót

Mil desculpas!
Jag är mycket ledsen
ió ar mi-quet lé-ssan

Pode me ajudar?
Kan du hjälpa mig?
cán duu iélpa mei

Pode me dizer ...?
Kan du säga mig ...?
cán duu seia mei

Pode me dar ...?
Kan jag få ...?
cán ió fô

Gostaria de ...
Jag skulle vilja ha en/ett ...
ió scul-lé ví-liá hó ên/ét

Gostaria de um (a)...?
Vill du/ni ha en/ett ...?
vil duu/ni hó ên/ét

Há ... aqui?
Finns det en/ett ... här?
fins dêt ên/ét ... har

Onde posso conseguir ...?
Var kan jag få ...?
vór cán ió fô

Quanto custa?
Hur mycket kostar det?
huur mi-quet cós-tár dêt

Que horas são?
Hur mycket är klockan?
huur mi-quet ar clo-cán

Preciso ir agora
Jag måste gå nu
ió móste gô nuu

Eu me perdi
Jag har tappat bort mig
ió hór ta-pat bort mei

Perdi meu passaporte/chave/traveller's cheque
Jag har förlorat mitt pass/min rumsnyckel/mina resecheckar
ió hór ferlúrat mit pass/min rums-níquel/mina rrêse-chécar

Saúde! *(brinde)*
Skål!
scôol

Aceitam cartões de crédito?
Tar ni kreditkort?
tór ni credít-curt

Onde fica o banheiro?
Var är toaletten?
vór ar tualéten

Excelente!
Utmärkt!
uutmérct

Palavras e Frases que Você Vai Ouvir

adjö	até logo
akta dig!	cuidado!
bra	bom
förlåt	perdão
hej	olá
hej, trevligt att träffas	prazer em conhecê-lo
hur står det till?	como vai?
hursa?	como?
ja	sim
jag förstår inte	não entendo
jag vet inte	eu não sei
just det	OK
lycklig resa	boa viagem!
nej	não
stig in	entre
tack	obrigado
tack, bra	muito bem, obrigado (a)
tack så mycket	muito obrigado (a)
ursäkta	com licença
varsågod	por favor; seja bem-vindo; fique à vontade
vi ses senare	até logo
välkommen	bem-vindo

Expressões que Você Vai Encontrar

att hyra	permitido
damer	senhoras
drag	puxe
ej …	não …
ej ingång/utgång	entrada proibida/sem saída
fritt inträde	entrada gratuita
fullsatt	lotado

→

förbjudet	proibido
gata	rua
herrar	homens
hiss	elevador
ingång	entrada
inte	não
kassa	caixa
korvkiosk	quiosque de cachorro-quente
ledigt	livre
livsfara	perigo de morte
luciadagen	dia de Santa Lúcia (13 de dezembro)
lägenhet att hyra	flat para alugar
nymålat	tinta fresca
nödutgång	saída de emergência
polis	polícia
privat	privativo
rabatt	preços com desconto
rea	saldo
reserverad	reservado
semesterstängt	fechado nos feriados
skjut	empurre
stängt	fechado
till salu	à venda
tillträde förbjudet	entrada proibida
toaletter	lavabos
tystnad	silêncio
upplysningar	informação
upptaget	ocupado
utförsäljning	liquidação
utgång	saída
utsålt	vendido
väg	estrada
öppet	aberto

DIAS, MESES, ESTAÇÕES

domingo	söndag	*sãn-dóg*
segunda-feira	måndag	*mon-dóg*
terça-feira	tisdag	*tis-dóg*
quarta-feira	onsdag	*uns-dóg*
quinta-feira	torsdag	*tuch-dóg*
sexta-feira	fredag	*frê-dóg*
sábado	lördag	*lãr-dóg*
janeiro	januari	*ianuóri*
fevereiro	februari	*februóri*
março	mars	*mach*
abril	april	*apríl*
maio	maj	*mai*
junho	juni	*iuuni*
julho	juli	*iuuli*
agosto	augusti	*agusti*
setembro	september	*september*
outubro	oktober	*octuber*
novembro	november	*nuvember*
dezembro	december	*december*
primavera	vår	*vôr*
verão	sommar	*sô-már*
outono	höst	*hãst*
inverno	vinter	*vínter*
Natal	jul	*iuul*
Noite de Natal	julafton	*iuul-áfton*
Sexta da Paixão	långfredag	*longfrê-dóg*
Páscoa	påsk	*posc*
Pentecostes	pingst	*pingst*
Ano-Novo	nyår	*ni-ór*
Véspera de Ano-Novo	nyårsafton	*ni-ors-áfton*

NÚMEROS

0 noll *nól*
1 ett *ét*
2 två *tvo*
3 tre *trê*
4 fyra *fira*
5 fem *fem*
6 sex *secs*
7 sju *chuu*
8 åtta *o-ta*
9 nio *níu*

10 tio *tíu*
11 elva *el-vá*
12 tolv *tolv*
13 tretton *tre-ton*
14 fjorton *fiurton*
15 femton *femton*
16 sexton *secston*
17 sjutton *chuton*
18 arton *ór-ton*
19 nitton *ni-ton*
20 tjugo *chuugu*
21 tjugoett *chugo-ét*
22 tjugotvå *chugo-tvo*
30 trettio *treti*
31 trettioett *treti-ét*
32 trettiotvå *treti-tvo*
40 fyrtio *fãrti*
50 femtio *femti*
60 sextio *secsti*
70 sjuttio *chuti*
80 åttio *oti*
90 nittio *niti*
100 (ett) hundra *(ét) hundra*
110 (ett) hundratio *(ét) hundra-tiu*
200 tvåhundra *tvo-hundra*
1.000 (ett) tusen *(ét) tuu-sen*
100.000 (ett) hundra tusen *(ét) hundra tuu-sen*
1.000.000 en miljon *ên milhún*

TEMPO

hoje	i dag	*i dóg*
ontem	i går	*i gor*
amanhã	i morgon	*i mó-ron*
antes de ontem	i förrgår	*i fãr-gór*
depois de amanhã	i övermorgon	*i ãver-móron*
esta semana	den här veckan	*den hér ve-cán*
semana passada	förra veckan	*fãra ve-cán*
semana que vem	nästa vecka	*nesta ve-cá*
esta manhã	i morse	*i moché*
esta tarde	i eftermiddag	*i efter-midog*
esta noite	i kväll	*i kvel*
hoje à noite	i natt	*i nat*
ontem à tarde	i går eftermiddag	*i gór efter-mídog*
noite passada	i går kväll	*i gór kvel*
amanhã de manhã	i morgon bitti	*i mó-ron bíti*
amanhã à noite	i morgon kväll	*i mó-ron kvel*
dentro de três dias	om tre dagar	*om tre dó-gar*
há três dias	för tre dagar sedan	*fãr tre dó-gar ciêdan*
tarde	sen	*ciên*
cedo	tidig	*ti-dig*
logo	snart	*snórt*
mais tarde	senare	*sênare*
neste momento	just nu	*iust nuu*
um segundo	en sekund	*secund*
um minuto	en minut	*minuut*
dois minutos	två minuter	*tvô minuuter*
15 minutos	en kvart	*ên quivárt*
meia hora	en halvtimme	*ên halv-tí-mé*
45 minutos	tre kvart	*tre quivárt*
uma hora	en timme	*tí-mé*
todos os dias	varje dag	*vá-rie dóg*
o dia todo	hela dagen	*hêla dóguen*

no dia seguinte	nästa dag	*nesta dóg*
semana	vecka	*veca*
mês	månad	*monad*
ano	år	*ôr*

Como Dizer as Horas

A Suécia está cinco horas na frente do Brasil. Os suecos adiantam seus relógios em uma hora do fim de março até o fim de outubro.

É importante notar que, em vez de dizer 'uma hora e meia', os suecos referem-se à hora seguinte (por exemplo, 'uma e meia' é dito em sueco 'meia duas'). A indicação de tempo com o uso das 24 horas é muito usada, tanto na forma escrita, em horários etc., como verbalmente para dar informações e marcar encontros.

antes do meio-dia	förmiddag(en)	*fãr-mídog*
depois do meio-dia	eftermiddag(en)	*éfter-mídog*
1h	klockan ett	*clô-cán ét*
1h10	tio över ett	*tiu ãver ét*
1h15	kvart över ett	*kvart ãver tvô*
1h30	halv två	*halv tvô*
1h40	tjugo i två	*chuugo i tvô*
1h45	kvart i två	*kvart i tvô*
2h	klockan två	*clô-cán tvô*
13h	klockan tretton	*clô-cán trêton*
16h30	sexton och trettio	*sêcston oc treti*
às 5h30	halv sex	*halv secs*
às 7h	klockan sju	*clô-cán chuu*
meio-dia	klockan tolv	*clô-cán tolv*
meia-noite	midnatt	*midnat*

COMUNICAÇÃO

PALAVRAS E FRASES ÚTEIS

cabine telefônica	en telefonkiosk	*telefôn-chosc*
cartão telefônico	telefonkort(et)	*telefôn-curt*
celular	mobiltelefon(en)	*mubíl-telefôn*
código	riktnummer	*rictnumer*
e-mail	email-adress	*i-meil adrés*
emergência	nödfall	*nãd-fál*
extensão	anknytning(en)	*ancnítning*
ligação a cobrar	b-a samtal (-numret)	*be-ó samtól*
número	nummer (numret)	*numer*
número errado	fel nummer	*fêl numer*
operador	växel(n)	*vêcsel*
(no hotel)	telefonist(en)	*telefonist*
sinal de discagem	kopplingston	*coplingstún*
telefone	en telefon	*telefôn*

Onde fica a cabine telefônica mais próxima?
Var finns närmaste telefonkiosk?
vór fins nar-máste telefôn-chosc

Quero um número de ...
Jag skulle vilja ha ett nummer i ...
ió scul-lé ví-liá hó ét numer i

Posso falar com ..., por favor
Kan jag få tala med ...?
cán ió fô tó-lá mêd

Meu número é ...
Mitt nummer är ...
mit numer ar

Posso deixar um recado para ele/ela?
Får jag lämna ett meddelande?
fôr ió lemna ét miê-dêlandê

Voltarei a ligar mais tarde
Jag ringer senare
ió ringuer ciê-ná-ré

Qual o número do seu fax/seu e-mail?
Vad har du för faxnummer/email-adress?
vód hór duu făr facsnumer/i-meil adrés

Posso enviar um fax/um e-mail daqui?
Kan jag skicka et email/fax härifrån?
cán ió chi-ca ét i-meil/facs harifrôn

Expressões que Você Vai Encontrar

direktval	discagem direta
email	e-mail
email addres	endereço de e-mail
faxmaskin	fax
information	informações
internationell	internacional
internationellt samtal	chamada internacional
i olag	não funciona
lokalsamtal	chamada local
lyft luren	auricular
nödsamtal	chamada de emergência
rikssamtal	chamada de longa distância
riktnummer	código
Tele	telefone público
telefonsvarare	secretária eletrônica
telefonkiosk	cabine telefônica
websida	Web site

Frases que Você Vai Ouvir

Vem vill du tala med?
Com quem deseja falar?

Du har fått fel nummer
Você ligou o número errado

Vem är det som talar?
Quem fala?

Jag kopplar vidare
Vou passar a ligação

Vad har du för nummer?
Qual é o seu número?

Tyvärr, han är inte anträffbar
Sinto muito, ele/ela não está

Han kommer tillbaka klockan …
Ele voltará às … horas

Ring på nytt i morgon
Ligue de novo amanhã, por favor

Jag skall meddela honom att du har ringt
Direi a ele/ela que o (a) senhor (a) ligou

Tyvärr är alla linjer upptagna
Desculpe, todas as linhas estão ocupadas

Försök på nytt senare
Por favor, tente mais tarde

HOTÉIS

Palavras e Frases Úteis

almoço	lunch(en)	*lunch*
aposento	ett rum	*rum*
banheiro	ett badrum	*bód-rum*
café da manhã	frukost(en)	*frúcost*
cama	en säng	*sêng*
chave	nyckel(n)	*níquel*
conta	räkning(en)	*réc-níng*
ducha	en dusch	*duch*
elevador	en hiss	*his*
gerente	direktör(en)	*directãr*
hall de entrada	lobby(n)	*lobi*
hotel	ett hotell	*hutél*
jantar	middag	*mídog*
meia pensão	halvpension	*hálv-panchún*
pensão completa	helpension	*hiêl-panchún*
quarto	ett sovrum	*sôv-rum*
quarto conjugado	ett rum med två sängar	*rum mêd tvô sengar*
quarto duplo	ett dubbelrum	*dú-bel-rum*
quarto simples	ett enkelrum	*ên-quel-rum*
recepção	reception(en)	*recepchún*
recepcionista	receptionist(en)	*recepchuníst*
restaurante	en restaurang	*restorang*
sacada	en balkong	*balcông*
saguão	sällskapsrum(met)	*sel-scóps-rum*
sala de jantar	matsal(en)	*mót-sól*
sanitário	en toalett	*tualet*
serviço de quarto	rumsbetjäning(en)	*rumsbecháning*

Vocês têm vagas?
Har ni några lediga rum?
hór ni nôra lêdiga rum

Fiz uma reserva
Jag har beställt rum
ió hór bestelt rum

Gostaria de um quarto simples/duplo
Jag skulle vilja ha ett enkelrum/dubbelrum
ió scul-lé ví-liá hó ét ênquêl-rum/dubel-rum

Eu gostaria de um quarto com banheiro/sacada
Jag skulle vilja ha ett rum med bad/balkong
ió scul-lé ví-liá hó ét rum mêd bód/balcóng

Eu gostaria de um quarto para uma noite/três noites
Jag skulle vilja ha ett rum för en natt/tre nätter
ió scul-lé ví-liá hó ét rum fãr ên nat/trê neter

Os quartos possuem TV via satélite/TV a cabo?
Finns det satellit/kabel TV på rummen?
fins de satelít/cóbel têve pô rumen

Qual o preço por noite?
Vad kostar det per natt?
vód cos-tar dêt par nat

Há acesso para cadeira de rodas?
Är det rullstolsvänligt?
ar dêt rul-stuls-vénligt

Há acesso para deficientes físicos?
Är det anpassat för rörelsehindrade?
ar dêt anpásat fãr ror-relse-híndrade

A que horas é o café da manhã/jantar?
När serveras frukosten/middagen?
nar servêras frúcosten/mídoguen

Por favor, acorde-me às ... horas
Kan ni/du väcka mig klockan … tack
cán ni/duu veca mei cló-cán ... tac

Podem servir o café da manhã no meu quarto?
Kan jag få frukost på rummet?
cán ió fô frúcost pô rumet

O número do meu quarto é …
Mitt rumsnummer är …
mit rums-numer ar

Vou embora amanhã
Jag reser i morgon
ió rêser i moron

Minha conta, por favor?
Kan jag få räkningen?
cán ió fô racnínguen

Vou pagar com cartão de crédito
Jag betalar med kreditkort
ió betólar mêd credít-curt

Vou pagar em dinheiro
Jag betalar kontant
ió betólar contánt

Pode chamar um táxi?
Kan jag få en taxi?
cán ió fô ên táxi

Expressões que Você Vai Encontrar

bottenvåning	térreo
drag	puxe
fullbelagt, fullbokat	não há vagas
nödutgång	saída de emergência
rum med frukost	bed and breakfast
räkning	conta
skjut, tryck	empurre

Frases que Você Vai Ouvir

Tyvärr, vi är fullbokade
Sinto muito, estamos lotados

Vi har inga lediga enkelrum/dubbelrum
Não temos quartos simples/duplos

För hur många nätter?
Por quanto tempo?

För hur många personer?
Para quantas pessoas?

Hur betalar ni?
Como o (a) senhor (a) gostaria de pagar?

Fyll i den här blanketten
Por favor, preencha o formulário

Var snäll och skriv under här
Por favor, assine aqui

Var vänlig och betala i förskott
Por favor, pague adiantado

COMPRAS

Onde fica a seção de ...?
Var ligger … avdelningen?
vór líguer ... óv-dêlninhen

Vocês têm ...?
Har du/ni …?
hór duu/ni

Quanto é isto?
Hur mycket kostar den här?
huur mi-quet cóstar den har

Vocês têm mais destes?
Har du/ni fler av den här sorten?
hór duu/ni flêr óv den har sórten

Onde se paga?
Var kan jag betala?
vór cán ió betóla

Tem algo menos caro?
Finns det någonting billigare?
fins dêt nogontíng biligare

Pode me dar um recibo?
Kan jag få ett kvitto, tack?
cán ió fô ét quivito, tac

Pode me devolver o dinheiro?
Kan jag få pengarna tillbaka?
cán ió fô pêngarna tilbóca

Só estou olhando
Jag ser mig bara omkring
ió sêr mei bóra omcríng

REFEIÇÕES

Os restaurantes suecos variam entre restaurantes finos e pequenos cafés. Procure o **dagens rätt** (*dóguens rét*), prato especial do dia que normalmente inclui um prato principal, salada, refrigerante e café.

A taxa de serviço é sempre incluída na conta. Portanto qualquer gorjeta é opcional.

Não deixe de experimentar o tradicional **smörgåsbord** (*smãrgos-búrd*), mas escolha um dia em que estiver com bom apetite. Você começa com arenque ou outros peixes salgados, continua com carne fria e saladas e depois aprecia os pratos quentes. A sobremesa não faz parte da refeição, mas é possível terminar com queijos e frutas.

Na maioria das cidades você encontrará estabelecimentos de refeições rápidas que servem lanches e pizzas. Uma instituição sueca típica é o **korvkiosk**, um trailer de cachorro-quente aberto até tarde que serve vários tipos de hambúrguer e cachorro-quente.

Os suecos comem cedo. O almoço começa por volta das 11h30 e o jantar a partir das 17h (ou entre 19h e 20h, se forem comer em restaurante).

A cerveja é a bebida preferida na Suécia e tem três categorias: a **lättöl** (*lét-el*), que é classe **I** e mais fraca; a **mellanöl** (*mélan-el*) ou a **folköl** (*fôlc-el*), que são classe **II** e mais populares; e a **starköl**, classe III e mais forte. **Snaps** é uma bebida alcoólica aromatizada com vários tipos de erva que se toma bem gelada, e o **punsch** é um licor de áraque doce servido com café depois do jantar. Bebidas alcoólicas que não são servidas num restaurante são vendidas somente por lojas controladas pelo Estado, chamadas **Systembolaget** (*sistembulóguet*) –com exceção da **lättöl**, que pode ser comprada em empórios. Você deve ter pelo menos 20 anos para poder comprar na **Systembolaget**.

Palavras e Frases Úteis

açúcar	socker(et)	*sóquer*
água	vatten(et)	*váten*
bolo	tårta(n)	*tôr-ta*
café	kaffe(t)	*cá-fé*
cardápio	meny(n), matsedel(n)	*mení* *mót-sêdel*
carta de vinhos	vinlista(n)	*vín-lísta*
cerveja	en öl	*el*
chá	te(et)	*tê*
colher	sked(en)	*chêd*
colher de chá	tesked(en)	*tê-chêd*
conta	nota(n)	*nu-ta*
copo	ett glas	*glós*
faca	kniv(en)	*cniv*
garçom	hovmästare(en)	*hôv-méstare*
garçonete	servitris	*servitrís*
garrafa	en flaska	*flas-ca*
garfo	gaffel(n)	*ga-fel*
gorjeta	dricks(en)	*drics*
guardanapo	en servett	*servét*
lanche	matbit(en)	*mót-bit*
leite	mjölk(en)	*miêlc*
mesa	ett bord	*burd*
nota fiscal	kvitto(t)	*quivítu*
prato	tallrik(en)	*tal-ric*
sanduíche	en smörgås	*smãr-gôs*
sobremesa	efterätt	*efterét*
sopa	soppa(n)	*so-pá*
vinho	vin(et)	*vín*
xícara	kopp(en)	*cóp*

Uma mesa para uma pessoa, por favor
Kan jag få ett bord för en person, tack?
cán ió fô ét burd fãr ên pechun, tac

Uma mesa para duas pessoas, por favor
Kan jag få ett bord för två, tack?
cán ió fô ét burd fãr tvô, tac

Posso ver o cardápio/a carta de vinhos?
Kan jag få se menyn/vinlistan, tack?
cán ió fô sê menín/vín-lístan, tac

O que o senhor sugere?
Vad rekommenderar ni/du?
vód recomendêrar ni/duu

Vocês têm porções para crianças?
Går det att få barnportion?
gôr dêt at fô bórn-portchún

Eu gostaria de ...
Jag skulle vilja ha ...
ió scul-lé ví-liá hó

Só uma xícara de café, por favor
Bara en kopp kaffe, tack
bóra ên cóp cá-fé, tac

Garçom/garçonete!
Ursäkta!
uuchécta

Só quero um lanche
Jag vill bara ha något litet att äta
ió vil bóra hó nôgot litet at é-tá

Há um cardápio do dia?
Har ni en dagens rätt?
hór ni ên dóguens rét

Não pedimos isto!
Jag beställde inte det här
ió bestêlde ín-té det har

Poderia nos trazer mais ...?
Kan vi få litet mer av ...?
cán vi fô lite mêr óv

Pode trazer outra faca?
Kan jag få en annan kniv, tack?
cán ió fô ên á-nán quinív tac

Pode trazer mais uma faca?
Kan jag få en kniv till, tack?
cán ió fô ên quinív til tac

Pode nos trazer a conta, por favor?
Kan vi få notan?
cán vi fô nú-tán

Podemos pagar tudo junto/separado?
Kan vi betala tillsammans/var för sig?
cán vi betóla tilsámans/vór fãr sei

Estava ótimo, obrigado (a)
Det var mycket gott, tack
dêt vór mi-quet gót tac

Frases que Você Vai Ouvir

Vad får det vara att dricka?
O que você gostaria de beber?

Smaklig måltid
Bom apetite

MANUAL DO MENU

abborre perca
anka pato
apelsin laranja
bakelse bolo, doce, torta
biff carne
biffgryta carne na caçarola
biffpaj torta de carne
bigarrå cereja branca
björnbär amora-preta, morácea
blekselleri aipo
blomkål couve-flor
blåbär mirtilo
braxen breama
bruna bönor feijão-marrom
brylépudding pudim de caramelo
brynt vitkålsoppa sopa de repolho branco
brysselkål couve-de-bruxelas
bräckt frito
bröd pão
buljong consomê
böckling arenque báltico defumado
bönor feijão
dadlar tâmaras
druvor uvas
falukorv linguiça de porco frita
fasan faisão
fisk peixe
fiskbullar bolinhos de peixe
fiskgryta caçarola de peixe
flundra linguado
fläsk porco
fläskkorv linguiça picante de carne de porco cozida
forell truta
frukostflingor cereal
frukt fruta
fullkornsbröd pão integral
fyllda stekta äpplen maçã assada recheada
förlorat ägg ovos pochê
getost queijo de cabra
glaserad skinka presunto caramelizado
glasmästarsill arenque salgado marinado com rábano silvestre e cenouras
glass sorvete
grahamsbröd pão preto
gravad lax/gravlax salmão cru apimentado
griljerad skinka presunto caramelizado
gräslök cebolinha
gröna ärter ervilhas
grönkål couve
grönsaker vegetais
grönsallad alface
gul lök cebola amarela
gurka pepino
gås ganso
gädda lúcio
hallon framboesa
hare lebre
hasselnötter avelãs
hjortron espécie de framboesa
hummer lagosta
höns frango
inlagda rödbetor raiz de beterraba picada
inlagd gurka picles
isterband linguiça ligeiramente defumada feita com cevada, porco e toucinho
jordgubbar morangos
jordärtskockspuré purê de alcachofra
jos/juice suco
järpe tetraz
kaffe café

kalkon peru
kallskuret frios
kalops carne cozida no vapor
kalvbräss timo de vitela
kalvfilé filé de vitela
kalvfricassé vitela fricassé
kalvgryta vitela cozida no vapor
kalvlever fígado de vitela
kalvrulader trilo de vitela
kalvschnitzel costeleta de vitela
kalvstek articulação de vitela
kalvsylta músculo de vitela
kanin coelho
karp carpa
kassler lombo de porco defumado
katrinplommon ameixa seca
kavring pão de centeio integral
knäckebröd pão tipo torrada
kokosnöt coco
kokt cozido, pochê
kokta majskolvar sabugo de milho
kolja hadoque
korv linguiça
korvgryta linguiça na caçarola
korvkaka linguiça assada no forno e refeição com aveia
korvlåda linguiça assada e fatiada
kotlett costeleta, picado
krabba lagosta
kronärtskockor alcachofra
kroppkakor bolinhos de batata recheados com porco picado
krusbär groselha espinhosa
kryddost queijo com cominho
kräftor camarão de água doce
kummel merlúcio
kyckling galinha
kycklinglever fígado de galinha
kål repolho
kåldolmar rolinhos de repolho recheados de carne moída e arroz
kålpudding pudim de repolho e carne moída
kålrötter rutabaga
kålsoppa sopa de repolho
körsbär cerejas
köttbullar bolinho de carne
köttfärs carne moída
köttfärslimpa bolo de carne moída
köttfärsrulader rocambole de carne moída
köttgryta carne na caçarola
köttsoppa sopa de carne com vegetais
lake barboto
lammfricassé cordeiro fricassé
lammsadel filé de lombo
lammstek juntas do lombo
lapskojs carne cozida, verduras e biscoito com purê de batatas
lax salmão
laxpudding fatias de salmão e batatas assadas no forno
laxöring trutas do mar
legymsallad salada de vegetais verdes
lever fígado
leverbiff fígado picado frito
levergryta fígado na caçarola
leverpastej patê de fígado
lutfisk peixe seco, embebido em barrela e cozido
löjrom ovas de peixe branco
lök cebola
lövbiff carne fatiada frita com cebola
majs maisena, milho doce
makaroner macarrão
makrill cavala
mald leverbiff hambúrguer feito de fígado moído
margarin margarina
marängsviss (hovdessert) merengue com camadas de chantilly e derretido em chocolate puro

matjessill tipo de arenque salgado
mesost queijo doce marrom
mjukost queijo branco macio
mjöl farinha
mjölk leite
morkulla galinhola
morötter cenouras
musslor mexilhão
nejonögon lampreia
njure rim
njursauté rim frito com pouco óleo
nyponsoppa sopa de pétala de rosa
nässelsoppa sopa de urtiga
nötter castanha
olja óleo
orre galo silvestre
ost queijo
ostron ostras
oststänger bastões de queijo
oxfilé filé de carne
oxjärpe bolinho cilíndrico de carne
oxragu guisado de carne
oxrulader bife rolê com recheio
oxstek juntas de boi
oxsvanssoppa sopa de rabada
palsternacka pastinaca
paltbröd pudim preto
pannbiff hambúrguer de carne
pannkakor panquecas
paprika pimentão verde ou vermelho
peppar pimenta
pepparkakor biscoitos de gengibre
pepparrotskött carne cozida com molho de rábano silvestre
persika pêssego
piggvar barboto
plommon ameixa seca
pocherad forell truta pochê
potatis batatas
potatismos purê de batatas
pressad potatis purê de batatas
prinskorv minilinguiças
purjolök alho-poró
pyttipanna carne moída com batatas e cebola
päron pera
pölsa cevada e carne moída
rabarber ruibarbo
raggmunkar panquecas de batatas
rapphöns perdiz
renkött rena
renstek junta de rena
revbensspjäll costela de porco
rimmad skinka presunto salgado
ripa tetraz
ris arroz
risgrynspudding pudim de arroz
rostat bröd torrada
rotmos purê de nabo
russin uva-passa
råbiff bife tártaro
rågbröd pão de centeio
rårivna morötter cenoura gratinada
räkor camarão
röda vinbär groselha-vermelha
rödbetor beterraba
röding torrado
rödkål repolho-vermelho
rödlök cebola vermelha
rödspätta solha
rökt defumado
salt sal
saltgurka pepino em conserva
salt sill arenque salgado
sardiner sardinhas
schalottenlök chalota
selleri aipo
sellerikål aipo-rábano
senap mostarda
sik peixe branco
sikrom ovas de peixe branco
sill arenque

sillbullar bolo de arenque
sillpudding suflê de arenque
sjömansbiff carne, cebola e batatas cozidos na cerveja
skorpor torradas de pão
slätvar rodovalho
smultron morangos silvestres
småbröd biscoitos doces
smör manteiga
smörgås sanduíche
smörgåsbord famosa mesa escandinava tipo bufê
sniglar caracóis
socker açúcar
soppa sopa
sparris aspargo
spenat espinafre
sprängd anka pato salgado
sprängd gås ganso salgado
squash abóbora
stekt frito, assado
strömming arenque báltico
stuvad(e) em molho branco
surkål chucrute
surstek rosbife marinado
surströmming arenque báltico fermentado
svampgratinerad oxfilé filé de carne com cogumelos gratinados
svarta vinbär groselha-preta
svartsoppa sopa preta feita de sangue de ganso
syltomelett omelete doce com geleia
te chá
tjäder tetraz
tomat tomate
torsk bacalhau
tranbär oxicoco
tunga língua
tårta bolo
ugnsbakad skinka presunto assado no forno
ugnskokt fiskfilé filé de peixe assado no forno
ugnsstekt revbensspjäll costeleta de porco assada no forno
valnöt nozes
vetebröd pão de chá
vingelé geleia de groselha
vinkokt cozido no vinho
vispgrädde chantilly
vitkål repolho-branco
vitling pescada marlonga
vitlök alho
vitt formbröd pão branco tipo inglês
vitt matbröd pão branco
våfflor waffles
wienerbröd doce dinamarquês
wienerkorv linguiça tipo salsicha
ål enguia
åkerbär morácea ártica
ångkokt salt sill arenque salgado cozido no vapor
ägg ovo
äggröra ovos mexidos
älg alce
älgstek junta de alce
äppelkaka med vaniljsås pedaços de maçã com molho de baunilha
äppelkräm compota de maçã
äppelmos purê de maçã
äpple maçã
ärter ervilhas
ärtsoppa sopa de ervilha amarela
ättika vinagre
ättikssill arenque na salmoura
ättiksströmming arenque báltico na salmoura
öl cerveja

TCHECO

SUMÁRIO

INTRODUÇÃO

PRONÚNCIA

Ao ler a transcrição da pronúncia tcheca acentue sempre a primeira sílaba. O acento agudo não significa acentuação, mas uma sílaba mais comprida. Como o português, o tcheco é uma língua fonética, porém a pronúncia é diferente. Seguem abaixo exemplos da pronúncia de algumas letras.

a	como em 'anel', um pouco mais curto
e	quase sempre 'é', como em 'médico'
g	gutural, como em 'goma', 'gato', 'gula' ou 'grande'
h	sempre pronunciado; som gutural, como em 'carro'
ch	em tcheco é uma letra só; som gutural, como em 'carro', um pouco mais acentuado. No alfabeto, o 'ch' vem sempre depois do 'h', e não do 'c'
i	como em 'mil'
j	sempre pronunciada, como 'i' de 'iodo', nunca como 'j'. Mesmo que apareça antes da vogal 'e', não pronuncie 'je', mas sim 'ie'
m	antes de consoante ou no final das palavras deve ser pronunciado como 'm' mudo, e não com som nasal
o	como em 'sol'
u	como em 'luta', 'luva'
y	como 'i'; em tcheco é uma vogal escrita após as consoantes duras (d, t, n, r, h, ch, k)

Há três gêneros em tcheco: masculino, feminino e neutro. As alternativas dadas entre parênteses indicam o gênero do sujeito da frase.

Lista de Símbolos Especiais em Tcheco

á	sílaba é mais comprida, como em '*váha*'
c	pronuncia-se 'tse' (grafado **ts** na pronúncia)
č	pronuncia-se 'tch', como em '**tch**eco'
d'	pronuncia-se 'gu', seguido de 'i' ou 'e' (gui, guié), dependendo da palavra. Quando aparecer 'di' ou 'dě' significa que o d' está embutido e se pronuncia 'gui' ou 'guié'
é	'é' longo (grafado **éé** na pronúncia). Em tcheco o acento significa uma sílaba mais comprida, e não acentuação
ě	pronuncia-se 'ié'; consoantes antes do 'ě' são pronunciadas como consoantes moles. *Někdo*, por exemplo, pronuncia-se 'nhegdo'
í	comprido, como em vida
k	antes do 'a', 'o' e 'u' tem som de 'c'. Antes do 'i' é pronunciado 'qui', como em '**qui**lômetro'
ň	'nh', como em 'compa**nh**ia'. Se for seguido de 'ě' pronuncia-se 'nhié'
ó	aberto e comprido, como em '**ó**tica'
ř	pronuncia-se 'rj'
š	'ch', como em '**ch**eque' (grafado **sh** na pronúncia)
t'	pronuncia-se 'qui', curto, seguido da vogal da palavra
ú, ů	'u' comprido, como em 'l**u**ta'
w	pronuncia-se 'v', como em 'vida'
ý	pronuncia-se 'í'
ž	'j' ou 'g' (antes de 'e' ou 'i'). Seguido de consoante tem som de 'j' ou 'g' mudos (grafado **zh** na pronúncia)

FRASES ÚTEIS

Sim/Não
Ano/ne
ano/né

Obrigado (a)
Děkuji
guiékui

Não, obrigado (a)
Ne, děkuji
né, guiékui

Por favor
Prosím
prossím

Não compreendo
Nerozumím
nerozumím

Fala inglês/francês/espanhol?
Mluvíte anglicky/francouzsky/německy?
mluvíté anglitski/frantsouski/nhémétski

Não falo tcheco
Nemluvím česky
némluvím tchéski

Não sei
Nevím
névím

Pode falar mais devagar, por favor?
Mluvte pomalu, prosím
mlufté pomalu, prossím

Pode escrever isso para mim, por favor?
Napište mi to, prosím
napishté mi to, prossím

Meu nome é …
Jmenuji se …
iménui sé

Muito prazer [em conhecê-lo (a)]
Těší mě
quieshí mnhé

Bom dia (manhã)
Dobré ráno
dobré ráno

Bom dia
Dobrý den
dobrí dén

Boa tarde
Dobrý večer
dobrí vétchér

Boa noite
Dobrou noc
dobrou nots

Até logo
Nashledanou
nasrrledanou

Como vai?
Jak se máte?
iak sé máté

Com licença, por favor
S dovolením
zdovolénhím

Perdão?
Prosím?
prossím

Desculpe!
Promiňte!
prominhté

Mil desculpas!
Je mi to moc líto
ié mi to mots líto

Pode me ajudar?
Můžete mi pomoci?
múgété mi pomotsi

Pode me dizer ...?
Můžete mi říci ...?
múgété mi rjítsi

Pode me dar ...?
Mohu dostat ...?
mohu dostat

Gostaria de ...
Rád (*homem*)/ráda (*mulher*) bych ...
rád/ráda birr

Há ... aqui?
Je tam ... tady?
ié tam ... tadi

Onde posso conseguir ...?
Kde mohu dostat ...?
gdé morru dostat

Quanto custa?
Kolik to stojí?
kolik to stói

Que horas são?
Kolik je hodin?
kolik ié rroguin

Preciso ir agora
Už musím jít
uzh mussím iít

Eu me perdi
Zabloudil (*homem*)/zabloudila (*mulher*) jsem
zablouguil/zablouguila sém

Saúde!
Na zdraví!
na zdraví

Aceitam cartões de crédito?
Berete karty?
bérété karti

Onde fica o banheiro?
Kde je záchod?
gdé ié zárrod

Vá embora!
Jděte pryč!
guiété pritch

Excelente!
Výborně!
víbornhé

Perdi meu dinheiro/traveller's cheques/cartões de crédito
Ztratil (*homem*)/Ztratila (*mulher*) jsem peníze/cestovní šeky/kreditní karty
straquil/straquila sém pénízé/tséstovní shéqui/kréditnhí karti

Perdi meu passaporte
Ztratil (*homem*)/Ztratila (*mulher*) jesm pas
straquil/straquila sém pás

Onde fica a embaixada do Brasil?
Kde je Brazilska ambasáda?
gdé ié brasilská ambassáda

Há acesso para cadeira de rodas?
Je tam bezbariérový přístup?
ié tam bezbariérovi prjístup

É permitida a entrada de cão-guia?
Má sem přístup slepecký pes?
má sém prjístup slépétskí pés

Sou surdo
Jsem hluchý *(homem)*/hluchá *(mulher)*
sém rrlurrí/rrlurrá

Sou cego
Jsem slepý *(homem)*/slepá *(mulher)*
sém slépí/slépá

Palavras e Frases que Você Vai Ouvir

Ahoj	olá
Díky	obrigado (a)
Dobrý den	bom dia
Dobré ráno	bom dia (manhã)
Jak máte?	como vai?
Nashledanou	até logo
Na zdraví!	saúde!
Není zač	de nada
Nerozumím	não compreendo
Nevím	não sei
Omluvte mě	desculpe
Pozor!	cuidado!
Prosím vás	desculpe! com licença?
Správně	está certo
Vítáme vás	bem-vindo

DIAS, MESES, ESTAÇÕES

domingo	neděle	*néguíélé*
segunda-feira	pondělí	*ponguiélí*
terça-feira	úterý	*úterí*
quarta-feira	středa	*strjéda*
quinta-feira	čtvrtek	*tchtvrték*
sexta-feira	pátek	*pátěk*
sábado	sobota	*sobota*
janeiro	leden	*lédén*
fevereiro	únor	*únor*
março	březen	*brjézén*
abril	duben	*dubén*
maio	květen	*kvieten*
junho	červen	*tchérvén*
julho	červenec	*tchérvénéts*
agosto	srpen	*srpén*
setembro	září	*zárjí*
outubro	říjcn	*rjíién*
novembro	listopad	*listopad*
dezembro	prosinec	*prossinéts*
primavera	jaro	*jaro*
verão	léto	*léto*
outono	podzim	*podzim*
inverno	zima	*zima*
Natal	vánoce	*vánotsé*
Noite de Natal	Štědrý večer	*shquiédrí vétchér*
Ano-Novo	Nový rok	*noví rok*
Véspera de Ano-Novo	Silvestr	*silvéstr*

NÚMEROS

0 nula *nula*
1 jedna *jédna*
2 dvě *dvié*
3 tři *trji*
4 čtyři *tchtirji*
5 pět *piét*
6 šest *shést*
7 sedm *sédum*
8 osm *osum*
9 devět *déviet*

10 deset *désset*
11 jedenáct *iedenátst*
12 dvanáct *dvanátst*
13 třináct *trjinátst*
14 čtrnáct *tchtrnátst*
15 patnáct *patnátst*
16 šestnáct *shestnahtst*
17 sedmnáct *sedumnátst*
18 osmnáct *osumnátst*
19 devatenáct *dévaténátst*

20 dvacet *dvatsét*
21 dvacet jedna *dvatsét iédna*
22 dvacet dva *dvatsét dva*
30 třicet *trjitsét*
40 čtyřicet *tchtirjitset*
50 padesát *padéssát*
60 šedesát *shédéssát*
70 sedmdesát *sédumdéssát*
80 osmdesát *osumdéssát*
90 devadesát *dévadéssat*
100 sto *sto*
110 sto deset *sto déssét*
200 dvě stě *dvié squié*
300 tři sta *trji sta*
400 čtyři sta *tchtirji sta*
500 pět set *piét sét*
600 šest set *shést sét*
700 sedm set *sédum sét*
800 osm set *ossum sét*
900 devět set *déviét sét*
1.000 tisíc *quissíts*
100.000 sto tisíc *sto quissíts*
1.000.000 milion *milión*

TEMPO

hoje	dnes	*dnéss*
ontem	včera	*vtchéra*
amanhã	zítra	*zítra*
esta semana	tento týden	*ténto tídén*
semana passada	minulý týden	*minulí tídén*
próxima semana	příští týden	*prjíshquí tídén*
esta manhã		
(cedo)	dnes ráno	*dnéss ráno*
(tarde)	dnes dopoledne	*dnéss dopolédné*
esta tarde	dnes odpoledne	*dnéss odpolédné*
esta noite	dnes večer	*dnéss vétchér*
noite *(cedo)*	dnes večer	*dnéss vétchér*
(tarde)	dnes v noci	*dnéss vnotsi*
ontem à noite *(cedo)*	včera večer	*ftchéra vétchér*
(tarde)	včera v noci	*ftchéra vnotsi*
dentro de três dias	za tři dny	*za trji dni*
há três dias	před třemi dny	*prjéd trjémi dni*
tarde	pozdě	*pozguié*
cedo	časně	*tchasnhé*
logo	brzy	*brzi*
mais tarde	později	*pozguiéi*
neste momento	právě	*právié*
segundo	sekunda	*segunda*
minuto	minuta	*minuta*
um minuto	jedna minuta	*iédna minuta*
dois minutos	dvě minuty	*dvié minuti*
15 minutos	čtvrt hodiny	*tchtvrt rroguini*
meia hora	půl hodiny	*púl rroguini*
45 minutos	tři čtvrtě hodiny	*trji tchtvrquié rroguini*
hora	hodina	*rroguina*
dia	ten den	*tén dén*
todos os dias	každý den	*kazhdí dén*
o dia seguinte	příští den	*prjíshquí dén*

Como Dizer as Horas

'É uma hora' em tcheco é **je jedna hodina** (*ié iédna rroguina*); para 'são duas/três/quatro horas' use **jsou** (*isou*) seguido pelo número e **hodiny** (*rroguini*); o restante das horas até meio-dia fica da mesma forma, colocando-se o número apropriado seguido de **hodin** (*rroguin*).

Quando não for hora exata, refira-se sempre à hora seguinte. Para 'e meia' use **půl** (*púl*) e especifique a hora seguinte. Por exemplo, 'uma e meia' fica **půl druhé** (*púl drurré*), significa 'metade da hora seguinte'. Da mesma forma, para 'e quinze' use **čtvrt na** (*tchtvrt na*) e especifique a hora seguinte. 'Uma e quinze', por exemplo, é **čtvrt na dvě** (*tchtvrt na dvié*). 'Quinze para' é **tři čtvrtě na** (*trji tchtvrquié na*) mais a hora seguinte. 'Quinze para as oito' é **tři čtvrtě na osm** (*trji tchtvrquié na ossum*). Essas expressões poderão ser usadas com 'à(s)'. 'À uma e meia', por exemplo, é **v půl druhé** (v pul drurré).

madrugada (*0h às 5h*)	v noci	*vnotsi*
manhã (*5h às 9h*)	ráno	*ráno*
manhã (*9h às 12h*)	dopoledne	*dopolédné*
tarde (*12h às 17h*)	odpoledne	*odpolédné*
noite (*17h às 22h*)	večer	*vétchér*
noite (*22h às 24h*)	v noci	*vnotsi*
1h	jedna hodina	*iédna rroguina*
1h10	jedna hodina a deset minut	*iédna rroguina a déssét minut*
1h15	čtvrt na dvě	*tchtvrt na dvié*
1h30	půl druhé	*púl drurré*
1h40	za dvacet minut dvě	*za dvatsét minut dvié*
1h45	tři čtvrtě na dvě	*trji tchtvrquié na dvié*
2h	dvě hodiny	*dvié rroguini*
meio-dia	poledne	*polédné*
meia-noite	půlnoc	*púlnots*

COMUNICAÇÃO

Palavras e Frases Úteis

aparelho	sluchátko	*slurrátko*
auxílio à lista	linka	*linka*
cabine telefônica	telefonní budka	*téléfonhí butka*
cartão telefônico	telefonní karta	*telefonhí karta*
celular	mobilní telefon	*mobilnhí téléfon*
chamada a cobrar	hovor na účet volaného	*rrovor na útchet volaného*
código	předčíslí	*prjéd-tchíslí*
emergência	případ nouze	*prjípad nouze*
fax	fax	*fax*
informações	informace	*informatsé*
internet	internet	*internet*
número	číslo	*tchíslo*
número errado	špatné číslo	*shpatné tchíslo*
operador	ústředna	*ústrjédna*
sinal de discagem	volací tón	*volatsí tón*
telefone	telefon	*téléfon*
Web site	web site	*web site*

Onde fica a cabine telefônica mais próxima?
Kde je nejbližší telefonní budka?
gdé ié néiblizhshí téléfonhí butka

Quero um número de ...
Chtěl (*homem*)/chtěla (*mulher*) bych číslo v...
rrquiél/rrtiéla birr tchíslo v

Posso falar com ..., por favor
Rád (*homem*)/ráda (*mulher*) bych mluvil/mluvila s ...
rád/ráda birr mluvil/mluvila s

Meu número é ...
Mé číslo je ...
mé tchíslo ié

Posso deixar um recado para ele/ela?
Muzete mu nechat vzkaz?
múgété mu nérrat fskas

Desculpe, foi engano
Promiňte, mam spatňe císlo
prominhté, mám shpatné tchíslo

Qual o número do seu fax/seu e-mail?
Jaké je tvé faxové číslo/e-mailová adresa?
iaké ié tvé faxové tchíslo/e-mailová adressa

Posso enviar um fax/um e-mail daqui?
Mohu odtud poslat fax/e-mail?
morru odtud poslat fax/e-mail

Frases que Você Vai Ouvir

Koho voláte?
Com quem gostaria de falar?

Máte špatné číslo
Você ligou o número errado

Kdo je u telefonu?
Quem está falando?

Mluví. Počkáte si?
A linha está ocupada. Você quer esperar?

Není tady
Ele/ela não está

Nezavěšujte!
Não desligue!

Řeknu mu, že jste telefonoval
Direi a ele/ela que o (a) senhor (a) ligou

Vrátí se v … hodin
Ele/ela estará de volta às …

Expressões que Você Vai Encontrar

fax	fax
informace	auxílio à lista
meziměstský hovor	chamada de longa distância
mezinárodní hovor	chamada internacional
místní hovor	ligação local
ohlašovna poruch	serviço falho
poplatky	taxas
porucha	com defeito
předvolba	código
přímá volba	discagem direta
případ nouze	emergência
telefon	telefone
telefonní budka	cabine telefônica
telefonní kabina	cabine telefônica (no correio)
telefonní seznam	lista telefônica
ústředna	telefonista (operador)
webová stránka	Web site
záloha	depósito

HOTÉIS

Palavras e Frases Úteis

almoço	oběd	*obiéd*
aposento	pokoj	*pokoi*
banheiro	koupelna	*koupélna*
café da manhã	snídaně	*snhídanhé*
cama	postel	*postél*
chave	klíč	*klítch*
conta	účet	*útchét*
ducha	sprcha	*spr-rra*
elevador	výtah	*vítarr*
gerente	ředitel	*rjéguitél*
jantar	večeře	*vétchérjé*
hall	studentská kolej	*studentská koléi*
hall de entrada	předsálí	*prjédssálí*
hotel	hotel	*rrotél*
meia pensão	polopenze	*polopénzé*
pensão completa	plná penze	*plná pénzé*
quarto conjugado	dvoulůžkový pokoj	*dvoulúzhkoví pokoi*
quarto de dormir	ložnice	*lozhnhitsé*
quarto duplo	pokoj s dvojlůžkem	*pokoi s dvoilúzhkém*
quarto simples	jednolůžkový pokoj	*iédnolúzhkoví pokoi*
recepção	recepce	*rétséptsé*
recepcionista	recepční	*rétséptchnhí*
restaurante	restaurace	*réstauratsé*
sacada	balkón	*balkón*
saguão	hala	*rrala*
sala de jantar	jídelna	*iídelna*
sanitário	záchod	*zárrod*
serviço de quarto	donáška do pokoje	*donáshka do pokoié*

Vocês têm vagas?
Mate volné pokoje?
máté volné pokoié

Fiz uma reserva
Mám rezervovaný pokoj
mám rézérvovaní pokoi

Eu gostaria de um quarto simples/quarto duplo
Chtěl (*homem*)/chtěla (*mulher*) bych jednolůžkový pokoj/pokoj s dvoulůžkem
rrquiél/rrquiéla birr iédnolúzhkoví pokoi/pokoi s dvoulúzhkém

Eu gostaria de um quarto conjugado
Chtěl (*homem*)/chtěla (*mulher*) bych pokoj s dvěma lůžky
rrquiél/rrquiéla birr pokoi s dviéma lúzhki

Eu gostaria de um quarto com banheiro/sacada
Chtěl (*homem*)/chtěla (*mulher*) bych pokoj s koupelnou/ s balkónem
rrquiél/rrquiéla birr pokoi s koupélnou/s balkóném

Os quartos possuem TV via satélite/TV a cabo?
Je v pokojích satelit/kabelová televize?
ié v pokoírr satélit/kabelová télévizé

Eu gostaria de um quarto para uma noite/três noites
Chtěl (*homem*)/chtěla (*mulher*) bych pokoj na jednu noc/na tri noci
rrquiél/rrquiéla birr pokoi na iédnu nots/na trji notsi

Eu gostaria de um quarto privativo
Hledám ubytování v soukromí
rrlédám ubitovánhí v soukromí

Qual o preço por noite?
Kolik stojí jedna noc?
kolik stoí iédna nots

Ainda não sei quanto tempo vou ficar
Ještě nevím, jak dlouho tady zůstanu
iéshquié névím iak dlouho tadi zústanu

A que horas é o café da manhã/jantar?
Kdy je snídaně/večeře?
gdi ié snhídanhé/vétchérjé

Por favor, acorde-me às ...h
Prosím, zavolejte mi v ... hodin
prossím, zavoléité mi v ... rrodin

Podem servir o café da manhã no meu quarto?
Mohu snídat ve svém pokoji?
morru snhídat vé svém pokoi

Voltarei às ... h
Vratím se v ... hodin
vráquim se v ... rroguin

O número do meu quarto é ...
Číslo mého pokoje je ...
tchíslo mého pokoié ié

Vou embora amanhã
Odjíždim zítra
odízhguím zítra

Minha conta, por favor?
Mohu dostat účet, prosím?
morru dostat útchét prossím

Vou pagar com cartão de crédito
Budu platit úvěrovou kartou
budu plaquit úviérovou kartou

Vou pagar em dinheiro
Budu platit v hotovosti
budu plaquit v rrotovosqui

Pode chamar um táxi?
Můžete mi zavolat taxi?
múgété mi zavolat táxi

Expressões que Você Vai Encontrar

nouzový východ	saída de emergência
obsazeno	não há vagas
poschodí	andar
pouze pro personál	somente funcionários
recepce	recepção
restaurace	restaurante
sem	puxe
snídaně	café da manhã
sprcha	ducha
tam	empurre
tlačit	empurre
účet	conta
výtah	elevador
zadáno	reserva

Frases que Você Vai Ouvir

Pokoje s dvoujlůžkem už nemáme
Não temos quartos duplos

Jednolůžkové pokoje už nemáme
Não temos quartos simples

Jak budete platit?
Como o (a) senhor (a) gostaria de pagar?

Lituji, máme obsazeno
Sinto muito, estamos lotados

Na kolik nocí?
Por quanto tempo?

Platí se předem, prosím
Por favor, pague adiantado

COMPRAS

Onde fica o departamento ...?
Kde je oddělení …?
gdé ié odguiélénhí

Você tem …?
Máte …?
máté

Quanto custa isto?
Kolik to stojí?
kolik to stói

Onde fica o caixa?
Kde mohu zaplatit?
gdé morru zaplaquit

Tem algo menos caro?
Máte něco levnějšího?
máte nhétso lévnhéishírro

Poderia embrulhar para mim?
Můžete mi to zabalit?
múgété mi to zabalit

Poderia me dar uma nota fiscal?
Mohu dostat paragon?
morru dostat paragon

Poderia ter o dinheiro de volta?
Mohu dostat zpátky peníze?
morru dostat spátqui pénhízé

Estou só olhando
Jenom se dívám
iénom se guívám

Voltarei mais tarde
Ještě se vrátím
iéshquié se vráquím

REFEIÇÕES

Os restaurantes –**restaurace** (*réstauratsé*)– estão divididos em quatro categorias de preço. Os da primeira categoria –**cenová skupina** (tsénová skupina)– e alguns da segunda categoria podem ser bastante caros. Encontra-se grande variedade de comida, tanto tcheca como internacional, e os restaurantes chineses e indianos estão na moda.

A comida nos restaurantes mais baratos varia, dependendo da estação, região e da iniciativa do gerente ou do dono. Pequenos bares nas regiões montanhosas da Boêmia servem com frequência pratos locais interessantes. Um prato popular é **vepřová pečeně s knedlíky a se zelím** (*véprjová pétchénhié s knedlíqui a se zélím*), carne de porco assada com *dumplings* (nhoques grandes com aparência de fatias de pão brancas cozidas) e *sauerkraut* (repolho em conserva). Nos grandes hotéis e melhores restaurantes há carne de caça na época da estação e o lombo de veado ao molho de creme de leite (**srnčí kýta na smetaně** *srntchí quita na smétanhié*) é recomendado. Quem gosta de peixe de água doce deve experimentar a truta na manteiga com ervas (**pstruh na másle** *pstrurr na máslé*). A carne é parte importante da cultura da comida tcheca, mas alguns pratos vegetarianos também estão disponíveis.

Refeições mais simples e porções populares incluem sopa de tripa (**dršťková polévka** *drshtková pólévka*), sopa de gulache (**gulášová polévka** *guláshová pólévka*) e carne de porco refogada com páprica e arroz (**vepřové na paprice rýží** *véprjóvé na papritsé s ríjí*)

A melhor cerveja é a da Boêmia, mas as de Brno são boas e vale a pena experimentar cervejas do norte da Morávia e da Eslováquia. Recomenda-se uma visita às adegas do sul da Morávia, que possuem os melhores vinhos. Os vinhos brancos **Rulandské bílé** (*rulandské bílé*), **Müller Thurgau** e o tinto **Kláštorné červené** (*kláshtorné tchérvéné*) estão entre os mais populares. **Mattoniho kyselka** (*mattonirro quisélka*) é a melhor água mineral.

Palavras e Frases Úteis

açúcar	cukr	*tsukr*
água	voda	*voda*
bolo	zákusek	*zákusék*
café	káva	*káva*
cardápio	jídelní lístek	*iidélnhí lísték*
carta de vinhos	nápojový lístek	*nápoioví lísték*
cerveja	pivo	*pivo*
chá	čaj	*tchai*
chef	kuchař	*kurrarj*
colher	lžíce	*lgícé*
colher de chá	čajová lžička	*tchaiová lgitchka*
conta	účet	*útchét*
copo	sklenice	*sklénhicé*
entradas frias	předkrm	*prjédkrm*
faca	nůž	*núzh*
garçom	číšník	*tchíshnhík*
garçonete	číšnice	*tchíshnhítsé*
garfo	vidlička	*vidlitchka*
gorjeta	spropitné	*spropitnéé*
guardanapo	ubrousek	*ubrousék*
jarra	láhev	*láhév*
lanche	rychlé občerstvení	*rirrléé obtcherstvenhí*
leite	mléko	*mlééko*
mesa	stůl	*stúl*
nota fiscal	stvrzenka	*stvrzénka*
prato	talíř	*talírj*
sanduíche	obložený chléb	*oblogéní rrlééb*
sopa	polévka	*polévka*
tigela	miska	*miska*
vinho	víno	*víno*
xícara	šálek	*shálék*

Uma mesa para um, por favor
Stůl pro jednoho, prosím
stúl pro iédnoho, prossím

Uma mesa para dois, por favor
Stůl pro dva, prosím
stúl pro dva, prossím

Vocês têm cadeirão?
Mají tam dětskou židličku?
maí tam guiétskou gidlitchku

Pode me trazer o cardápio?
Mohu dostat jídelní lístek?
morru dostat iídélnhí lístéк

O senhor tem cardápio vegetariano?
Máte vegetariánskou nabídku jídel?
maté véguétariánskou nabídku iídél

Chame o gerente, por favor!
Zavolejte vedoucího, prosím!
zavoléite védoutsírro, prossím

Pode me trazer a carta de vinhos?
Mohu dostat nápojový lístek?
morru dostat nápoioví lístéк

O senhor tem porções especiais para crianças?
Děláte dětské porce?
guiélaté guiétskéé portsé

O senhor pode esquentar este pote/a comida do bebê?
Můžete ohřát tuto láhev/kojeneckou výživu?
múgété orr-rját tuto láhév/koiénétskou vígivu

O que o senhor sugere?
Co byste mi doporučil (*homem*)/doporučila (*mulher*)?
tso bisté mi doporutchil/doporutchila

Esse é um prato vegetariano?
Je to vhodné pro vegetariány?
ié to vrrodné pro véguétariáni

Sou alérgico a castanhas/marisco
Jsem alergický (*homem*)/alergická (*mulher*) na ořechy/korýše
isém alerguitskí/alerguitská na orjerri/koríshe

Eu gostaria de ...
Rád (*homem*)/ráda (*mulher*) bych ...
rád/ráda birr

Só uma xícara de café, por favor
Jenom šálek kávy, prosím
iénom shálék kávi, prossím

Garçom/Garçonete!
Pane/paní vrchní!
pané/panhí vr-rrnhí

Uma cerveja/duas cervejas, por favor
Pivo/dvě piva, prosim
pivo/dvié piva, prossím

Pode nos trazer a conta, por favor?
Můžeme dostat účet, prosím?
múgémé dostat útchét, prossím

Só quero uma refeição ligeira
Chci jenom něco malého k jídlu
rrtsi iénom nhétso malého k iídlu

Nós não pedimos isso
Toto jsem si neobjednal (*homem*)/neobjednala (*mulher*)
toto isém si neobiédnal/neobiédnala

A comida estava muito boa, obrigado (a)
Jídlo bylo velmi dobré, děkuji
iídlo bilo vélmi dobréé, guiékui

MANUAL DO MENU

aperitiv aperitivo
banán banana
bažant faisão
bez ledu sem gelo
biftek s vejcem bife com ovo
bílé víno vinho branco
bramborák panqueca de batata crua
bramborová kaše purê de batatas
bramborová polévka sopa de batatas
bramborové hranolky batata frita
bramborové knedlíky dumplings de batata
bramborové placky panqueca de batata cozida
bramborový guláš refogado de batata com molho
brambory batatas cozidas
broskev pêssego
brynza queijo de ovelha
burské oříšky amendoim
celer salsão
celerový salád salada de salsão
chlupaté knedlíky se zelím nhoque de batata crua ralada com repolho
chřest aspargo
cibule cebola
cibulová omáčka molho de cebola
citrón limão
cukr açucar
cukroví doces
čaj chá
čaj s mlékem chá com leite
černá káva café preto
čerstvý fresco
červené víno vinho tinto
červená řepa beterraba
česnek alho
čočka lentilha
čočková polévka sopa de lentilha
daněk carne de veado
datle tâmaras
divoký kanec javali
divoký králík lebre
do krvava malpassado
domácí caseiro
dort bolo com creme
dršťková polévka sopa de tripas
drůbež aves
dušená kapusta repolho refogado
dušené hovězí maso carne de vaca refogada
dušené telecí maso carne de vitela refogada
dušené vepřové maso carne de porco refogada
dušený refogado
džem geleia
džus suco
fazole feijão
fazole na kyselo feijão cozido temperado com vinagre
fíky figos
guláš gulash
guláš z daňčího masa gulash de carne de veado
guláš z husích žaludků gulash de moela de ganso
gulášová polévka sopa de gulash
hašé carne moída refogada
hlávkové zelí repolho
hlávkový salát alface
hodně vypečený bem passado
holub pombo
horké kakao chocolate quente
horký quente
hořčice mostarda

houbová omáčka molho de cogumelo
houby cogumelo
houskové knedlíky dumplings com pedaços de pão
hovězí (maso) carne de vaca
hovězí játra na slanině fígado de vaca refogado com cebola e toucinho
hovězí maso s houbovou omáčkou carne de vaca cozida ao molho de cogumelo
hovězí maso s koprovou omáčkou carne de vaca cozida ao molho dil
hovězí maso s rajskou omáčkou carne de vaca cozida ao molho de tomate
hovězí pečeně carne de vaca assada
hovězí polévka se žemlovým svítkem caldo de carne com pedaços de omelete
hovězí polévka caldo de carne
hovězí polévka s knedlíčky caldo de carne com bolinhos de fígado
hovězí polévka s masovými knedlíčky caldo de carne com bolinhos de carne
hovězí polévka s noky caldo de carne com nhoque
hovězí polévka s rýží caldo de carne com arroz
hovězí tokáň carne de vaca refogada no vinho
hrách ervilha
hráškový krém creme de ervilha
hroznové víno uvas
hruška pera
humr lagosta
husa ganso
husí játra fígado de ganso
chléb pão
chuťovky salgadinhos
játra fígado
játrová omáčka molho de fígado
jablko maçã
jablkový závin torta de maçã
jahody morango
jednotlivá jídla à la carte
jehněčí maso cordeiro
jelení maso carne de veado
kachna pato
kachna pečená pato assado
kakao chocolate quente
kančí (maso) javali
kapr carpa
kapr pečený carpa assada
kapr na rožni carpa grelhada
kapr smažený carpa frita
kapusta repolho crespo
karotka cenoura
kaše mingau
káva café
kaviár caviar
kedlubny couve-rábano
klobása linguiça
klopsy na smetaně bolinhos de carne refogados com creme
knedlíky dumplings
koblihy donuts
koláč torta
koláčky tortinhas doces
koprová omáčka molho de dil
krém creme
krocan peru
krupicová kaše purê de semolina
krupicové noky nhoque de semolina
krupicový nákyp pudim de semolina
křehký koláč s jablky torta de maçã de massa podre
křenová šlehačka molho de raiz-forte
kuře frango
kuře na rožni frango grelhado
květák couve-flor
kynuté knedlíky dumplings recheados com geleia ou fruta

kyselé zelí repolho em conserva
lískové ořechy avelã
lívance panqueca de fermento biológico com geleia
losos salmão
majonéza maionese
maliny framboesa
máslo manteiga
maso carne
masová směs na roštu espeto de carne
menu cardápio
meruňky damasco
minerálka/minerální voda água mineral
mléko leite
mořské ryby peixe de mar
moučník sobremesa
mouka farinha
na jehle no espeto
na roštu grelhado
nanukový dort torta gelada
ne moc vypečený ao ponto
nealkoholické nápoje refrigerantes
nešumivá minerálka água mineral sem gás
noky nhoque
nudle macarrão
nudlový nákyp s tvarohem macarrão com ricota gratinado
oběd almoço
obložený chlebíček sanduíche aberto
ocet vinagre
okurky pepino
omáčka molho
omeleta omelete
ovoce frutas
párek salsicha
párek s hořčicí salsicha com mostarda
párek v rohlíku cachorro-quente
paprika pimentão (verde ou vermelho)
pařížský krém creme de chantilly com chocolate
paštika patê
pečená husa ganso grelhado
pečené hovězí maso carne de vaca assada
pečený assado
pepř pimenta
pivo cerveja
plněné rajče zapečené tomate recheado
plněné žampióny cogumelo recheado
plněný telecí řízek bife de vitela recheado
polévka sopa
pórek alho-poró
pomeranč laranja
pomerančová šťáva suco de laranja
přesnídávka lanche
přesnídávková polévka sopa creme
přílohy acompanhamentos
pstruh truta
pšeničný chléb pão de farinha de trigo
ragú ensopado
rajčatový salát salada de tomate
rajská tomates
rohlík pãozinho
rybí polévka z kapra sopa de carpa
rybíz groselha
ryby peixe
rýže arroz
rýže dušená arroz refogado
řízek filé
s ledem gelado
s octem com vinagre
salát salada
sekaná pečeně pão de carne
sekané maso carne moída
sekaný picado
skopová kýta pernil de carneiro
skopové (maso) carne de carneiro
skopové ragú refogado de carneiro
sladkovodní ryby peixe de água doce
sladký doce

slanina toucinho
sleď arenque
slepice galinha
sluka tiras
smažené bramborové hranolky batata frita
smažené kuře frango à milanesa
smažené telecí maso vitela à milanesa
smažené vepřové maso carne de porco à milanesa
smažený frito
smažený karbanátek bolinho de carne frita
smetana creme de leite
snídaně café da manhã
srnčí (maso) carne de veado
studené předkrmy entradas frias
studený frio
sůl sal
šumivá minerálka água mineral com gás
sýr queijo
šampaňské champanhe
šlehačka creme de chantilly
špenát espinafre
šunka presunto
švestky ameixa
telecí (maso) vitela
telecí řízek přírodní bife de vitela
teplá šunka tender
teplé předkrmy entradas quentes
teplý quente
těstoviny massas
treska bacalhau
třešně cerejas
tvaroh ricota
uzené maso vařené carne defumada cozida
uzené vepřové maso carne de porco defumada
vařené cozido
večeře jantar
vejce ovo
veka baguete
vepřová kýta na paprice pernil de porco na páprica
vepřová pečeně carne de porco assada
vepřová žebírko přírodní costeleta de porco refogada
vepřové ražniči espetinho de carne de porco com toucinho e cebola
vepřový guláš gulash de porco
vídeňský telecí řízek vitela à milanesa
víno vinho
višně cereja azeda
voda água
voda s ledem água gelada
zadělávané ao molho branco
zajíc lebre
zajíc na smetaně, přírodní lebre ao creme de leite
zapečená šunka s vejci ovo estrelado com presunto
zapékané brambory se sýrem batata gratinada com queijo
zavařenina geleia
zelenina verduras
zeleninová polévka sopa de verduras
zeleninové rizoto risoto de verduras
zelený hrášek ervilha
zelná polévka sopa de repolho
zelná polévka s klobásou sopa de repolho com linguiça
zmrzlina sorvete
zmrzlinový pohár sorvete com frutas, calda e chantilly
znojemská roštěná carne assada com molho e picles de pepino
zvěřina caça
žampióny cogumelos
žemlovka pudim de fatias de pão com maçã, canela, ovos e leite
žitný chléb pão de centeio

Conheça outros títulos da série Guias Visuais:

Conheça também:

Guias Visuais

África do Sul • Alemanha • Argentina • Austrália • Áustria • Barcelona e Catalunha • Brasil • Califórnia • Canadá • Caribe • China • Costa Rica • Croácia Cuba • Egito • Espanha • Estados Unidos • Estônia, Letônia e Lituânia • Europa Flórida • França • Holanda • Ilhas Gregas e Atenas • Índia • Inglaterra, Escócia e País de Gales • Irlanda • Istambul • Itália • Japão • Londres • Madri • México Nova York • Nova Zelândia • Paris • Peru • Portugal, Madeira e Açores • Praga Roma • Suíça • Turquia • Vietnã e Angkor Wat • Walt Disney World® Resort e Orlando

Guias Visuais de Bolso

Amsterdã • Berlim • Boston • Edimburgo • Londres • Madri • Melbourne • Nova York Paris • Praga • Roma • São Francisco • Sevilha • Sydney • Toronto • Vancouver • Veneza

Guias de Conversação Para Viagem

Alemão • Árabe • Chinês • Espanhol • Europa • Francês • Grego • Holandês Inglês • Italiano • Japonês • Portuguese • Russo • Tailandês • Tcheco • Turco

Guias de Conversação Ilustrado (Livro + CD)

Alemão • Chinês • Espanhol • Francês • Inglês • Italiano

15 Minutos (Livro + CD)

Alemão • Árabe • Chinês • Espanhol • Francês • Inglês • Italiano • Japonês